Si par une [nuit d'hiver]
un voyageur

Vous êtes un Lecteur. Comment vous installer pour lire le nouveau roman d'Italo Calvino ? Dans un rocking-chair ? Les pieds en l'air ? Au fait, ne remarquez-vous pas, à le feuilleter, que ce roman-ci, si l'on y reconnaît bien tous les traits du style de Calvino, diffère cependant de mille et trois façons de tous les autres ?

Vous aimez les romans. Tous les romans : italiens, belges, cimmeriens, japonais, sud-américains ; réalistes, métaphysiques, engagés, érotiques, fantastiques, phénoménologiques. Au fait, n'avez-vous pas remarqué que le moment le plus attachant, c'est celui où l'histoire a pris corps, où vous vous passionnez pour savoir comment elle va se développer et où vous avez encore la liberté d'imaginer — d'inventer ?

Vous êtes un Lecteur. Il vous faut évidemment, à vos côtés, une Lectrice. Et puis tout ce monde qui grouille autour des livres : libraires, professeurs, traducteurs, éditeurs, faussaires, ordinateurs, policiers et censeurs. Au fait, n'avez-vous pas remarqué que, dans le monde d'aujourd'hui, tout ce petit univers est en proie à la confusion, au point qu'on ne sait plus comment reconnaître l'authentique de l'apocryphe ?

Voilà. Vous avez envie de lire le nouveau roman d'Italo Calvino. Vous avez bien raison. Commencez.

Italo Calvino est entré dans les lettres en découvrant la Résistance à travers les yeux d'un gamin sans attaches. Prodigieusement intelligent, toujours ironique, inventeur lyrique et ne cessant de trouver des figures pour ce à quoi il revenait toujours, l'écriture, il a publié sous le titre collectif de « Nos ancêtres » trois romans : le Vicomte pourfendu, le Baron perché, le Chevalier inexistant ; *des récits sur l'Italie moderne (*Aventures, *la* Journée d'un scrutateur*); des fictions entées sur la science (*Cosmicomics, Temps zéro), *sur les tarots* (le Château des destins croisés), *sur la ville* (les Villes invisibles) ; *un grand roman sur le lecteur de romans* (Si par une nuit d'hiver un voyageur), *un auto portrait ironique* (Palomar) *et des nouvelles sur les sens* (Sous le soleil jaguar). *Il était également un essayiste aigu dont les interventions ont été recueillies dans la* Machine littérature *et dans* Collection de sable.

Italo Calvino

Si par une nuit d'hiver un voyageur

roman

TRADUIT DE L'ITALIEN
PAR DANIÈLE SALLENAVE ET
FRANÇOIS WAHL

Éditions du Seuil

TEXTE INTÉGRAL

EN COUVERTURE : illustration Dominique Appia,
Confidences d'un chef de gare (détail). © SPADEM

Titre original : *Se una notte d'inverno un viaggiatore*
Éditeur original : Giulio Einaudi Editore, Torino, 1979
© 1990, PALOMAR s.r.l.

ISBN 2-02-006239-9
(ISBN 1re parution : 2-02-005755-7)

© 1981, Éditions du Seuil, pour la traduction française

Tu vas commencer le nouveau roman d'Italo Calvino, *Si par une nuit d'hiver un voyageur*. Détends-toi. Concentre-toi. Écarte de toi toute autre pensée. Laisse le monde qui t'entoure s'estomper dans le vague. La porte, il vaut mieux la fermer ; de l'autre côté, la télévision est toujours allumée. Dis-le tout de suite aux autres : « Non, je ne veux pas regarder la télévision ! » Parle plus fort s'ils ne t'entendent pas : « Je lis ! Je ne veux pas être dérangé. » Avec tout ce chahut, ils ne t'ont peut être pas entendu ; dis-le plus fort, crie : « Je commence le nouveau roman d'Italo Calvino ! » Ou, si tu préfères, ne dis rien ; espérons qu'ils te laisseront en paix.

Prends la position la plus confortable : assis, étendu, pelotonné, couché. Couché sur le dos, sur un côté, sur le ventre. Dans un fauteuil, un sofa, un fauteuil à bascule, une chaise longue, un pouf. Ou dans un hamac, si tu en as un. Sur ton lit naturellement, ou dedans. Tu peux aussi te mettre la tête en bas, en position de yoga. En tenant le livre à l'envers, évidemment.

Il n'est pas facile de trouver la position idéale pour lire, c'est vrai. Autrefois, on lisait debout devant un lutrin. Se tenir debout, c'était l'habitude. C'est ainsi qu'on se reposait quand on était fatigué d'aller à cheval. Personne n'a jamais eu l'idée de lire à cheval ; et pourtant, lire bien droit sur ses étriers, le livre posé sur la crinière du cheval ou même fixé à ses oreilles par un harnachement spécial, l'idée te paraît plaisante. On devrait être très bien pour lire, les pieds dans des étriers ;

7

avoir les pieds levés est la première condition pour jouir d'une lecture.

Bien, qu'est-ce que tu attends ? Allonge les jambes, pose les pieds sur un coussin, sur deux coussins, sur les bras du canapé, sur les oreilles du fauteuil, sur la table à thé, sur le bureau, le piano, la mappemonde. Mais, d'abord, ôte tes chaussures si tu veux rester les pieds levés ; sinon, remets-les. Mais ne reste pas là, tes chaussures dans une main et le livre dans l'autre.

Règle la lumière de façon à ne pas te fatiguer la vue. Fais-le tout de suite, car dès que tu seras plongé dans la lecture, il n'y aura plus moyen de te faire bouger. Arrange-toi pour que la page ne reste pas dans l'ombre : un amas de lettres noires sur fond gris, uniforme comme une armée de souris ; mais veille bien à ce qu'il ne tombe pas dessus une lumière trop forte qui, en se reflétant sur la blancheur crue du papier, y ronge l'ombre des caractères, comme sur une façade le soleil du sud, à midi. Essaie de prévoir dès maintenant tout ce qui peut t'éviter d'interrompre ta lecture. Si tu fumes : les cigarettes, le cendrier, à portée de main. Qu'est-ce qu'il y a encore ? Tu as envie de faire pipi ? A toi de voir.

Ce n'est pas que tu attendes quelque chose de particulier de ce livre particulier. Tu es un homme qui, par principe, n'attend plus rien de rien. Il y a tant de gens, plus jeunes que toi ou moins jeunes, dont la vie se passe dans l'attente d'expériences extraordinaires. Avec les livres, les personnes, les voyages, les événements, tout ce que l'avenir garde en réserve. Toi, non. Tu sais que le mieux qu'on puisse espérer, c'est d'éviter le pire. C'est la conclusion à laquelle tu es arrivé dans ta vie privée comme pour les problèmes plus généraux, et même mondiaux. Et avec les livres ? Justement : comme tu y as renoncé dans tous les autres domaines, tu crois pouvoir te permettre le plaisir juvénile de l'expectative au moins dans un secteur bien circonscrit comme celui des livres. A tes risques et périls : la déconvenue n'est pas bien grave.

Donc, tu as lu dans un journal que venait de paraître *Si par une nuit d'hiver un voyageur,* le nouveau livre d'Italo Calvino,

8

qui n'avait rien publié depuis quelques années. Tu es passé dans une librairie, et tu as acheté le volume. Tu as bien fait.

Dans la vitrine de la librairie, tu as aussitôt repéré la couverture et le titre que tu cherchais. Sur la trace de ce repère visuel, tu t'es aussitôt frayé chemin dans la boutique, sous le tir de barrage nourri des livres-que-tu-n'as-pas-lus, qui, sur les tables et les rayons, te jetaient des regards noirs pour t'intimider. Mais tu sais que tu ne dois pas te laisser impressionner. Que sur des hectares et des hectares s'étendent les livres-que-tu-peux-te-passer-de-lire, les livres-faits-pour-d'autres-usages-que-la-lecture, les livres-qu'on-a-déjà-lus-sans-avoir-besoin-de-les-ouvrir-parce-qu'ils-appartiennent-à-la-catégorie-du-déjà-lu-avant-même-d'avoir-été-écrits. Tu franchis donc la première rangée de murailles : mais voilà que te tombe dessus l'infanterie des livres-que-tu-lirais-volontiers-si-tu-avais-plusieurs-vies-à-vivre-mais-malheureusement-les-jours-qui-te-restent-à-vivre-sont-ce-qu'ils-sont. Tu les escalades rapidement, et tu fends la phalange des livres-que-tu-as-l'intention-de-lire-mais-il-faudrait-d'abord-en-lire-d'autres, des livres-trop-chers-que-tu-achèteras-quand-ils-seront-revendus-à-moitié-prix, des livres-idem-voir-ci-dessus-quand-ils-seront-repris-en-poche, des livres-que-tu-pourrais-demander-à-quelqu'un-de-te-prêter, des livres-que-tout-le-monde-a-lus-et-c'est-donc-comme-si-tu-les-avais-lus-toi-même. Esquivant leurs assauts, tu te retrouves sous les tours du fortin, face aux efforts d'interception des livres-que-depuis-longtemps-tu-as-l'intention-de-lire, des livres-que-tu-as-cherchés-des-années-sans-les-trouver, des livres-qui-concernent-justement-un-sujet-qui-t'intéresse-en-ce-moment, des livres-que-tu-veux-avoir-à-ta-portée-en-toute-circonstance, des livres-que-tu-pourrais-mettre-de-côté-pour-les-lire-peut-être-cet-été, des livres-dont-tu-as-besoin-pour-les-aligner-avec-d'autres-sur-un-rayonnage, des livres-qui-t'inspirent-une-curiosité-soudaine-frénétique-et-peu-justifiable.

Bon. Tu as au moins réussi à réduire l'effectif illimité des forces adverses à un ensemble considérable, certes, mais cependant calculable, d'éléments en nombre fini, même si ce

9

relatif soulagement est mis en péril par les embuscades des livres-que-tu-as-lus-il-y-a-si-longtemps-qu'il-serait-temps-de-les-relire, et des livres-que-tu-as-toujours-fait-semblant-d'avoir-lus-et-qu'il-faudrait-aujourd'hui-te-décider-à-lire-pour-de-bon.

Tu te libères en quelques zigzags et pénètres d'un bond dans la citadelle des nouveautés-dont-l'auteur-ou-le-sujet-t'attire. Une fois dans la place, tu peux pratiquer des brèches entre les rangées des défenseurs. Tu les divises en nouveautés-d'auteurs-ou-de-sujets-déjà-connus (de toi ou dans l'absolu) et nouveautés-d'auteurs-ou-de-sujets-totalement-inconnus (pour toi du moins). Et tu répartis l'attraction qu'ils exercent sur toi selon le besoin, ou le désir, que tu as de nouveauté ou de non-nouveauté (de nouveauté dans le non-nouveau et de non-nouveau dans le nouveau).

Tout cela pour dire qu'après avoir parcouru rapidement du regard les titres des livres exposés, tu as dirigé tes pas vers une pile de *Si par une nuit d'hiver un voyageur* tout frais sortis de chez l'imprimeur, tu as saisi un exemplaire, et tu l'as porté à la caisse pour qu'on établisse ton droit de propriété sur lui.

En passant, tu as jeté aux livres alentour un regard douloureux (mieux : ce sont les livres qui te regardent de cet air douloureux qu'ont les chiens quand ils voient du fond des cages d'un chenil municipal l'un des leurs s'éloigner, tenu en laisse par son maître venu le reprendre). Et tu es sorti.

Un livre qui vient de paraître te donne une sorte de plaisir particulier, ce n'est pas le livre seulement que tu emportes : c'est sa nouveauté, qui n'est peut-être pas si différente de celle d'un objet tout juste sorti de l'usine, car les livres aussi connaissent cette beauté du diable qui cesse dès que la couverture jaunit, dès que la tranche se voile de suie, et que, dans le rapide automne des bibliothèques, la reliure se flétrit aux angles.

Toi, tu rêves toujours de rencontrer la nouveauté véritable — la nouveauté d'un jour, qui sera nouveauté de toujours. Si tu lis un livre dès sa sortie, tu posséderas cette nouveauté du premier instant sans avoir à la poursuivre, la traquer. Cette fois sera peut-être la bonne? On ne sait jamais. Voyons comment le livre commence.

Tu l'as peut-être déjà feuilleté un moment en librairie. Ou tu n'as pas pu, parce qu'il était enveloppé dans sa coquille de cellophane? Tu es dans l'autobus, debout parmi les gens, tenant la poignée d'une main, tandis que de l'autre tu essaies de défaire le paquet, un peu comme un singe, un singe qui veut éplucher une banane sans lâcher la branche où il est suspendu. Attention à tes coups de coude; excuse-toi, au moins.

Ou peut-être que le libraire n'a pas enveloppé le livre, et te l'a donné dans un petit sac. Ce qui simplifie les choses. Tu es dans ta voiture, arrêté à un feu rouge: tu sors le livre, tu déchires l'enveloppe transparente, tu lis les premières lignes. Une tempête de klaxons se déchaîne; c'est vert, tu bloques la circulation.

Tu es à ta table de travail, le livre posé comme par hasard parmi tes papiers; tu soulèves un dossier et tu l'aperçois; tu l'ouvres distraitement, les coudes sur la table, les poings contre les tempes, on dirait que tu te plonges dans l'examen d'une affaire, et te voilà en train de parcourir les premières pages du roman. Tu t'appuies doucement contre le dos de la chaise, tu lèves le livre à hauteur de ton nez et, le siège en équilibre sur ses pieds arrière, tu poses les tiens sur un tiroir latéral du bureau, ouvert tout exprès — la position des pieds pendant la lecture est de la plus grande importance. Ou bien tu allonges les jambes sur le dessus de la table, au milieu des dossiers en instance.

Mais n'est-ce pas là un manque de respect? Moins envers ton travail, d'ailleurs (personne ne prétend juger ton rendement professionnel; on peut admettre que tes fonctions s'insèrent dans le système des activités improductives qui composent une bonne partie de l'économie nationale, et mondiale), qu'envers le livre. Encore pis si tu appartiens, bon gré mal gré, au nombre de ceux pour qui le travail est une chose sérieuse, l'accomplissement, intentionnel ou sans l'avoir vraiment cherché, d'une activité nécessaire ou simplement utile à la collectivité comme à toi-même : car, alors, le livre, que tu apportes sur ton lieu de travail comme une espèce d'amulette ou de talisman, t'expose à des tentations intermittentes, à soustraire quelques secondes chaque fois à l'objet premier de ton attention, que ce soit une perforatrice de fiches, les fourneaux d'une cuisine, les leviers de commande d'un bulldozer ou un malade étendu, les tripes à l'air, sur une table d'opération.

Il est préférable, en somme, que tu mettes un frein à ton impatience, et que tu attendes d'être à la maison pour ouvrir le livre. Voilà qui est fait. Tu es dans ta chambre, tranquille ; tu ouvres le livre à la première, non, à la dernière page, tu veux d'abord savoir sa longueur. Heureusement, il n'est pas trop long. C'est un contresens d'écrire aujourd'hui de longs romans : le temps a volé en éclats, nous ne pouvons vivre ou penser que des fragments de temps qui s'éloignent chacun selon sa trajectoire propre et disparaissent aussitôt. Nous ne pouvons retrouver la continuité du temps que dans les romans de l'époque où le temps n'apparaissait déjà plus immobile sans encore avoir éclaté. Une époque qui a duré en gros cent ans, et c'est tout.

Tu tournes le livre dans tes mains, tu parcours le texte du rempli, du rabat de couverture. Ce sont des phrases générales, qui ne disent pas grand-chose. Mieux vaut cela qu'un discours qui viendrait se substituer indiscrètement à celui que le livre doit te communiquer directement, à ce que tu devras en tirer toi-même, riche ou pauvre. Il est vrai que cette façon de tourner autour du livre, de lire autour avant de lire dedans, fait, elle aussi, partie du plaisir de la nouveauté. Mais comme tout plaisir préliminaire, celui-ci doit respecter une durée optimale si l'on veut qu'il débouche sur un plaisir plus consistant : la consommation de l'acte, ou la lecture du livre.

Te voici donc prêt à attaquer les premières lignes de la première page. Tu t'attends à retrouver l'accent reconnaissable entre tous de l'auteur. Non. Tu ne le retrouves pas. Après tout, qui a jamais dit que cet auteur avait un accent entre tous reconnaissable ? On le sait : c'est un auteur qui change beaucoup d'un livre à l'autre. Et c'est justement à cela qu'on le reconnaît. Mais il semble vraiment que ce livre-ci n'ait rien à voir avec tous les autres, pour autant que tu te souviennes. Tu es déçu ? Un moment. Il est normal que tu sois un peu désorienté au début, comme lorsqu'on vous présente quelqu'un dont on avait associé le nom à un visage, et qu'on tente de faire coïncider les traits qu'on voit avec ceux dont on se souvient. Et cela ne marche pas. Et puis tu poursuis ta lecture, et tu t'aperçois que le livre se laisse lire indépendamment de ce que tu attendais de l'auteur. C'est le livre en soi qui attise ta curiosité, et, à tout prendre, tu préfères qu'il en soit ainsi. Te retrouver devant quelque chose dont tu ne sais pas encore bien ce que c'est.

Si par une nuit d'hiver un voyageur.

Le roman commence dans une gare de chemin de fer, une locomotive souffle, un sifflement de piston couvre l'ouverture du chapitre, un nuage de fumée cache en partie le premier alinéa. Dans l'odeur de gare passe une bouffée d'odeur de buffet. Quelqu'un regarde à travers les vitres embuées, ouvre la porte vitrée du bar, tout est brumeux à l'intérieur, comme vu à travers des yeux de myope ou que des escarbilles ont irrités. Ce sont les pages du livre qui sont embuées, comme les vitres d'un vieux train ; c'est sur les phrases que se pose le nuage de fumée. Soir pluvieux ; l'homme entre dans le bar, déboutonne son pardessus humide, un nuage de vapeur l'enveloppe ; un coup de sifflet s'éloigne le long des voies luisantes de pluie à perte de vue.

Quelque chose comme un sifflet de locomotive et un jet de vapeur sortent du percolateur que le vieil employé met sous pression comme il lancerait un signal : c'est du moins ce qui résulte de la succession des phrases du second alinéa, où les joueurs attablés replient contre leur poitrine l'éventail de leurs cartes et se tournent vers le nouveau venu avec une triple torsion du cou, des épaules et de leur chaise, tandis que d'autres consommateurs au comptoir soulèvent leurs petites tasses et soufflent à la surface du café, les lèvres et les yeux entrouverts, ou bien aspirent le trop-plein de leurs chopes de bière avec des précautions extrêmes, pour ne rien laisser déborder. Le chat fait le gros dos, la caissière ferme la caisse enregistreuse, qui fait drin. Tous signes qui tendent à vous

15

informer qu'il s'agit d'une de ces petites gares de province, où celui qui arrive est aussitôt remarqué.

Les gares se ressemblent toutes ; peu importe que les lampes ne parviennent pas à éclairer au-delà d'un halo imprécis : c'est une atmosphère que tu connais par cœur, avec son odeur de train qui subsiste bien après le départ de tous les trains, l'odeur spéciale des gares après le départ du dernier train. Les lumières de la gare et les phrases que tu lis semblent avoir la tâche de dissoudre les choses plus que de les montrer : tout émerge d'un voile d'obscurité et de brouillard. Cette gare, j'y ai débarqué ce soir pour la première fois, et il me semble déjà y avoir passé toute une vie, entrant et sortant de ce bar, passant de l'odeur de la verrière à celle de sciure mouillée des toilettes, le tout mélangé dans une unique odeur qui est celle de l'attente, l'odeur des cabines téléphoniques quand il ne reste plus qu'à récupérer les jetons puisque le numéro ne donne pas signe de vie.

L'homme qui va et vient entre le bar et la cabine téléphonique, c'est moi. Ou plutôt : cet homme s'appelle « moi », et tu ne sais rien d'autre de lui, juste comme cette gare s'appelle seulement « gare », et en dehors d'elle il n'existe rien d'autre que le signal sans réponse d'un téléphone qui sonne dans une pièce obscure d'une ville lointaine. Je raccroche, j'attends le crépitement de la ferraille qui descend à travers la gorge de métal, de nouveau je pousse la porte vitrée, je me dirige vers les tasses mises à sécher en piles dans un nuage de vapeur.

Les percolateurs des cafés de gare ont une parenté manifeste avec les locomotives, les percolateurs d'hier et d'aujourd'hui avec les locomotives et locomotrices d'hier et d'aujourd'hui. J'ai beau aller et venir, tourner et retourner : je suis pris dans un piège, le piège intemporel que les gares nous tendent immanquablement. Une fine poussière de charbon flotte encore dans l'air des gares tant d'années après que les lignes ont toutes été électrifiées, un roman qui parle de trains et de gares ne peut pas ne pas transmettre cette odeur de fumée. Voici quelques pages que tu avances dans la lecture, et il serait temps qu'on te dise clairement si cette gare, où je suis descendu d'un train en retard, est une gare d'aujourd'hui ou une gare d'autrefois ; mais non, les phrases continuent de se mouvoir dans l'indéterminé, dans le gris, dans une sorte de no man's land de l'expérience réduite à son plus petit commun dénominateur. Fais attention : c'est sûrement une technique pour t'impliquer petit à petit dans l'histoire et t'y entraîner sans que tu t'en rendes compte. Un piège. Ou peut-être l'auteur est-il encore indécis, comme du reste toi-même, Lecteur, n'es pas bien sûr de ce qu'il te plairait le plus de lire : l'arrivée dans une vieille gare, qui te donne le sentiment d'un retour en arrière, d'une réoccupation des temps et des lieux perdus, ou un éblouissement de couleurs et de sons qui te procure le sentiment que tu es un vivant d'aujourd'hui, à la manière dont aujourd'hui on croit que cela fait plaisir d'être un vivant. Ce bar (ou « buffet de gare », comme on l'a appelé), ce sont peut-être mes yeux myopes ou irrités qui l'ont vu flou et brumeux : il n'est pas du tout exclu qu'au contraire il soit saturé de lumière, celle que diffusent des tubes couleur foudre, que reflètent des miroirs, qui pénètre jusqu'aux derniers recoins et interstices ; que cet espace sans ombres une machine à tuer le silence fasse en vibrant déborder sa musique à plein volume, que les billards et autres jeux électriques simulant courses hippiques et chasses à l'homme soient tous en marche ; que des ombres colorées nagent dans la transparence d'un téléviseur et dans celle d'un aquarium où des poissons tropicaux s'ébattent à travers un courant vertical de bulles d'air. Et que mon bras, au lieu de soulever un sac de voyage à soufflet, gonflé, un peu râpé, pousse une valise carrée de matière plastique munie de petites roues, qu'on manœuvre à l'aide d'une canne pliable de métal chromé.

Lecteur, tu me voyais déjà sous la verrière, le regard fixé sur la pointe des aiguilles d'une vieille horloge ronde de gare percées comme des hallebardes, essayant en vain de les faire revenir en arrière, et de parcourir à rebours le cimetière des heures passées, étendues inanimées dans leur panthéon circulaire. Qu'est-ce qui t'interdit de penser plutôt que les chiffres défilent dans de petites fenêtres rectangulaires et que chaque minute me tombe dessus aussi brutalement que le couperet d'une guillotine ? Le résultat serait d'ailleurs le même : au sein d'un monde parfaitement lisse et fluide, la contraction de ma main sur le timon léger de la valise à roulettes n'en exprimerait pas moins un refus intérieur ; comme si ce bagage désinvolte était pour moi un fardeau accablant.

Tout ne va manifestement pas comme je voudrais : retard ou erreur, j'ai manqué une correspondance, j'aurais sans doute dû rencontrer en débarquant un contact, en relation probable avec cette valise qui semble me préoccuper énormément, reste à savoir si c'est crainte de la perdre ou que je ne vois pas le moment de me défaire d'elle. Ce qui a l'air sûr : ce n'est pas un de ces bagages qu'on peut laisser à la consigne, ou faire semblant d'oublier dans une salle d'attente. Inutile de regarder l'horloge : si quelqu'un était venu m'attendre, il y a belle lurette qu'il est reparti ; inutile de m'obstiner bêtement à vouloir faire revenir en arrière horloges et calendriers dans l'espoir de me retrouver au moment précédant celui où il s'est passé quelque chose qui n'aurait pas dû arriver. Si je devais rencontrer dans cette gare un homme qui — comme moi-même — n'avait rien d'autre à y faire que descendre d'un train et remonter dans un autre, et que l'un des deux ait eu quelque chose à remettre à l'autre — cette valise à roulettes par exemple, que j'ai gardée et qui me brûle les mains —, la seule chose à faire est d'essayer de rétablir le contact perdu.

J'ai traversé plusieurs fois le buffet, et j'ai passé la tête par la porte qui donne sur la place invisible, mais chaque fois le mur noir de la nuit m'a rejeté vers cette espèce de limbe lumineux suspendu entre l'obscurité du faisceau des voies et celui de la ville plongée dans le brouillard. Sortir ? Pour aller où ? La ville, là, dehors, n'a pas encore de nom ; nous ne savons pas si elle restera hors du roman ou si elle le contiendra tout entier dans sa noirceur d'encre. Je sais seulement que ce premier chapitre tarde à se détacher de la gare et du buffet : il ne serait pas prudent que je m'éloigne d'un endroit où l'on pourrait encore venir me chercher, ni que je me fasse davantage voir avec cette valise encombrante. Je continue donc à gaver de jetons le téléphone public qui, chaque fois, les recrache : plusieurs jetons, comme pour une communication à longue distance : où sont-ils maintenant, ceux dont je dois recevoir des instructions, disons même prendre les ordres ? Il est clair que je dépends d'autrui, je n'ai pas l'air d'un homme qui voyage pour son compte, ou qui traite des affaires propres : je dois être un exécutant plutôt, un pion dans un jeu très complexe, la petite roue d'un grand engrenage, si petite qu'on ne devrait même pas la voir : de fait, il avait été convenu que je devais passer par ici sans laisser de traces : et, au contraire, je laisse des traces à chaque minute que je passe ici : j'en laisse si je ne parle à personne, parce que j'apparais comme un homme qui ne veut pas ouvrir la bouche : j'en laisse si je parle, parce que chaque mot qu'on dit est un mot qui reste et qui peut revenir quand on s'y attend le moins, avec ou sans guillemets. C'est sans doute la raison pour laquelle l'auteur accumule supposition sur supposition dans de longs paragraphes dépourvus de dialogues : pour que je puisse passer inaperçu et disparaître dans l'épaisseur serrée opaque du plomb.

Je suis une de ces personnes qui n'attirent pas l'œil, une présence anonyme sur un fond encore plus anonyme ; si tu n'as pas pu t'empêcher, Lecteur, de me remarquer parmi les voyageurs qui descendaient du train, puis de suivre mes aller et retour entre le buffet et le téléphone, c'est seulement parce que mon nom est « moi », tu ne sais rien d'autre de moi, mais cela suffit pour te donner le désir d'investir dans ce moi inconnu quelque chose de toi. Exactement comme l'auteur, sans avoir l'intention de parler de lui, et n'ayant décidé d'appeler « moi » son personnage que pour le soustraire à la vue, pour n'avoir ni à le nommer ni à le décrire, parce que toute dénomination, toute qualification le définirait davantage que ce simple pronom, l'auteur, du seul fait qu'il écrit ce mot « moi », est tenté de mettre dans ce « moi » un peu de lui-même, un peu de ce qu'il sent ou de ce qu'il croit sentir. Rien de plus facile que de s'identifier à moi : jusqu'ici mon

19

comportement est celui d'un voyageur qui a manqué une correspondance : une situation que tout le monde connaît ; mais une situation qui se produit au début d'un roman renvoie toujours à quelque chose d'autre qui s'est passé ou qui va se passer, et c'est cette autre chose-là qui fait le risque, pour le lecteur et pour l'auteur, d'une identification avec moi ; plus le début de ce roman est gris, commun, indéterminé, quelconque, plus vous sentez, l'auteur et toi, l'ombre d'un danger s'étendre sur ce fragment de votre moi que vous avez inconsidérément investi dans le « moi » d'un personnage dont vous ne savez quelle histoire il traîne après lui, comme cette valise dont il voudrait bien réussir à se débarrasser.

Se débarrasser de la valise : c'est la première condition peut-être pour rétablir la situation d'avant : d'avant qu'il ne se passe tout ce qui s'est passé. C'est ce que j'entends par « vouloir remonter le cours du temps » : je voudrais effacer les conséquences de certains événements, et restaurer une condition initiale. Mais chaque moment de ma vie apporte avec lui une accumulation de faits nouveaux, dont chacun apporte avec lui ses conséquences, de sorte que, plus je cherche à revenir au point de départ, au point zéro, plus je m'en éloigne : bien que tous mes actes tendent à effacer les conséquences de mes actes antérieurs et que même ils y parviennent de façon appréciable, au point de m'ouvrir l'espérance d'un prochain soulagement, je ne peux pas oublier que chacune de mes tentatives pour effacer des événements antérieurs provoque une pluie d'événements nouveaux qui rendent la situation encore plus compliquée qu'auparavant, événements qu'à leur tour je devrai essayer de faire disparaître. Bref, je dois calculer plus serré, de façon à concilier le plus grand nombre d'annulations possible avec le moins possible de nouvelles complications.

Un homme que je ne connais pas devait m'attendre à ma descente du train, si tout n'était pas allé de travers. Un homme avec une valise à roulettes semblable à la mienne, mais vide. Les deux valises se seraient heurtées comme par mégarde dans le va-et-vient des voyageurs sur le quai, entre un train et l'autre. Un incident comme il s'en produit par hasard, que rien ne permet de distinguer de ce qui se produit par hasard ; avec en plus quelque chose que l'homme m'aurait dit, un mot de passe, un commentaire sur le titre du journal qui dépasse de ma poche, l'arrivée d'une course de chevaux : « Ah ! le gagnant est Zénon d'Elée ! » nous aurions remis nos valises à flot en manœuvrant leurs tiges métalliques, non sans échanger probablement quelques répliques sur les chevaux, les pronostics, les paris, et nous serions repartis vers nos trains respectifs, emmenant chacun notre valise. Personne ne se serait aperçu de rien, et pourtant je serais resté avec sa valise pendant que lui serait parti avec la mienne.

Un plan parfait. Si parfait qu'il aura suffi d'une complication de rien du tout pour le flanquer par terre. Et maintenant, moi, je ne sais plus quoi faire, je suis le dernier voyageur à attendre dans cette gare d'où il ne partira et où il n'arrivera plus aucun train avant demain matin. C'est l'heure où la petite ville de province se referme dans sa coquille. Au buffet de la gare, il n'y a plus que des gens de l'endroit, des gens qui se connaissent tous, qui n'ont à vrai dire rien à faire à la gare, qui sont venus jusqu'ici en traversant la place sombre peut-être parce qu'il n'y a pas d'autre café ouvert, peut-être à cause de l'attraction que les gares continuent d'exercer dans les villes de province : l'espoir de ce minimum qu'on peut attendre de nouveau aux alentours d'une gare, ou simplement le souvenir du temps où le seul point de contact avec le reste du monde, c'était la gare.

J'ai beau me dire qu'il n'y a plus de villes de province, et qu'il n'y en a peut-être jamais eu : chaque lieu communique instantanément avec tous les autres, on ne ressent un peu d'isolement que durant le trajet d'un lieu à un autre, c'est-à-dire quand on n'est dans aucun lieu. Le fait est que moi, justement, je me trouve sans un ici ni un ailleurs, bien repérable comme un étranger aux yeux des non-étrangers, dans la mesure au moins où je les perçois comme tels, avec envie. Oui, avec envie. Je regarde de l'extérieur la vie d'un soir ordinaire dans une petite ville ordinaire, et je me rends compte que je suis coupé des soirées ordinaires pour je ne sais combien de temps, je pense à des milliers de villes comme celle-ci, à des centaines de milliers d'établissements éclairés où, à cette heure, les gens laissent couler le soir, aucun d'eux n'a en tête les mêmes pensées que moi ; il en a d'autres qui, sans doute, n'ont rien d'enviable, je serais pourtant prêt en ce moment-ci à faire l'échange avec n'importe lequel d'entre eux. Avec l'un de ces jeunes gens, par exemple, qui font le tour des commerçants pour recueillir des signatures, une pétition à la mairie au sujet de l'impôt sur les enseignes lumineuses : ils sont justement en train de la lire au barman.

Le roman rapporte ici des lambeaux de conversation qui ne semblent avoir d'autre fonction que de représenter la vie quotidienne dans une ville de province.

— Et toi, Armide, tu as déjà signé ?

Ils posent la question à une femme dont je ne vois que le dos, la martingale qui pend de son long manteau bordé de fourrure au col relevé, et le filet de fumée qui monte de ses doigts entourant le pied d'un ballon.

— Qu'est-ce qui vous dit qu'à ma boutique je veuille y mettre le néon ? Si la mairie veut faire des économies sur les réverbères, ce n'est tout de même pas moi qui vais éclairer la rue à mes frais ! La maroquinerie Armide, tout le monde sait où elle se trouve. Quand j'ai descendu mon rideau, plus de lumière dans la rue, bonsoir. Tant pis !

Et eux :

— C'est une raison de plus pour signer.

Ils lui disent tu, tout le monde se tutoie ici ; ils parlent à moitié en dialecte ; ce sont des gens qui se voient tous les jours Dieu sait depuis combien d'années ; chaque conversation est la poursuite d'une conversation plus ancienne. Ils se lancent des plaisanteries, un peu lourdes parfois :

— Avoue plutôt que le noir t'arrange, personne ne voit les visites que tu reçois. A qui est-ce que tu ouvres ton arrière-boutique après que tu as baissé le rideau ?

Ces répliques font un bourdonnement de voix indistinctes ; mais il pourrait en émerger un mot ou une phrase décisive pour ce qui suit. Pour bien lire, tu dois enregistrer aussi bien l'effet « bourdonnement » que l'effet « intention cachée » — un effet que tu n'es pas encore en mesure (pas plus que moi) de saisir. Il faut donc qu'en lisant tu sois à la fois distrait et attentif, ainsi que je le suis moi-même ; absorbé, l'oreille tendue, appuyé du coude sur le bar, la joue dans la main. Maintenant que le roman commence à sortir de sa brumeuse imprécision pour fournir quelques détails sur l'aspect des personnes, la sensation qu'il cherche à te communiquer est celle de ces visages, qu'on voit pour la première fois avec l'impression qu'on les a déjà vus des milliers de fois. Nous sommes dans une ville où l'on rencontre toujours les mêmes personnes dans la rue ; les visages portent sur eux un poids d'habitude qui se communique à celui qui, comme moi, sans être pourtant jamais venu ici, comprend que ce sont les visages habituels, des traits que le miroir du bar a vus s'épaissir, s'affaisser, des expressions qui se sont chiffonnées, gonflées, soir après soir. Cette femme a peut-être été la beauté de la ville ; moi qui la vois pour la première fois, je lui trouve encore de l'attrait ; mais si je la regarde avec les yeux des autres clients du buffet, je vois se déposer sur elle une espèce de fatigue, l'ombre peut-être de la leur (ou de la mienne, ou de la tienne). Ils la connaissent depuis son enfance, ils savent tout d'elle, l'un d'entre eux a peut-être eu une histoire avec elle, tout cela est bien passé, oublié, mais ça fait comme un voile d'autres images qui se dépose sur la sienne, et la trouble, un poids de souvenirs qui m'empêche de la voir comme on voit quelqu'un pour la première fois, les souvenirs des autres flottent à la façon d'une fumée sous les lampes.

Le passe-temps favori des clients du buffet de la gare, ce semble être les paris. Des paris sur les plus minimes incidents du tissu quotidien. Quelqu'un dit par exemple :

— Parions qui entrera le premier aujourd'hui : le docteur Marne ou le commissaire Gorin ?

— Et le docteur Marne, une fois ici, qu'est-ce qu'il fera

pour ne pas rencontrer son ex-femme ? Il se mettra à jouer au billard électrique ou à remplir un ticket du PMU ?

Sur une existence comme la mienne, on ne pourrait pas se livrer à des pronostics : je ne sais jamais ce qui va m'arriver au cours de la prochaine demi-heure, je ne peux même pas m'imaginer une vie entièrement faite de petites alternatives bien circonscrites, et qui pourraient faire l'objet d'autant de paris : ou bien ou bien.

— Je ne sais pas, dis-je à voix basse.

— Je ne sais pas quoi ? demande-t-elle.

Il me semble que je peux lui confier cette idée, ne pas la garder pour moi comme je fais presque toujours, oui, que je peux la confier à cette femme qui se tient là, au comptoir, à côté de moi, la femme de la maroquinerie, avec qui j'ai depuis un moment envie d'engager la conversation.

— C'est comme ça que ça se passe chez vous ?

— Mais non, ce n'est pas vrai.

Je savais qu'elle me le répondrait. Elle soutient qu'on ne peut rien prévoir, pas plus ici qu'ailleurs : bien sûr, tous les soirs, à cette heure-ci, le docteur Marne ferme son cabinet, et le commissaire Gorin termine son service au commissariat, et ils passent toujours ici, d'abord l'un ou d'abord l'autre, mais qu'est-ce que cela signifie ?

— En tout cas, tout le monde semble tenir pour certain que le docteur Marne essaiera d'éviter son ancienne femme.

— L'ex-madame Marne, c'est moi. N'écoutez pas les histoires qu'ils font courir.

Voici ton attention de lecteur tout entière tournée vers cette femme, il y a déjà quelques pages que tu lui tournes autour, que moi aussi (ou plutôt l'auteur) je tourne autour de cette présence féminine, voilà quelques pages que tu attends que prenne corps ce simulacre de femme, comme prennent corps les simulacres de femme sur une page de livre, c'est ton attente, Lecteur, qui pousse l'auteur vers elle, et moi qui ai de tout autres pensées en tête, voici que je me laisse aller à parler avec elle, à engager une conversation que je ferais mieux de rompre au plus vite, pour m'éloigner et disparaître.

24

Tu voudrais bien en savoir un peu plus, comment elle est, mais sur la page écrite ne passent que peu d'éléments, son visage reste caché entre les cheveux et la fumée, il faudrait découvrir, par-delà le pli amer de la bouche, tout ce qui n'est pas seulement pli amer.

— Quelles histoires ? Je ne sais rien, moi. Je sais que vous avez une boutique et pas d'enseigne lumineuse. Mais je ne sais même pas où elle est.

Elle s'explique. C'est un commerce de peausseries, valises et articles de voyage. Il ne donne pas sur la place de la Gare, mais dans une rue latérale, près du passage à niveau de la gare des marchandises.

— Au fait, pourquoi cela vous intéresse-t-il ?

— J'aurais voulu arriver plus tôt. Je serais passé dans la rue toute noire, j'aurais vu votre boutique allumée, je serais entré, je vous aurais dit : vous voulez bien que je vous aide à baisser le rideau ?

Elle répond qu'elle l'a déjà baissé, mais qu'elle doit retourner au magasin pour l'inventaire, et qu'elle y restera très tard.

Les clients échangent des plaisanteries, des tapes dans le dos. Un pari se résout ; le docteur Marne vient d'entrer.

— Le commissaire est en retard, ce soir. Etrange !

Le docteur lance en entrant un salut circulaire ; son regard ne s'arrête pas sur sa femme, mais il a sûrement enregistré qu'un homme parlait avec elle. Il va jusqu'au fond, tournant le dos au bar, introduit une pièce dans le billard électrique. Moi qui voulais passer inaperçu, me voilà scruté, photographié, par des yeux auxquels je ne peux pas espérer avoir échappé, des yeux qui n'oublient rien ni personne qui soit en rapport avec l'objet de leur jalousie et de leur douleur. Ces yeux un peu lourds, un peu voilés, suffisent à me faire comprendre que le drame qui a eu lieu entre eux est loin d'être clos : il revient ici chaque soir pour la voir, pour rouvrir la vieille blessure, peut-être pour savoir qui la raccompagnera ce soir ; et elle vient dans ce café chaque soir justement pour le faire souffrir, peut-être en espérant que l'habitude de souffrir sera bientôt pour lui une habitude comme une autre, avec cette saveur de néant qui, quant à elle, lui empâte la bouche et la vie depuis des années.

— Ce que je voulais le plus au monde, dis-tu à la femme (parce qu'autant vaut continuer maintenant à lui parler), c'est faire tourner les horloges en arrière.

Une réponse quelconque, du genre :

— Il suffit de faire reculer les aiguilles.

— Non, par la pensée, en me concentrant jusqu'à faire revenir en arrière le temps.

C'est ce que je dis ; ou plutôt : on ne sait pas si je le dis vraiment, ou si je me contente de vouloir le dire, ou si l'auteur interprète de la sorte les bribes de phrase que je marmonne.

Quand je suis arrivé ici, ç'a été ma première idée : peut-être que j'ai fait en pensée un effort assez grand pour que le temps accomplisse un tour complet : me revoici dans la gare d'où je suis parti la première fois, elle est restée pareille à elle-même, rien n'a changé. Toutes les vies que j'aurais pu vivre commencent ici : il y a la jeune fille qui aurait pu être ma petite amie, et ne l'a pas été, ce sont les mêmes yeux, les mêmes cheveux...

Elle regarde autour d'elle, avec l'air de se moquer de moi ; je fais un signe du menton vers elle : les coins de sa bouche se soulèvent comme pour sourire, puis s'arrêtent : peut-être a-t-elle changé d'idée, ou c'est comme ça qu'elle sourit.

— Je ne sais si c'est un compliment, en tout cas je le prends pour tel. Et alors ?

— Et alors je suis ici, le moi de maintenant, avec cette valise, là.

C'est la première fois que je parle de la valise, bien que je ne cesse d'y penser.

Et elle :

— C'est la soirée des valises carrées à roulettes.

Je reste calme, impassible. Je demande :

— Qu'est-ce que vous voulez dire ?

— Que j'en ai vendu une aujourd'hui, une valise comme celle-ci.

— A qui ?

— A un étranger. Comme vous. Il partait vers la gare, il s'en allait. Avec cette valise vide, qu'il venait d'acheter. Tout à fait pareille à la vôtre.

— Qu'est-ce qu'il y a d'extraordinaire à ça ? Vous ne vendez pas de valises ?

— Des valises comme ça, j'en ai depuis longtemps en magasin, mais ici personne n'en achète. Elles ne plaisent pas. Ou elles ne font pas l'affaire. Ou on ne les connaît pas. Pourtant, elles ont l'air commode.

— Pas pour moi. Quand je pense par exemple que cette soirée pourrait être une soirée superbe, je me rappelle que je dois traîner ma valise, et je ne peux plus penser à autre chose.

— Pourquoi ne la laissez-vous pas quelque part ?

— Par exemple dans un magasin de valises ?

— Par exemple. Une de plus, une de moins.

Elle se lève de son tabouret, ajuste dans le miroir le col de son manteau, sa ceinture.

— Si je passe par là plus tard, et si je frappe au rideau, vous m'entendrez ?

— Essayez.

Elle ne salue personne. Elle est déjà dehors, sur la place.

Le docteur Marne quitte le billard électrique et s'avance vers le bar. Il veut me regarder de près, il guette une allusion des autres, ou un ricanement. Mais ils sont tout à leurs paris, leurs paris sur lui, sans s'inquiéter qu'il les entende. Autour du docteur Marne, c'est un tourbillon de gaieté et de confidences, de tapes sur l'épaule, de vieilles farces et plaisanteries, mais dans tout ce charivari les bornes du respect ne sont jamais franchies : Marne est un médecin, un officier de santé ou quelque chose de semblable, et aussi un ami, un ami malheureux, qui porte son malheur sur lui et reste cependant un ami.

— Le commissaire Gorin a battu aujourd'hui tous les records de retard, dit quelqu'un, au moment où le commissaire entre dans le buffet de la gare.

— Salut la compagnie !

Il s'approche de moi, abaisse le regard sur ma valise, sur mon journal, glisse entre ses dents : « Zénon d'Elée », et se dirige vers le distributeur de cigarettes. On m'a donné à la police ? C'est un policier qui travaille pour notre organisation ? Je m'approche du distributeur comme pour retirer moi aussi des cigarettes.

Lui :

« On a tué Jan. Va-t'en.

— Et la valise ?

— Emporte-la. Nous ne voulons pas le savoir. Tu prendras le rapide de onze heures.

— Mais il ne s'arrête pas ici.

— Il s'arrêtera. Sur le quai 6. A la hauteur des marchandises. Tu as trois minutes.

— Mais...

— File, sinon je devrai t'arrêter.

L'Organisation est puissante. Elle commande à la police, aux chemins de fer. Je traverse les voies par les passages successifs, avec ma valise, jusqu'au quai 6. Je marche le long du quai. La gare de marchandises est au fond, avec son passage à niveau : au-delà, l'obscurité et le brouillard. Le commissaire est sur le pas de la porte vitrée, il me surveille du regard. Le rapide arrive à toute allure. Ralentit, s'arrête, me cache à la vue du commissaire, repart.

Tu as lu déjà une trentaine de pages et voici que l'histoire commence à te passionner. Tout d'un coup, tu te dis : « Mais cette phrase, je la connais. J'ai l'impression d'avoir déjà lu tout ce passage. » C'est bien cela : il y a des motifs qui reviennent, le texte est tissé de ces aller et retour destinés à traduire les incertitudes du temps. Tu es un lecteur sensible à ce genre de finesses, toi, un lecteur prompt à saisir les intentions de l'auteur, rien no t'échappe. N'empêche que tu es un peu désappointé : juste au moment où tu commençais vraiment à t'intéresser, voici que l'auteur se croit obligé de recourir à un de ces exercices de virtuosité qui désignent l'écrivain moderne : il reprend un paragraphe tel quel. Comment, un paragraphe ? Une page entière, plutôt, tu peux comparer, il n'y manque pas une virgule. Et ensuite, qu'est-ce qui se passe ? Rien, c'est le récit à l'identique des pages que tu as déjà lues qui reprend.

Un instant, regarde le numéro de la page. Ça alors ! De la page 32, tu es revenu à la page 17 ! Ce que tu prenais pour une recherche stylistique de l'auteur est une erreur de l'imprimerie : les mêmes pages ont été reprises deux fois. L'erreur a dû se produire au brochage : un livre est fait de « cahiers », chaque cahier est une grande feuille où sont imprimées seize pages, et qu'on replie en huit ; quand on procède à la reliure des cahiers, il peut se faire que dans un exemplaire se glissent deux cahiers identiques ; c'est un accident qui se produit de temps en temps. Tu tournes anxieusement les pages suivantes pour trouver la page 33, si toutefois il y en a une ; deux fois le

29

même cahier, ce serait un petit inconvénient ; le mal irréparable, c'est quand le bon cahier manque, revenant peut-être en double dans un autre exemplaire auquel à son tour manque ce cahier-ci. Quoi qu'il en soit, tu voudrais bien reprendre le fil de ta lecture, c'est ce qui compte pour toi, tu en étais à un de ces moments où il n'est pas question de sauter une page.

Donc, t'y voici de nouveau, page 31, page 32... Et après ? Encore une fois la page 17, la troisième ! Mais qu'est-ce que c'est que ce livre qu'on t'a vendu ! On a relié ensemble des exemplaires d'un seul cahier, il n'y a plus une seule bonne page dans tout le livre.

Tu jettes le livre sur le plancher, tu le lancerais bien par la fenêtre, et même à travers la fenêtre fermée, entre les lames du store, tu voudrais voir ces cahiers importuns lacérés, et dispersés les phrases mots morphèmes phonèmes au point que les reconstruire en discours soit exclu ; à travers les vitres, et tant mieux si elles sont incassables, pour transformer le livre en photons, vibrations ondulatoires, spectres polarisés ; à travers le mur, pour qu'il s'émiette en molécules et en atomes, passant entre les atomes du ciment armé, se décomposant en électrons, neutrons, neutrinos, particules élémentaires de plus en plus subtiles ; à travers les fils du téléphone, pour le réduire à des impulsions électroniques, un flux d'informations, secoué de redondances et de bruits, qui se dégrade enfin dans un tourbillon d'entropie. Tu voudrais le jeter hors de la maison, hors du bloc de maisons, hors du quartier, de la communauté, du département, de la région, du territoire national, du Marché commun, hors de la culture occidentale, de la plate-forme continentale, de l'atmosphère, de la biosphère, de la stratosphère, du champ de la gravitation, du système solaire, de la galaxie, de l'amas des galaxies, et l'envoyer plus loin encore, au-delà du point limite d'expansion des galaxies, là où l'espace-temps n'est pas encore arrivé, là où il rencontrerait le non-être, et même le non-avoir-été, sans avant ni après, et se perdrait enfin dans la négativité la plus absolue, la plus radicale, la plus incontestable. Comme il le mérite, ni plus ni moins.

30

Mais tu n'en fais rien : tu le ramasses, tu l'époussettes ; il faut que tu le rapportes au libraire pour qu'il te l'échange. Tu es plutôt impulsif, nous le savons, mais tu as appris à te contrôler. Ce qui t'exaspère le plus, c'est de te trouver à la merci du hasard, de l'aléatoire, de la probabilité : avec, dans les affaires humaines, l'étourderie, l'approximation, l'imprécision, la tienne comme celle des autres. La passion qui t'emporte dans ces cas-là, c'est l'impatience d'effacer les effets perturbateurs de l'arbitraire ou de la distraction, de rétablir dans leur cours régulier les événements. Tu voudrais déjà avoir en main un exemplaire non défectueux du livre que tu as commencé. Pour un peu tu te précipiterais à la librairie ; mais, à cette heure-ci, tous les magasins sont fermés. Il faudra attendre demain.

Tu passes une nuit agitée ; ton sommeil est un flux intermittent qui s'engorge comme la lecture du roman, tu fais des rêves qui te semblent tous être la répétition d'un rêve antérieur, toujours le même. Tu te bats avec ces rêves sans queue ni tête, comme avec la vie, cherchant à y découvrir le dessin, la ligne qui doit s'y trouver, comme dans un livre qui commence et dont on ignore encore la direction qu'il va prendre. Tu voudrais voir s'ouvrir un temps et un espace abstraits, absolus, où te mouvoir selon une trajectoire droite et résolue ; mais quand tu crois y être arrivé, tu t'aperçois que tu es arrêté, bloqué, contraint de tout reprendre au début.

Le lendemain, dès que tu as un moment de libre, tu te précipites à la librairie, et entres dans le magasin, ton livre déjà ouvert, un doigt sur la page, comme si cela suffisait pour rendre évident le désordre général de la pagination.

— Vous savez ce que vous m'avez vendu ?... Regardez-moi ça !... Juste au moment le plus passionnant...

Le libraire ne se démonte pas :

— Ah, vous aussi ? J'ai déjà eu plusieurs réclamations. Et ce matin justement j'ai reçu une lettre de la maison d'édition. Lisez : « Dans l'expédition des dernières nouveautés de notre catalogue, une partie du tirage du livre d'Italo Calvino, *Si par une nuit d'hiver un voyageur*, est défectueuse et doit être

31

retirée de la circulation. Par suite d'une erreur de brochage, des feuillets du volume susdit ont été mélangés avec ceux d'un autre volume de notre dernière sortie, *En s'éloignant de Malbork* du Polonais Tadzio Bazakbal. Nous vous demandons de nous excuser pour ce fâcheux contretemps et veillerons au remplacement rapide des exemplaires fautifs, etc. » Je vous demande un peu si c'est au malheureux libraire de supporter les conséquences quand les autres ne font pas attention ? Une vraie journée de fous. Nous avons contrôlé les Calvino un par un. Nous en avons heureusement un certain nombre de bons et pouvons échanger de suite un *Voyageur* gâté contre un exemplaire impeccable flambant neuf.

Un moment. Réfléchis. Mets un peu d'ordre dans la masse d'informations qui t'est tombée d'un seul coup sur la tête. Un roman polonais. Ce que tu avais commencé à lire avec tant d'intérêt, ce n'était pas le livre que tu croyais mais un roman polonais. Mais alors, c'est celui-là que tu dois de toute urgence te procurer. Ne te fais pas avoir. Explique clairement les choses.

— Ecoutez, non, le Calvino, ça ne m'intéresse plus du tout. J'ai commencé le polonais, c'est le polonais que je veux continuer. Vous l'avez, ce Bazakbal ?

— Comme vous voudrez. Il y a un moment, une cliente est venue pour le même problème que vous ; et elle aussi a voulu faire l'échange avec le polonais. Il y a une pile de Bazakbal là sur la table, juste sous votre nez. Servez-vous.

— C'est un bon exemplaire, au moins ?

— Je vais vous dire : je n'en mets plus ma main au feu. Si les maisons d'édition les plus sérieuses font de pareilles bourdes, à qui voulez-vous qu'on se fie ? Je vous le dis comme je l'ai dit à la demoiselle. Si vous avez encore un motif de réclamation, vous serez remboursé. Je ne peux pas faire plus.

La demoiselle, il te l'a montrée : la demoiselle. Elle est là, entre deux rayons de la librairie, elle cherche dans les Penguin Modern Classics, elle fait courir un doigt léger et résolu sur le dos des livres aubergine pâle. De grands yeux rapides, une

32

carnation chaude et de bon pigment, un flot de cheveux riche, vaporeux.

Voici donc : la Lectrice fait son heureuse entrée dans ton champ visuel, Lecteur, ou plutôt dans le champ de ton attention, ou plutôt c'est toi qui es entré dans un champ magnétique dont tu ne peux fuir l'attraction. Ne perds pas de temps alors, tu disposes d'un bon sujet pour attaquer la conversation, un terrain commun, pense un peu, tu peux faire étalage de tes lectures vastes et variées, allons lance-toi, qu'est-ce que tu attends ?

— Alors, vous aussi, hein, le polonais ? dis-tu d'un trait. Mais ce livre qui commence et s'arrête là, on s'est fait avoir, parce que, vous aussi, à ce qu'ils m'ont dit, moi, c'est la même chose, savez-vous ? essayer pour essayer, j'ai renoncé à celui-là et je prends celui-ci, une étrange coïncidence, non ?

Bon. Tu pouvais peut-être arranger un peu mieux ta phrase, mais enfin les idées principales tu les as fait passer. A présent, c'est son tour.

Elle sourit. Elle a des fossettes. Elle te plaît encore plus. Elle dit :

— C'est vrai, j'avais tellement envie de lire un bon livre. Celui-ci, tout au début, non, mais ensuite il commençait à me plaire... J'étais furieuse quand j'ai vu qu'il s'interrompait. Et puis ce n'était pas lui l'auteur. Déjà, je le trouvais vaguement différent de ses autres livres. En fait, c'était du Bazakbal. Il n'est pas mal d'ailleurs, ce Bazakbal. Je n'avais jamais rien lu de lui.

— Moi non plus, peux-tu dire, rassuré, rassurant.

— Un peu trop vague comme façon de raconter, à mon goût. Le sentiment de désarroi que donne un roman quand on commence à le lire, ça ne me déplaît pas ; mais si le premier effet est celui de brouillard, je crains que mon plaisir de lire s'envole dès que le brouillard sera dissipé.

Tu secoues pensivement la tête.

— Effectivement, c'est là le risque.

— Je préfère les romans, ajoute-t-elle, qui me font entrer tout de suite dans un monde où chaque chose est précise,

concrète, bien spécifiée. J'éprouve une satisfaction particulière à savoir que les choses sont faites d'une certaine façon, et
pas autrement, même les choses quelconques, celles qui dans
la vie me semblent indifférentes.

Tu es d'accord ? Dis-le, alors !

— Eh oui, des livres comme ceux-là, ça vaut la peine.

Et elle :

— Pourtant ce roman-là aussi est intéressant, je ne nie pas.

Voyons, ne laisse pas retomber la conversation. Dis n'importe quoi, l'essentiel est de parler.

— Vous lisez beaucoup de romans ? Oui ? Moi aussi,
quelques-uns, bien que je sois plutôt pour les livres d'idées...

C'est là tout ce que tu trouves à dire ? Et ensuite ? Tu
t'arrêtes ? Bonsoir ! Tu n'es pas même capable de lui demander . « Et celui-ci, vous l'avez lu ? Et celui-là ? Lequel vous
préférez des deux ? » Voilà, avec ça, vous avez de quoi parler
une demi-heure.

Le malheur, c'est qu'elle a lu beaucoup plus de romans que
toi, spécialement des étrangers, et qu'elle a la mémoire du
détail, elle fait allusion à des épisodes précis ; elle te
demande :

— Vous vous souvenez de ce que dit la tante d'Henry
quand...

Et toi qui avais sorti celui-là parce que tu connaissais le
titre, un point c'est tout, et qu'il te plaisait de laisser croire
que tu l'avais lu, voilà que tu es obligé de louvoyer à coups
d'appréciations générales, tu risques un jugement peu com-
promettant du genre : « Pour moi il est un peu lent », ou bien
« Ce que j'aime, c'est qu'il est ironique », et elle réplique :
« Vraiment, vous trouvez ? Je ne dirais pas... », et tu restes
penaud. Tu te mets à parler d'un auteur connu, celui-là du
moins tu as lu un livre de lui, deux au maximum ; mais elle,
sans hésiter, prend en enfilade le reste de l'œuvre qu'elle a
l'air de connaître à la perfection, et si par hasard elle a une
incertitude c'est encore pire, car elle se tourne vers toi :

— Et le fameux épisode de la photographie découpée, c'est
dans ce livre-là ou dans un autre ? Je m'embrouille toujours. .

34

Tu réponds au hasard, puisqu'elle s'embrouille. Et elle :
« Mais comment, qu'est-ce que vous dites ? Ce n'est pas
possible...

Disons que vous vous êtes embrouillés tous les deux.

Il vaut mieux te replier sur ta lecture d'hier soir, sur le
volume que vous tenez tous deux maintenant à la main, et qui
devrait vous dédommager de votre déconvenue.

— Espérons, dis-tu, que nous avons pris un bon exemplaire
cette fois, correctement broché, que nous ne serons pas interrompus au plus beau moment, comme il arrive... (Comme
il arrive quand ? Qu'est-ce que tu veux dire ?) Enfin, bref,
espérons que nous arriverons au bout sans déconvenue.

— Ça oui ! dit-elle.

Tu as entendu ? Elle a dit : « Ça oui », c'est à toi maintenant d'essayer de lancer un nouvel hameçon.

— J'espère vous rencontrer une autre fois, puisque vous
êtes cliente ici, nous échangerons nos impressions de lecture.

Et elle répond !

— Volontiers.

Tu sais où tu veux en venir, c'est un filet très subtil que tu es
en train de tendre :

— Vous ne savez pas le plus drôle : tout à l'heure, nous
croyions lire Italo Calvino et c'était du Bazakbal ; le plus
drôle, maintenant que nous voulons lire du Bazakbal, ce
serait qu'en ouvrant le livre, nous tombions sur du Calvino.

— Ah non ! Dans ce cas-là, nous portons plainte contre
l'éditeur !

— Ecoutez, pourquoi n'échangerions-nous pas nos numéros de téléphone ? (Voilà où tu voulais en venir, Lecteur ! en
tournant comme un serpent à sonnette autour d'elle.) Comme
ça, si l'un de nous découvre que quelque chose encore ne va
pas dans son exemplaire, il pourra appeler l'autre à l'aide... A
deux, nous aurons plus de chance de reconstituer un exemplaire complet.

Et voilà, c'est dit. Que s'établissent, entre Lecteur et
Lectrice, par le truchement du livre, une solidarité, une
complicité, un lien, quoi de plus naturel ?

Tu peux sortir content de la librairie, toi qui t'imaginais que c'en était fini du temps où l'on peut attendre quelque chose de la vie. Tu emportes avec toi deux espérances dont chacune te prend, et qui toutes deux te promettent des journées d'attente agréable : celle que t'offrira la lecture d'un livre que tu es impatient de reprendre ; et celle que renferme ce numéro de téléphone : la possibilité de réentendre les vibrations, tantôt aiguës, tantôt voilées, de cette voix venue répondre à ton appel, ce ne sera pas dans longtemps, ce sera demain même, tu auras le fragile prétexte du livre, tu lui demanderas s'il lui plaît ou s'il la déçoit, tu lui diras combien de pages tu en as lues ou pas encore lues, et lui proposeras de se revoir...

Lecteur, il serait indiscret de te demander qui tu es, ton âge, ton état civil, ta profession, tes revenus. C'est ton affaire, à toi de voir. Ce qui compte, c'est ton état d'esprit à présent que, dans l'intimité, chez toi, tu essaies de retrouver le calme pour te plonger à nouveau dans le livre, allongeant les jambes, les repliant, les allongeant. Mais quelque chose a changé depuis hier. Ta lecture n'est plus solitaire : tu penses à la Lectrice qui, en ce moment même, ouvre le livre, et voici qu'au roman à lire se superpose un roman à vivre, la suite de ton histoire avec elle, ou plus exactement : le début d'une possible histoire. Regarde comme tu as changé déjà : tu soutenais que tu préférais un livre, chose solide, qui est là, bien définie, dont on peut jouir sans risques, à toutes les expériences vécues, toujours fuyantes, discontinues, controversées. Cela veut-il dire que le livre est devenu un instrument, un moyen de communication, un lieu de rencontre ? Ce n'est pas pour cela que la lecture aura moins d'emprise sur toi : au contraire, quelque chose de nouveau s'ajoute à ses pouvoirs.

Ce volume-ci n'est pas coupé : premier obstacle sur lequel bute ton impatience. Muni d'un bon coupe-papier, tu t'apprêtes à pénétrer ses secrets. D'un large coup de sabre, tu te fraies un chemin entre la page de titre et le début du premier chapitre. Et c'est là que...

C'est là que, dès la première page, tu t'aperçois que le roman que tu tiens en main n'a rien à voir avec celui que tu lisais hier.

En s'éloignant de Malbork.

Une odeur de friture flotte, dès l'ouverture, sur la page, ou plutôt une odeur d'oignons, d'oignons qui rissolent, légèrement roussis, le fait est qu'il y a dans l'oignon des veines qui deviennent violettes puis brunes, et surtout en bordure, à la frange extérieure de chaque petit carré qui noircit avant de dorer, c'est le jus de l'oignon qui, en se carbonisant, passe par toute une série de nuances olfactives et chromatiques, mêlées à l'odeur de l'huile qui frit doucement. De l'huile de colza, le texte le spécifie, tout y est bien précisé, les choses avec leur nomenclature, et les sensations qu'elles transmettent, tous les plats au feu en même temps sur les fourneaux, chacun dans son récipient pourvu de son nom exact, poêles, plats à rôtir, marmites ; de même pour les opérations que comporte chaque préparatif, fariner, monter les œufs en neige, découper les concombres en fines rondelles, garnir de lardons le poulet à rôtir. Tout est concret ici, dense, défini avec une compétence sûre — telle est du moins ton impression, Lecteur —, même si tu ne connais pas certains plats, dont le traducteur a cru bon de laisser le nom dans la langue originale : la *schoëblintsjia,* par exemple ; l'important, c'est que, toi, en lisant *schoëblint-sjia,* tu es prêt à jurer que la *schoëblintsjia* existe, tu en goûtes distinctement la saveur, même si de celle-ci le texte ne dit rien, une saveur légèrement acidulée, à cause peut-être de la sonorité du mot, ou de sa graphie, peut-être aussi parce que, dans cette symphonie d'odeurs, de saveurs et de mots, tu ressens le besoin d'une note acidulée.
Brigd est occupée à pétrir de la viande hachée dans de la

farine mêlée d'œuf ; ses bras rouges et solides, piquetés de taches de rousseur blondes, se couvrent d'une légère poudre blanche et de petits bouts de viande crue. Chaque fois que son buste monte et descend sur la table de marbre, sa jupe se relève de quelques centimètres par-derrière et découvre le creux entre mollet et muscle fémoral, là où la peau, plus blanche, est traversée d'une mince veine bleue. Les personnages prennent corps au fur et à mesure que s'accumulent les détails minutieux, les gestes précis, les répliques aussi, les lambeaux de conversation. Cette phrase par exemple du vieux Hunder : « Ceux de cette année, ils ne vous font pas sauter comme ceux de l'année dernière. » Quelques lignes plus loin, tu comprends qu'il s'agit de poivrons rouges : « C'est toi qui sautes un peu moins chaque année ! » lance la tante Ugurd en goûtant dans une marmite avec une cuiller de bois avant d'ajouter une pincée de cinnamome.

A chaque instant tu découvres un personnage nouveau, on ne sait pas combien il y en a dans cette immense cuisine, inutile de nous compter, nous étions toujours si nombreux à aller et venir, à Kudgiwa : le compte n'est jamais juste parce que le même personnage peut avoir plusieurs noms, être désigné selon les cas par son nom de baptême, son surnom, son nom de famille ou nom patronymique, parfois même par des périphrases du genre « la veuve de Jan » ou « le garçon du magasin de grains ». En fait, ce qui compte, ce sont les détails physiques sur lesquels le roman met l'accent, les ongles rongés de Bronko, le duvet sur les joues de Brigd, et puis les gestes, les ustensiles que l'un ou l'autre manipulent, le pilon à viande, le panier à cresson, le couteau à beurre, de sorte que chaque personnage reçoit une première définition selon son geste ou son attribut, mieux : qu'on désire en savoir plus, comme si le couteau à faire des coquilles de beurre commandait le caractère et le destin de celui qu'on voit en manier un au début du chapitre, et comme si tu te préparais, Lecteur, chaque fois que le personnage reviendra dans le cours du roman, à t'exclamer : « Ah ! c'est l'homme au couteau à beurre ! », obligeant ainsi l'auteur à lui attribuer des actes et des aventures en rapport avec ce couteau initial.

Notre cuisine de Kudgiwa semblait justement faite pour qu'à toutes les heures on y retrouvât nombre de personnes occupées à cuisiner chacune pour son compte, l'une à égrener des pois, l'autre à faire mariner des tanches : tout le monde préparait, faisait cuire ou mangeait quelque chose, certains partaient, d'autres arrivaient, de l'aube jusque tard dans la nuit, et moi, ce matin-là, j'étais descendu de bonne heure, et la cuisine était déjà en pleine activité car ce jour-là n'était pas un jour comme les autres : la veille au soir, M. Kauderer était arrivé, en compagnie de son fils, et il devait repartir ce matin même en m'emmenant à la place du garçon. C'était la première fois que je quittais la maison ; je devais passer toute la saison au domaine de M. Kauderer, dans la province de Pëtkwo, jusqu'à la récolte du seigle, pour apprendre le fonctionnement des nouveaux séchoirs importés de Belgique ; pendant la même période, Ponko, le plus jeune des Kauderer, resterait chez nous pour s'initier aux techniques de la greffe du sorbier.

Les odeurs et les bruits de la maison se pressaient autour de moi ce matin-là comme pour me dire adieu : j'étais sur le point de quitter tout ce que j'avais connu jusque-là, et pour une période si longue, à ce qu'il me semblait, que rien ne serait plus comme avant quand je reviendrais — pas même moi. C'était comme un adieu à jamais que j'adressais à la cuisine, à la maison, aux knödel de tante Ugurd ; et cette sensation de présence concrète que tu as éprouvée dès les premières lignes du texte c'est donc celle d'une perte aussi, le vertige d'une dissolution ; et cela, tu te rends compte à présent que tu l'as éprouvé, en Lecteur averti, dès la première page, lorsque, agréablement surpris par la précision de l'écriture, tu as senti qu'en même temps les choses, à dire vrai, te fuyaient entre les doigts par la faute peut-être de la traduction, c'est ce que tu te disais : toute fidèle qu'elle est, elle ne parvient sûrement pas à rendre l'épaisseur charnelle que doivent avoir les mots dans la langue originale, quelle qu'elle soit... Chaque phrase en somme cherche à transmettre à la fois la solidité de mon rapport à Kudgiwa et le regret que j'ai de la perdre ; et en plus — tu ne t'en es peut-être pas aperçu, mais à y réfléchir tu vois bien que c'est ainsi — le désir de m'en détacher, de courir vers l'inconnu, de tourner la page, de m'éloigner de l'odeur acidulée de la *schoëblintsjia,* pour commencer un nouveau chapitre fait de nouvelles rencontres dans les crépuscules interminables de l'Aagd, les dimanches de Pëtkwo et les fêtes au Palais du Cidre.

Un instant, le portrait d'une fille aux cheveux noirs coupés court et au visage allongé était sorti de la malle de Ponko, qui l'avait recachée promptement sous un ciré. Dans la chambre sous le pigeonnier, qui avait jusque-là été la mienne et serait la sienne désormais, Ponko déballait ses affaires et les rangeait dans les tiroirs que je venais de vider. Assis sur ma malle déjà fermée, je le regardais en silence, tout en tapant machinalement sur un clou qui sortait un peu de travers ; nous ne nous étions rien dit — juste un bonjour marmonné entre les dents — ; je suivais tous ses mouvements, cherchant à bien me rendre compte de ce qui était en train de se passer : un étranger prenait ma place, il devenait moi ; ma cage et mes étourneaux devenaient les siens ; le stéréoscope, le casque de uhlan accroché à un clou, tout ce qui avait été mien et que je ne pouvais emporter avec moi allait rester avec lui, en somme mes rapports avec les choses les lieux les personnes devenaient les siens, et moi, pendant ce temps, j'allais devenir lui, prendre sa place parmi les choses et les personnes de sa vie.

Cette fille, justement...

— Qui c'est ?

D'un geste irréfléchi, j'avais avancé la main pour découvrir et saisir la photographie dans son cadre de bois sculpté. Ce n'était pas une fille comme celles d'ici, qui ont toutes le visage rond et des tresses couleur de blé. C'est alors seulement que je pensai à Brigd : je vis dans un éclair Ponko et Brigd danser ensemble pour la fête de saint Thaddée, Brigd offrir à Ponko des gants de laine, Ponko faire cadeau à Brigd d'une martre capturée à l'aide de *mon* piège.

— Laisse cette photo ! hurla Ponko, en me saisissant les bras entre des doigts de fer. Laisse ça ! Tout de suite !

« Pour que tu n'oublies pas Zwida Ozkart », avais-je eu le temps de lire sur le portrait.

— Qui c'est, Zwida Ozkart ? demandai-je.

Déjà un poing m'arrivait en plein visage et déjà, moi, je m'étais jeté à poings fermés contre Ponko, et nous roulions sur le plancher, cherchant à nous tordre les bras, nous frapper à coups de genoux ou nous défoncer les côtes.

Le corps de Ponko était osseux, lourd, ses bras et ses jambes frappaient sec, ses cheveux (que j'essayais de saisir pour le renverser en arrière) formaient une brosse dure, comme du poil de chien. Tandis que nous étions enlacés, j'eus la sensation que la transformation allait advenir pendant cette lutte, que quand nous nous relèverions je serais lui, il serait moi, mais peut-être n'est-ce que maintenant que je le pense, à moins que ce ne soit toi, Lecteur, et pas moi, car pour lors lutter avec lui signifiait que je me tenais étroitement serré à moi-même, à mon passé, dont je voulais éviter qu'il ne tombe entre ses mains, dussé-je pour cela le détruire. Brigd, en tout cas, j'aurais bien voulu la détruire pour qu'elle ne tombât pas entre les mains de Ponko, Brigd dont je n'avais jamais pensé être amoureux, et je ne le pensais pas maintenant davantage, mais avec elle une fois, une seule, nous nous étions roulés comme en ce moment nous faisions Ponko et moi, venant tour à tour l'un sur l'autre, nous mordant, sur un tas de tourbe derrière le poêle, et je sentais que je la disputais déjà à un Ponko encore à venir, que je lui disputais à la fois Brigd et Zwida, je cherchais déjà à arracher à mon passé quelque chose pour ne pas le laisser à mon rival, ce nouveau moi aux cheveux de chien, ou peut-être je cherchais déjà à arracher au passé de ce moi inconnu un secret pour l'annexer à mon passé ou à mon avenir.

La page que tu es en train de lire devrait te restituer ce contact violent, fait de coups sourds et douloureux, de ripostes brusques et lancinantes, cette adhérence à soi que comporte l'action qu'exerce le corps propre sur un autre corps, avec l'adaptation précise de ses efforts propres et de sa réception à l'image que l'adversaire lui renvoie comme en un miroir. Si les sensations évoquées par la lecture restent en fait pauvres au regard des sensations vécues, c'est qu'en écrasant la poitrine de Ponko sous la mienne, ou en l'empêchant de me tordre un bras derrière le dos, ce que j'éprouve n'est pas la sensation dont j'aurais besoin pour décrire ce que je veux décrire, la possession amoureuse de Brigd, la possession de cette chair ferme et pleine de fille, si différente de la dureté osseuse de Ponko, peut-être aussi la possession amoureuse de Zwida, cette douceur ravageante que j'imagine chez Zwida, la possession d'une Brigd que je sens déjà perdue, et celle d'une Zwida qui n'a encore que la consistance incorporelle sous verre d'une photo. C'est en vain que je cherche à saisir dans cet enchevêtrement de membres masculins, à la fois identiques et opposés, des fantasmes féminins qui s'évanouissent, hors d'atteinte en leur différence ; dans le même temps, je cherche à me frapper moi-même, peut-être cet autre moi-même qui se dispose à prendre ma place à la maison, ou bien ce moi plus vraiment moi que je veux soustraire à l'autre : mais ce que je sens contre moi, c'est seulement l'être étranger de l'autre, comme si l'autre déjà avait pris ma place, toutes les places, comme si j'avais été effacé du monde, moi.

Etranger, tel m'apparut le monde quand à la fin je me séparai de mon adversaire en le repoussant d'un coup décisif et m'appuyai au plancher pour me relever. Etrangers ma chambre, mes bagages, la vue par la petite fenêtre. J'avais peur de ne plus pouvoir établir de rapport avec rien ni personne. J'avais envie d'aller chercher Brigd, mais sans savoir ce que j'aurais voulu lui dire ou lui faire, ce que j'aurais voulu qu'elle me dît ou me fît. J'allais vers Brigd en pensant à Zwida : ce que je cherchais était une figure *bifrons*, une Brigd-Zwida double comme je l'étais moi-même, tandis que je m'éloignais de Ponko en cherchant sans succès à nettoyer avec de la salive une tache de sang, sur ma veste de velours côtelé — mon sang ou le sien, celui de son nez ou de mes dents ?

Toujours double comme j'étais, je vis et j'entendis par la porte de la grande salle M. Kauderer mesurer, debout, d'un grand geste horizontal, l'espace devant lui et dire :

— Ils étaient là, je les ai vus, Kauni et Pittö, vingt-deux ans et vingt-quatre, la poitrine criblée de plombs pour la chasse au loup.

— Mais c'est arrivé quand ? demanda mon grand-père. Nous n'avons rien su, nous.

— Nous avons suivi le service de neuvaine juste avant de partir.

— Nous pensions que les choses s'étaient plus ou moins arrangées entre vous et les Ozkart. Qu'après tant d'années vous aviez enfin réussi à mettre sur toutes vos maudites histoires une pierre.

Les yeux sans cils de M. Kauderer étaient fixés dans le vide ; rien ne bougeait dans sa figure jaune de gutta-percha.

— Pour les Ozkart et les Kauderer, la paix ne dure qu'entre un enterrement et le suivant. La pierre, c'est sur la tombe de nos morts que nous la mettons, avec l'inscription : « Voilà ce que nous ont fait les Ozkart ! »

— Et vous autres, alors ? s'exclama Bronko, qui n'avait pas sa langue dans la poche.

— Les Ozkart, eux, mettent sur leurs tombes : « Voilà ce que nous ont fait les Kauderer ! »

Il avait passé un doigt sur sa moustache :

« Ici, au moins, Ponko sera en sécurité.

Ma mère alors joignit les mains :

— Sainte Vierge, il n'y a pas de danger pour notre Gritzvi ? Ils ne vont pas s'en prendre à lui ?

M. Kauderer secoua la tête mais ne la regarda pas en face :

— Ce n'est pas un Kauderer, lui. C'est pour nous qu'il y a du danger, à tout moment.

La porte s'ouvrit. Dans la cour, une vapeur chaude montait de l'urine des chevaux à travers l'air vitreux glacé. Le garçon d'écurie montra sa face violette.

— La voiture est prête !

— Gritzvi ! Où es-tu ? Fais vite ! appela mon grand-père.

Je fis un pas dans la direction de M. Kauderer, qui boutonnait son pardessus de peluche.

III.

Les plaisirs du coupe-papier sont des plaisirs tactiles, acoustiques, visuels — et plus encore mentaux. Pour avancer dans la lecture, il faut d'abord un geste qui attente à la solidité matérielle du livre, pour donner accès à sa substance incorporelle. Pénétrant entre les pages par en dessous, la lame remonte vivement, ouvre une fente verticale par une succession régulière de secousses qui attaquent une à une les fibres et les fauchent — avec un crépitement amical et gai, le papier de qualité accueille ce premier visiteur, annonce que d'innombrables fois tourneront les pages, poussées par le regard ou par le vent —; la pliure horizontale oppose une résistance plus grande, surtout quand elle relie huit pages, parce qu'elle exige un incommode mouvement à rebours — le son, là, est celui d'une déchirure étouffée, avec des notes plus sourdes. Le bord dentelé des pages révèle un tissu filamenteux; un frison subtil — une barde — s'en détache, agréable à l'œil comme de l'écume sur la crête d'une vague. S'ouvrir un passage dans la barrière des pages au fil de l'épée, voilà qui va bien avec l'idée d'un secret caché dans les mots : tu te fraies un chemin dans ta lecture comme au plus touffu d'une forêt.

Le roman que tu lis voudrait t'offrir l'image d'un monde charnel, dense, fourmillant de détails. Plongé dans ta lecture, tu passes machinalement le coupe-papier dans l'épaisseur du volume : alors que tu n'as pas encore fini de lire le premier chapitre, tu as déjà coupé beaucoup plus loin. Mais voici qu'au moment où ton attention est tenue en suspens, tournant au milieu d'une phrase décisive, tu te retrouves devant deux pages blanches.

Tu restes figé, regardant comme une blessure béante cette blancheur agressive, espérant presque que c'est un trouble de ta vue qui a projeté une tache de lumière sur le papier, où tu verras revenir petit à petit le rectangle zébré des caractères d'encre. Mais non ; la blancheur de l'immaculé règne sur les deux pages qui se font face. Tu tournes encore et trouves deux pages imprimées correctement. Tu continues à feuilleter le livre ; deux pages blanches alternent avec deux pages imprimées. Blanches ; imprimées ; blanches ; imprimées : et ainsi de suite jusqu'à la fin. Les folios n'ont été imprimés que d'un seul côté ; et puis pliés et reliés comme si l'impression était achevée.

Voici donc qu'un roman si finement tissé de sensations se présente à toi tout à coup crevassé d'abîmes sans fond : comme si, justement, l'ambition de restituer la plénitude de la vie révélait le vide en dessous. Tu essaies de franchir la lacune, de prendre l'histoire en t'accrochant au lambeau de prose qui vient après, effrangé comme le bord des feuilles qu'a tranchées le coupe-papier. Tu ne t'y retrouves plus : les personnages ont changé, le cadre aussi, tu ne comprends pas de quoi on parle ; il y a là des noms de personnes que tu ne connais pas : Hela, Casimir. Il te vient le soupçon qu'il s'agit d'un autre livre, peut-être du véritable roman polonais *En s'éloignant de Malbork*, et, dans ce cas, ce que tu viens de lire pourrait bien appartenir à un autre livre encore ; Dieu sait lequel.

Au vrai, tu n'avais pas le sentiment que les noms Brigd, Gritzvi aient une sonorité typiquement polonaise. Tu as un bon atlas, très détaillé ; tu consultes l'index : Pëtkwo devrait être une ville importante, Aagd un fleuve ou un lac. Tu les trouves dans un lointain territoire du Nord que les guerres et les traités de paix ont successivement attribués à des Etats différents. Peut-être aussi à la Pologne ? Tu consultes une encyclopédie, un atlas historique ; non, rien à voir avec la Pologne ; cette zone formait entre les deux guerres un Etat

48

indépendant : la Cimmérie, capitale : Örkko ; langue nationale : le cimmérien, de souche botno-ougrienne. L'article « Cimmérie » de l'encyclopédie se termine par des phrases peu consolantes : « Au cours des répartitions territoriales successives décidées entre ses puissants voisins, la jeune nation ne tarda pas à être effacée de la carte ; la population autochtone fut dispersée ; la langue et la culture cimmériennes ne se développèrent plus. »

Tu es impatient de retrouver la Lectrice, de lui demander si son exemplaire est dans le même état que le tien, de lui communiquer tes conjectures, les informations que tu viens de recueillir... Tu cherches dans ton carnet le numéro que tu as inscrit à côté de son nom lorsque vous vous êtes présentés l'un à l'autre.

— Allô, Ludmilla ? Vous avez vu que c'est encore un autre roman, celui-là aussi, au moins dans mon exemplaire...

La voix au bout du fil sonne dure, un peu ironique.

— Bon, écoutez, je ne suis pas Ludmilla. Je suis sa sœur, Lotaria.

(C'est vrai, elle te l'avait dit : « Si ce n'est pas moi qui réponds, ce sera ma sœur. »)

« Ludmilla n'est pas là. Pourquoi ? C'était à quel sujet ?

— C'était seulement pour lui parler d'un livre... ça ne fait rien, je rappellerai...

— Un roman ? Ludmilla a toujours le nez dans un roman. De quel auteur ?

— Eh bien, il s'agit d'un roman polonais, qu'elle aussi est en train de lire, c'était pour échanger nos impressions ; Bazakbal...

— Il est comment, ce Polonais ?

— Bah, pas mal, il me semble.

Ce n'est pas ça, tu n'as pas compris. Lotaria veut savoir comment l'auteur se situe par rapport aux Tendances de la Pensée contemporaine, et aux Problèmes qui réclament une Solution. Pour te faciliter la tâche, elle te suggère une liste de noms de Grands Maîtres, parmi lesquels tu devrais pouvoir le situer.

Tu éprouves la même impression que lorsque le coupe-papier t'a mis sous les yeux les pages blanches.

« Je ne pourrais pas vous le dire exactement. C'est que, voyez-vous, je ne suis même pas sûr du titre, ni de l'auteur. Ludmilla vous racontera : c'est une histoire assez compliquée.

— Ludmilla lit des romans à la file, mais elle n'y met jamais en évidence les problèmes. Cela me semble une grande perte de temps. Vous ne trouvez pas ?

Si tu commences à discuter, elle ne va plus te lâcher. La voilà déjà qui t'invite à l'Université pour un séminaire, où les livres sont exhaustivement analysés en fonction des Codes Conscients et Inconscients, après rejet de tous les tabous imposés par le Sexe, la Classe et la Culture dominante.

— Ludmilla y va aussi ?

Non, il semble que les activités de Ludmilla et celles de sa sœur n'interfèrent pas. En revanche, Lotaria compte fermement sur ta participation.

Tu préfères ne pas te compromettre.

« Je verrai, j'essaierai de faire un saut : je ne peux rien promettre. Mais si vous voulez bien dire à votre sœur que j'ai téléphoné... Sinon, cela ne fait rien, je rappellerai. Merci mille fois.

Cela suffit, raccroche.

Mais Lotaria te retient :

— Ecoutez, ce n'est pas la peine de rappeler ici ; vous n'êtes pas chez Ludmilla, ici, vous êtes chez moi. Les personnes qu'elle connaît peu, Ludmilla leur donne mon numéro, elle dit que je les tiens à distance...

Merci toujours. Autre douche froide : un livre, en apparence si prometteur, s'interrompt ; un numéro de téléphone, dont tu attendais le départ de quelque chose, est une route barrée ; et cette Lotaria qui prétend te faire passer un examen...

— Ah, je comprends. Excusez-moi, alors.

— Allô ? Ah, c'est vous que j'ai rencontré à la librairie ?

Une voix différente, *la sienne,* a pris possession du téléphone.

« Oui, c'est Ludmilla... Alors, vous aussi, des pages blanches ? Il fallait s'y attendre. Encore un piège ! Juste au moment où je commençais à m'intéresser, à vouloir en apprendre davantage sur Ponko, sur Gritzvi...

Tu es si content que rien ne sort. Tu dis :

— Zwida...

— Comment ?

— Zwida Ozkart ! Je voudrais savoir ce qui va arriver entre Gritzvi et Zwida Oskart... Ou je me trompe ou c'était justement le genre de romans qui vous plaît.

Une pause. La voix de Ludmilla reprend lentement, comme si elle cherchait à exprimer quelque chose d'assez indéfinissable :

— Oui, c'est vrai, énormément... D'un autre côté, je voudrais que les choses ne soient pas toutes là, massives à en être palpables, qu'on sente autour de ce qu'on lit la présence de quelque chose qu'on ne connaît pas encore, le signe d'on ne sait quoi...

— Juste ; dans ce sens-là, pour ma part...

— Du reste, je ne dis pas, ici aussi il y a un élément de mystère...

Et toi :

— Eh bien, écoutez, le mystère selon moi c'est qu'il s'agit d'un roman cimmérien, oui, cim-mé-rien, et non pas polonais ; le titre, l'auteur, ça ne doit pas être ça. Vous ne comprenez pas ? Attendez que je vous explique. La Cimmérie, 340 000 habitants, capitale Örkko, ressources principales : tourbe et sous-produits, composés bitumeux. Non, ça vous ne le trouverez pas dans le livre...

Silence de part et d'autre. Peut-être Ludmilla a-t-elle couvert le récepteur de sa main pour consulter sa sœur. Elle est bien capable d'avoir des idées sur la Cimmérie, celle-là. Qui sait ce qu'il en sortira. Attention.

« Allô, Ludmilla ?

— Allô.

Ta voix se fait chaude, persuasive, elle presse :

— Ecoutez, Ludmilla, il faut que je vous voie, il faut que

51

nous parlions de cette affaire, de ces circonstances ces coïncidences ces discordances. Je voudrais vous voir tout de suite, où vous êtes, où cela vous est commode de me rencontrer, je fais un saut et je suis là.

Alors elle, toujours calme :

— Je connais un professeur qui enseigne la littérature cimmérienne à l'Université. Nous pourrions le consulter. Attendez que je lui téléphone, pour demander quand il veut bien nous recevoir.

Te voici à l'Université. Ludmilla a annoncé au professeur Uzzi-Tuzii votre visite en son Institut. Au téléphone, le professeur s'est montré ravi de se mettre à la disposition de qui s'intéresse aux auteurs cimmériens.

Tu aurais préféré rencontrer Ludmilla avant quelque part, aller par exemple la prendre chez elle pour venir en sa compagnie à l'Université. Tu le lui as proposé au téléphone, mais elle a refusé, pas la peine de te déranger, à cette heure-là elle sera déjà pour d'autres affaires dans le quartier. Tu as insisté ; toi, tu ne sais pas bien comment faire, tu as peur de te perdre dans les labyrinthes de l'Université ; est-ce qu'il ne serait pas préférable de se retrouver un quart d'heure avant dans un café ? Cela ne lui convenait pas, décidément : vous vous verrez directement là-bas, « aux langues botno-ougriennes », tout le monde sait où cela se trouve ; il suffit de demander. Tu as bien compris que Ludmilla, sous ses airs doux, aime tenir en main une situation et décider tout par elle-même : il ne te reste plus qu'à la suivre.

Tu arrives ponctuellement à l'Université, tu te fraies un chemin entre des garçons et des filles assis sur les marches, tu jettes un regard troublé sur ces murs austères que les mains des étudiants ont couverts d'inscriptions péremptoires en lettres majuscules et de graffiti minutieux, comme les habitants des cavernes éprouvaient le besoin de faire sur les froides parois de leurs grottes pour en maîtriser l'angoissante étrangeté minérale, les rendre familières, les ramener dans leur propre espace intérieur, les annexer à la densité du vécu. Lecteur, je te connais trop peu pour savoir si tu te meus avec une indifférence tranquille à l'intérieur d'une Université, ou si d'anciens traumas, à moins que ce ne soient des choix délibérés, font qu'un univers d'enseignés et d'enseignants constitue pour ton esprit sensible et sensé un cauchemar. Du reste, personne ne connaît l'Institut que tu cherches, on te renvoie du sous-sol au quatrième étage, tu te trompes sans arrêt de porte, tu la refermes en t'excusant, tu as l'impression de t'être perdu dans le livre aux pages blanches et de ne plus pouvoir en sortir.

Un garçon s'avance, dégingandé, dans un long pull-over Dès qu'il te voit, il pointe un doigt vers toi :

— Toi, tu attends Ludmilla !

— Comment le savez-vous ?

— Je l'ai deviné. Un coup d'œil me suffit.

— C'est Ludmilla qui vous envoie ?

— Non, mais je traîne toujours un peu partout, je rencontre les uns et les autres, je vois et j'entends une chose ici, une chose là, et naturellement je fais des rapprochements.

— Vous savez aussi où je dois aller ?

— Si tu veux, je t'accompagne chez Uzzi-Tuzii. Ludmilla y est déjà arrivée, à moins qu'elle ne soit une peu en retard.

Ce jeune homme expansif et si bien informé s'appelle Irnerio. Tu peux le tutoyer puisqu'il le fait déjà.

— Tu es un élève du professeur ?

— Je ne suis pas du tout un élève. Je sais où il est parce que j'allais y chercher Ludmilla.

— Alors c'est Ludmilla qui fréquente l'Institut ?

— Non. Ludmilla cherche toujours des endroits pour se cacher.

— Se cacher de qui ?

— Boh, de tout le monde.

Les réponses d'Irnerio sont du genre un peu évasif, mais il semblerait que ce soit surtout sa sœur que Ludmilla cherche à éviter. Si elle n'est pas arrivée à l'heure à notre rendez-vous, c'est pour ne pas rencontrer dans les couloirs Lotaria qui a son séminaire à cette heure-ci.

Toi, tu sais que cette incompatibilité entre les sœurs connaît pourtant des exceptions, au moins en ce qui concerne le téléphone. Tu devrais faire parler un peu plus cet Irnerio, savoir s'il en sait vraiment autant qu'il voudrait le faire croire.

— Mais toi, tu es un ami de Ludmilla ou de Lotaria ?

— De Ludmilla, bien sûr. Mais j'arrive à parler aussi avec Lotaria.

— Elle ne critique pas les livres que tu lis ?

— Moi ? Je ne lis pas de livres !

— Qu'est-ce que tu lis, alors ?

— Rien. Je me suis si bien habitué à ne pas lire que je ne lis même pas ce qui me tombe sous les yeux par hasard. Ce n'est pas facile : on apprend à lire tout petit, et toute la vie on reste esclave de tous ces trucs écrits qui vous tombent sous les yeux. J'ai peut-être dû faire un certain effort, les premiers temps, pour apprendre à ne pas lire, mais maintenant cela me vient tout naturellement. Le secret est de ne pas éviter de regarder les mots écrits, au contraire : il faut les regarder fixement, jusqu'à ce qu'ils disparaissent.

Les yeux d'Irnerio ont une large pupille claire et mobile ; ce sont des yeux à qui rien ne doit échapper, comme ceux d'un indigène des forêts, adonné à la cueillette et à la chasse.

— Mais qu'est-ce que tu viens faire à l'Université, alors, tu peux me dire ?

— Et pourquoi je ne devrais pas y venir ? Il y a des gens qui vont et qui viennent, on se rencontre, on parle. Moi je viens pour ça ; les autres, je ne sais pas.

Tu essaies de te représenter comment le monde peut apparaître — ce monde rempli d'écritures qui nous entourent de toutes parts — à quelqu'un qui a appris à ne pas lire. En même temps, tu te demandes quel lien peut exister entre la Lectrice et le Non-Lecteur, et tout à coup il te semble que c'est justement leur différence qui les rapproche, et tu ne peux réprimer un mouvement de jalousie.

Tu voudrais interroger encore Irnerio, mais vous êtes

arrivés, après avoir descendu un escalier latéral, devant une petite porte marquée d'un carton : « Institut des langues et littératures botno-ougriennes. » Irnerio frappe un coup fort, te dit « Salut » et te laisse là.

Une fente s'ouvre à regret. A voir les taches de plâtre sur le chambranle et la casquette qui se montre au-dessus d'une veste de travail doublée peau, tu as l'impression que le local est fermé pour réparations, et qu'il ne s'y trouve qu'un peintre ou un employé du nettoiement.

— Le professeur Uzzi-Tuzii est-il ici ?

Le regard qui vient de dessous la casquette n'est pas celui que tu pouvais attendre d'un peintre : ces yeux sont ceux d'un homme qui s'apprête à franchir un précipice, et se projette mentalement sur l'autre rive, en regardant droit devant lui pour éviter de jeter un regard en bas ou sur les côtés.

« C'est vous ? demandes-tu.

Car tu as compris que ce ne peut être que lui.

Le petit homme n'ouvre pas davantage la porte.

— Qu'est-ce que vous voulez ?

— Excusez-moi, un simple renseignement... Nous vous avons téléphoné... Mlle Ludmilla... Est-ce qu'elle est ici ?

— Il n'y a aucune demoiselle Ludmilla ici...

Le professeur, en reculant, montre les rayonnages serrés contre les murs, les noms et titres illisibles sur les dos et les couvertures, comme une haie épineuse où ne s'ouvre aucune brèche.

« Pourquoi venez-vous la chercher chez moi ?

Et tandis que tu te rappelles ce que disait Irnerio, que c'est pour Ludmilla un endroit où se cacher, Uzzi-Tuzii semble désigner du geste l'exiguïté de son bureau, avec une sorte de « Cherchez donc, si vous croyez qu'elle est là », comme s'il éprouvait le besoin de se défendre du soupçon de la tenir cachée à l'intérieur.

— Nous devions venir ensemble, dis-tu pour que tout soit clair.

— Alors pourquoi n'est-elle pas avec vous ? réplique Uzzi-Tuzii

La remarque, pour logique qu'elle soit, n'en a pas moins été faite sur un ton soupçonneux.

— Elle ne tardera pas...

C'est ce que tu assures mais sur un mode quasi interrogatif, comme si tu demandais à Uzzi-Tuzii une confirmation des habitudes de Ludmilla, dont tu ne sais rien, alors qu'il se pourrait très bien qu'il en sache, lui, beaucoup plus.

« Monsieur le professeur, vous connaissez Ludmilla, n'est-ce pas ?

— Si je connais... Pourquoi me le demandez-vous ? Qu'est-ce que vous voulez savoir ?

Il devient nerveux.

« Est-ce que vous vous intéressez à la littérature cimmérienne ou...

Il semble vouloir dire : « ou à Ludmilla ?... » mais il ne termine pas sa phrase ; et toi, pour être sincère, tu devrais répondre que tu ne peux plus distinguer entre ton intérêt pour le roman cimmérien et celui que tu portes à la Lectrice dudit roman. Et puis, les réactions du professeur au nom de Ludmilla, s'ajoutant aux confidences d'Irnerio, jettent un éclairage mystérieux, créent autour de la Lectrice une curiosité inquiète, pas tellement différente de celle qui te lie à Zwida Ozkart, dans le roman dont tu cherches la suite, comme avant à Mme Marne dans le roman que tu avais commencé à lire la veille, et que tu as temporairement laissé de côté, et maintenant te voilà lancé à la poursuite de toutes ces ombres à la fois, celles de l'imagination et celles de la vie.

— Je voulais... nous voulions vous demander s'il existe un auteur cimmérien qui...

— Asseyez-vous, dit le professeur, soudain calmé, ou, peut-être saisi d'une anxiété plus stable et continue, qui résorbe, en faisant retour, toutes les anxiétés contingentes et passagères.

La salle est étroite, les murs couverts de rayonnages, avec en plus un autre rayonnage qui, n'ayant pas trouvé où s'appuyer, est resté au milieu de la pièce et coupe en deux cet espace exigu, de sorte que le bureau du professeur et la chaise où tu t'assieds sont séparés par une sorte de coulisse, et que vous devez tendre le cou pour vous voir.

« On nous a relégués dans cette espèce de soupente... L'Université s'agrandit, mais nous, nous rétrécissons... Nous sommes la Cendrillon des langues vivantes... Si l'on peut encore considérer le cimmérien comme vivant... Mais c'est justement ce qui fait sa valeur !...

Brusque mouvement d'affirmation, qui s'éteint aussitôt.

« Le fait d'être une langue moderne et morte en même temps... Une condition privilégiée, même si personne ne le comprend...

— Vous n'avez pas beaucoup d'étudiants ?

— Qui voulez-vous qui vienne ? Qui voulez-vous qui se souvienne encore des Cimmériens ? Dans le champ des langues opprimées, il n'en manque pas qui sont plus attirantes : Le basque... Le breton... Le tzigane... Ils vont tous s'y inscrire. Pas pour étudier la langue ; ça, personne ne veut plus le faire. Ils veulent des problèmes à débattre, des idées générales à ajouter à d'autres idées générales. Mes collègues s'adaptent, ils suivent le mouvement, ils intitulent leurs cours « Sociologie du gallois », « Psycho-linguistique de l'occitan »... Avec le cimmérien, ce n'est vraiment pas possible.

— Pourquoi ?

— Les Cimmériens ont disparu comme si la terre les avait engloutis.

Il secoue la tête pour rassembler toute sa patience et répéter ce qu'il a déjà mille fois dit.

« Ce que vous trouverez ici est l'Institut mort d'une littérature morte écrite dans une langue morte. Pourquoi devrait-on étudier le cimmérien aujourd'hui ? Je suis le premier à le comprendre, je suis le premier à le dire : si vous ne voulez pas venir, ne venez pas, en ce qui me concerne on pourrait aussi bien fermer l'Institut. Mais venir ici pour... Non, c'est trop.

— Pour faire quoi ?

— Tout. Tout. Qu'est-ce qu'il ne me faut pas voir ? Pendant des semaines il ne vient personne, mais quand il vient quelqu'un, c'est pour faire des choses que... Vous pourriez bien rester au large, c'est ce que je dis, qu'est-ce qui peut vous intéresser dans ces livres écrits dans la langue des morts ? Mais non, ils le font exprès, on va aux langues botno-ougriennes, disent-ils, on va chez Uzzi-Tuzii, et c'est comme cela que je me trouve au milieu de tout ça, obligé à voir, à participer...

— ... Participer à quoi ? demandes-tu, en pensant à Ludmilla qui est venue ici, qui s'est cachée ici, peut-être avec Irnerio, peut-être avec d'autres...

— Tout... il y a peut-être quelque chose qui les attire, cette incertitude entre la vie et la mort, c'est peut-être une chose qu'ils sentent, sans la comprendre. Ils viennent ici faire ce qu'ils font, mais ils ne s'inscrivent pas au cours, ils ne suivent pas les conférences, personne ne s'intéresse à la littérature des Cimmériens, ensevelie dans ces livres, sur ces rayonnages comme dans les tombes d'un cimetière...

— Moi justement, si, ça m'intéressait... J'étais venu vous demander s'il existe un roman cimmérien qui commence par... Non, il vaut mieux que je vous dise tout de suite le nom des personnages : Gritzvi et Zwida, Ponko et Brigd ; l'action commence à Kudgiwa, mais c'est peut-être seulement le nom d'une ferme ; ensuite je crois qu'elle se déplace à Pëtkwo, sur l'Aagd...

— Oh, c'est déjà trouvé !... s'exclame le professeur.

En une seconde, il s'est dégagé de ses brumes hyponcondriaques et s'éclaire comme une lampe.

« Il s'agit sans doute possible de *Penché au bord de la côte escarpée,* l'unique roman laissé par l'un des poètes cimmériens les plus prometteurs du premier quart de ce siècle, Ukko Ahti... Le voici !

Comme un poisson qui bondit pour remonter un torrent, il s'est dirigé vers un point précis des rayonnages, s'empare d'un mince volume à la couverture verte et le secoue pour en faire tomber la poussière.

« Il n'a jamais été traduit dans aucune langue. Les difficultés sont de nature à décourager n'importe qui. Ecoutez plutôt : " Je suis en train de m'adresser la conviction . "

Non : " Je me convaincs moi-même de l'acte de transmettre. " Vous noterez que les deux verbes sont au fréquentatif...

Pour toi, la chose est toute de suite claire : ce livre-là n'a rien à voir avec celui que tu avais commencé. Seuls quelques noms propres sont identiques, un détail certes très curieux, mais sur lequel tu ne t'attardes pas à réfléchir, parce que petit à petit la laborieuse traduction improvisée d'Uzzi-Tuzii fait apparaître les contours d'une histoire et qu'à travers le pénible déchiffrement des mots agglutinés, une narration émerge et se déploie.

: Penché au bord de la côte escarpée.

Je suis de plus en plus convaincu que le monde veut me dire
quelque chose, m'adresser des messages, des avis, des
signaux. C'est depuis que je suis à Pëtkwo que je m'en suis
aperçu. Tous les matins je sors de la pension Kudgiwa pour
mon habituelle promenade jusqu'au port. Je passe devant
l'observatoire météorologique et je pense à la fin du monde
qui se rapproche, qui a même commencé depuis longtemps.
Si, pour la fin du monde, il pouvait exister une localisation, un
endroit précis, ce serait l'observatoire météorologique de
Pëtkwo : un toit de tôle posé sur quatre poteaux de bois
branlants et qui protège, alignés sur une tablette, des baromètres enregistreurs, des hygromètres, des thermographes, et
leurs rouleaux de papier millimétré qui tournent avec un lent
tic-tac d'horloge devant une pointe oscillante. La girouette
d'un anémomètre sur une haute antenne et le court entonnoir
d'un pluviomètre complètent le fragile équipement de l'observatoire, isolé au bord d'un talus du jardin municipal : face au
ciel gris perle, uniforme, immobile, on dirait un piège à
cyclones, un appât posé là pour attirer les trombes d'air
depuis les lointains océans tropicaux, une sorte d'épave idéale
qui s'offre par avance à la furie des ouragans.
Il y a des jours où tout ce que je vois me semble chargé de
significations : ce sont des messages que j'aurais du mal à
communiquer à d'autres, à définir, à traduire en mots, mais
qui pour cette raison même me paraissent décisifs. Indices ou
présages qui nous concernent ensemble, le monde et moi-
même : à mon sujet, il ne s'agit pas de ces événements

extérieurs dont est tissée une existence, mais de ce qui survient à l'intérieur, au plus profond ; et au sujet du monde, non de quelque fait particulier, mais de la façon d'être du tout, en général. On comprendra ma difficulté à en parler, sinon par allusions.

Lundi. Aujourd'hui, j'ai vu une main sortir à une fenêtre de la prison, du côté de la mer. Je marchais sur la jetée du port, comme à mon habitude, et j'arrivais derrière la vieille forteresse. La forteresse est tout enfermée dans ses murs obliques ; les fenêtres, défendues par des grilles doubles ou triples, semblent aveugles. Bien que je sache qu'il s'y trouve des détenus, j'ai toujours regardé la forteresse comme un élément de la nature inerte, une forme du règne minéral. C'est pourquoi l'apparition d'une main m'a surpris comme si elle était sortie de la roche. La main était dans une position fort peu naturelle ; je suppose que les fenêtres sont situées très haut dans les cellules et fort enfoncées dans la muraille ; il faut que le prisonnier ait accompli un effort d'acrobate, et même de contorsionniste, pour faire passer un bras entre les barreaux de manière à agiter sa main à l'air libre. Ce n'était pas un signe qu'il adressait à moi, ni à personne d'autre ; en tout cas, je ne l'ai pas compris comme tel ; et même, sur le moment, je n'ai pas pensé aux prisonniers ; je dirai que la main m'a semblé blanche et fine, une main qui ne différait pas des miennes, où rien n'indiquait la rudesse qu'on attend d'une main de forçat. Pour moi ça a été comme un signe émanant de la pierre : la pierre voulait me dire que notre substance nous est commune et que pour cette raison quelque chose de ce qui constitue ma personne subsistera après la fin du monde, ne disparaîtra pas avec lui : une communication demeurera possible dans un désert privé de vie, privé de ma vie, et de tout souvenir de moi. Je transcris là ce que furent mes premières impressions, ce sont toujours celles qui comptent.

Aujourd'hui, je suis arrivé au belvédère en dessous duquel s'étend un bout de plage désert, tout en bas, face à la mer grise. Les fauteuils d'osier, aux larges dossiers en forme de corbeille, pour protéger du vent, disposés en demi-cercle, semblaient annoncer un monde d'où le genre humain a disparu et où les choses ne savent que parler de son absence. J'ai éprouvé une sensation de vertige, comme si je ne faisais que tomber d'un monde dans un autre, arrivant chaque fois peu après que la fin de ce monde-là fut advenue.

Je suis repassé par le belvédère une demi-heure plus tard. Au-dessus d'un fauteuil que je voyais de dos, un ruban lilas flottait. Je suis descendu par le sentier escarpé du promontoire jusqu'à une terrasse d'où l'on a un autre angle visuel : comme je m'y attendais, assise dans la corbeille, complètement cachée dans son abri d'osier, Mlle Zwida était là, avec son chapeau de paille blanche, son album à dessin ouvert sur les genoux ; elle dessinait un coquillage. Cela ne m'a pas fait plaisir de la voir ; les signes contraires de ce matin me décourageaient d'engager la conversation ; voici déjà une vingtaine de jours que je la rencontre seule au cours de mes promenades sur les rochers et dans les dunes, et je ne désire rien tant que de pouvoir lui adresser la parole, et c'est même avec cette intention que je sors chaque jour de la pension ; mais chaque jour quelque chose m'en dissuade.

Mlle Zwida séjourne à l'hôtel du Lys de Mer ; je me suis informé de son nom auprès du portier ; peut-être l'a-t-elle su ; il y a peu de personnes en villégiature à Pëtkwo en cette saison, et les jeunes gens pourraient se compter sur les doigts d'une main ; me rencontrant si souvent, elle s'attend peut-être qu'un jour je la salue. Il y a plus d'une raison qui fait obstacle à une possible rencontre entre nous. En premier lieu, Mlle Zwida ramasse et dessine des coquillages ; j'ai eu une belle collection de coquillages, il y a des années, quand j'étais adolescent, mais depuis j'ai laissé tomber et j'ai tout oublié : classifications, morphologie, distribution géographique des différentes espèces ; une conversation avec Mlle Zwida m'entraînerait inévitablement à parler de coquillages, et je n'arrive pas à me décider sur l'attitude à prendre : feindre une incompétence absolue, ou bien faire appel à une expérience lointaine et restée dans le vague ; c'est mon rapport avec une vie faite de choses abandonnées en chemin et à demi oubliées que le thème des coquillages m'oblige à considérer ; de là, un malaise qui finit par me mettre en fuite.

A cela s'ajoute l'application avec laquelle la jeune fille s'adonne au dessin des coquillages, et qui indique chez elle une recherche de la perfection comme forme que le monde peut et donc doit atteindre ; moi, au contraire, je suis convaincu depuis longtemps que la perfection ne se produit qu'accessoirement et par hasard ; qu'elle ne mérite donc pas le moindre intérêt, la vraie nature des choses se révélant dans le délabrement ; si j'aborde Mlle Zwida, je devrai porter quelque appréciation sur ses dessins — de qualité, d'ailleurs, et raffinés autant que j'ai pu en juger —, et donc, dans un premier temps au moins, feindre de partager un idéal esthétique et moral que je rejette ; ou alors déclarer d'emblée ma façon de penser, au risque de la blesser.

Troisième obstacle, mon état de santé qui, s'il s'est fort amélioré sous l'effet de ce séjour à la mer que m'avaient ordonné les médecins, conditionne pour moi la possibilité de sortir et de rencontrer des étrangers : je suis encore sujet à des crises intermittentes, et surtout au retour d'un eczéma déplaisant qui m'interdit tout projet de sociabilité.

J'échange de temps à autre quelques mots avec le météoro-logue, un M. Kauderer, quand je le rencontre à l'observatoire. M. Kauderer passe toujours faire les relevés à midi. C'est un homme long et sec, au visage sombre, un peu comme un Indien d'Amérique. Il avance sur sa bicyclette, le regard fixé droit devant lui, comme si, pour se maintenir en équilibre sur la selle, il avait besoin de la plus extrême concentration. Il appuie sa bicyclette contre le hangar, déboucle une sacoche accrochée au cadre et en sort un registre dont les feuilles sont tout en largeur. Il monte les marches de la petite estrade et note les chiffres donnés par les instruments ; les uns au crayon, les autres avec un gros stylo, toujours du même air concentré. Il porte des pantalons de golf sous un long pardessus ; tous ses vêtements sont gris, ou à carreaux noirs et blancs, même sa casquette à visière. Ce n'est que lorsqu'il a terminé ces opérations qu'il s'aperçoit que je l'observe et me salue affablement.

J'ai compris que la présence de M. Kauderer était importante pour moi : même si je sais bien que tout cela est inutile, le fait que quelqu'un montre encore tant de scrupule et de méthodique attention a sur moi un effet tranquillisant, sans doute parce que j'y vois une compensation à ma façon de vivre si imprécise dont je continue à me sentir coupable, malgré les conclusions auxquelles je suis arrivé. C'est pourquoi je m'arrête à regarder le météorologue, et même à parler avec lui : bien que ce ne soit pas la conversation en elle-même qui m'intéresse. Il me parle du temps, naturellement, en des termes techniques circonstanciés, et des effets des changements de pression sur la santé, mais aussi des temps instables où nous vivons, citant en exemples des épisodes de la vie locale ou des nouvelles lues dans le journal. A ces moments-là, il montre un caractère moins fermé qu'il ne semblait à première vue, il aurait même tendance à s'enflammer et à devenir intarissable, surtout pour désapprouver la façon d'agir et de penser du plus grand nombre : c'est un homme porté à la récrimination.

Aujourd'hui, M. Kauderer m'a dit qu'il avait le projet de s'absenter pour quelques jours, et qu'il lui fallait trouver un remplaçant pour les relevés, mais qu'il ne connaissait personne à qui se fier. Et dans la conversation il en est venu à me demander si cela ne m'intéresserait pas d'apprendre à lire les instruments météorologiques, auquel cas il me l'enseignerait. Je n'ai répondu ni oui ni non, du moins je n'avais pas l'intention de faire une réponse précise, et puis je me suis retrouvé sur l'estrade à côté de lui qui m'expliquait comment lire les maxima et les minima, établir les courbes de pression, la quantité des précipitations, la vitesse des vents. En bref, et presque sans que je m'en rende compte, il m'a confié la charge de le remplacer les jours prochains, à partir de demain midi. Bien que mon consentement ait été un peu forcé, car il ne m'a pas laissé le temps de réfléchir, ni de lui faire comprendre que je ne pouvais me décider ainsi au pied levé, la tâche ne me déplaît pas.

Mardi. J'ai parlé ce matin pour la première fois à Mlle Zwida. La charge des relevés météorologiques m'a certainement aidé à surmonter mes hésitations. Au sens où, pour la première fois depuis que je séjourne à Pëtkwo, il y avait une priorité fixée à l'avance, à laquelle je ne pouvais pas me soustraire ; qui me ferait dire à midi moins le quart, quel que soit le tour que prendrait notre entretien : « Ah, j'oubliais, il faut que je me dépêche d'aller à l'observatoire, c'est l'heure des relevés. » Et je prendrais congé, peut-être de mauvais gré, peut-être avec soulagement, avec la certitude en tout cas de ne pouvoir faire autrement. Je crois avoir deviné confusément hier, quand M. Kauderer m'a fait sa proposition, que cette obligation m'encouragerait à parler à Mlle Zwida : mais ce n'est que maintenant que la chose est claire, en admettant qu'elle le soit.

Mlle Zwida était en train de dessiner un oursin. Elle était assise sur un pliant, au bout du môle. L'oursin, ouvert, était retourné sur un rocher ; il contractait ses piquants en essayant vainement de se redresser. Le dessin de la jeune fille était une étude de la pulpe humide du mollusque, de ses dilatations et de ses contractions, traitée en clair-obscur, avec des hachures serrées et hérissées sur le pourtour. Le discours que j'avais préparé sur la forme des coquillages comme harmonie trompeuse, et comme enveloppe où la nature cache la substance véritable, ne convenait plus. La vue de l'oursin aussi bien que le dessin lui-même provoquaient des sensations désagréables, cruelles, comme un viscère exposé aux regards. J'ai engagé la conversation en disant qu'il n'y a rien de plus difficile à dessiner que des oursins : l'enveloppe épineuse vue du dessus et le mollusque retourné, malgré la symétrie rayonnante de la structure, offrent peu de prises à une représentation linéaire. Elle m'a répondu qu'elle avait envie d'en dessiner parce que c'était une image qui revenait dans ses rêves et qu'elle voulait s'en libérer. En la quittant, je lui ai demandé si nous pourrions nous revoir demain matin au même endroit. Demain, non, elle avait d'autres obligations ; mais, après-demain, elle sortirait de nouveau avec son album à dessin et je n'aurais pas de peine à la rencontrer.

Pendant que je contrôlais les baromètres, deux hommes se sont approchés du hangar. Je ne les avais jamais vus : ils avaient de longs manteaux noirs, au col relevé. Ils m'ont demandé si M. Kauderer était là ; puis : où il était allé, si je connaissais son adresse, et quand il reviendrait. J'ai répondu que je ne savais rien, et je leur ai demandé qui ils étaient pour me poser ces questions.

— Rien, rien, cela ne fait rien, ont-ils dit.

Et ils se sont éloignés.

Mercredi. Je suis allé porter un bouquet de violettes à l'hôtel pour Mlle Zwida. Le portier m'a dit qu'elle était sortie pour un petit moment. J'ai fait un grand tour, espérant la rencontrer par hasard. Sur l'esplanade de la forteresse, il y avait la queue des familles de détenus : c'est aujourd'hui jour de visite à la prison. Au milieu d'humbles femmes à la tête couverte d'un fichu, accompagnées d'enfants qui pleurent, j'ai vu Mlle Zwida. Son visage était couvert d'une voilette noire sous les rebords du chapeau, mais son allure la faisait reconnaître entre toutes : la tête haute, le cou droit, orgueilleux.

Dans un coin de l'esplanade, comme s'ils surveillaient la queue à la porte de la prison, il y avait les deux hommes en noir qui m'ont interpellé hier à l'observatoire.

L'oursin, la voilette, les deux inconnus : la couleur noire sans cesse m'apparaît dans des circonstances telles qu'elle s'impose à mon attention : messages que j'interprète comme un appel venu de la nuit. Je me suis aperçu que, depuis longtemps, je tendais à réduire la présence de l'obscurité dans ma vie. L'interdiction que m'ont faite les médecins de sortir après le coucher du soleil m'a enfermé depuis des mois dans les frontières du monde diurne. Mais il n'y a pas que cela : c'est que je trouve dans la lumière du jour, dans sa luminosité diffuse, pâle, presque sans ombres, une obscurité plus dense que celle de la nuit.

Mercredi soir. Chaque soir je franchis les premières heures d'obscurité en couvrant ces pages que personne ne lira peut-être jamais. Le globe de verre de ma chambre, à la pension Kudgiwa, éclaire le mouvement de mon écriture sans doute trop nerveuse pour qu'un futur lecteur puisse la déchiffrer. Peut-être ce journal reviendra-t-il au jour des années et des années après ma mort, quand notre langue aura subi Dieu sait quelles transformations, les vocables et les tours de phrase que j'utilise couramment auront une allure désuète et une signification incertaine. N'empêche, celui qui trouvera mon journal aura sur moi un avantage certain : à partir d'une langue écrite, on peut toujours déduire un vocabulaire et une grammaire, isoler des phrases, les transcrire ou les paraphraser dans une autre langue, tandis que moi, je cherche à lire, dans la succession des choses qui se présentent à moi chaque jour, les intentions du monde à mon endroit, et je vais à tâtons, car je sais qu'il ne peut exister de vocabulaire pour traduire en mots le poids d'obscures allusions qui plane sur toute chose. Je voudrais que ce climat de pressentiment et de doutes ne soit pas, pour celui qui me lira, comme un obstacle fortuit qui s'oppose à la compréhension de ce que j'écris, mais comme sa substance même ; et si l'ordre de mes pensées échappe à qui essaiera de les suivre en partant d'habitudes mentales radicalement transformées, l'important est que lui soit transmis l'effort que j'accomplis pour lire entre les lignes des choses le sens élusif de ce qui m'attend.

Jeudi. — Par une permission spéciale de la direction, m'a expliqué Mlle Zwida, je peux entrer dans la prison les jours de visite et m'asseoir à la table du parloir avec mes feuilles de papier à dessin et mon fusain. Pour une étude d'après nature, la foule modeste des parents de prisonniers offre des sujets intéressants.

Je ne lui avais posé aucune question ; mais elle, s'étant aperçue que je l'avais vue hier sur l'esplanade, s'était crue obligée de justifier sa présence en ce lieu. J'aurais préféré qu'elle ne me dise rien, parce que je n'éprouve aucune attirance pour les représentations de la figure humaine, et n'aurais su quoi dire si elle m'avait montré ses dessins, ce qui d'ailleurs ne s'est pas produit. J'ai pensé qu'ils étaient peut-être rangés dans un carton spécial que la jeune fille laissait dans les bureaux de la prison d'une fois sur l'autre, étant donné qu'hier — je m'en souvenais parfaitement — elle n'avait pas avec elle son inséparable album relié ni sa trousse à crayons.

— Si je savais dessiner, je m'appliquerais uniquement à étudier la forme des objets inanimés, dis-je sur un ton quelque peu tranchant.

Parce que je voulais changer de conversation et aussi, il est vrai, parce qu'une inclination naturelle me porte à reconnaître mes états d'âme dans l'immobile souffrance des objets.

Mlle Zwida acquiesça aussitôt ; l'objet qu'elle aurait le plus de plaisir à dessiner, dit-elle, c'est l'une de ces petites ancres à quatre becs, appelées « grappins », dont usent les bateaux de pêche. Elle m'en montra quelques-unes en passant près des barques à quai, et m'expliqua les difficultés que présentent les quatre crochets pour qui veut les dessiner sous les différents angles et en différents raccourcis. Je compris que l'objet contenait un message pour moi, et que je devais le déchiffrer : l'ancre était une exhortation à me fixer, à me cramponner, à donner fond, à mettre un terme à mes flottements, à cette façon que j'ai de me tenir toujours à la surface. Mais cette interprétation pouvait laisser place à des doutes : ce pouvait être aussi bien une invitation à lever l'ancre, à me lancer vers le large. Quelque chose, dans la forme du grappin, avec ses quatre dents aplaties, ses quatre bras de fer usés par le frottement contre la roche des fonds, m'avertissait qu'aucune

69

décision ne serait sans déchirures ni souffrances. A mon grand soulagement, il ne s'agissait pas d'une lourde ancre de haute mer, mais d'une petite ancre légère : il ne m'était pas demandé de renoncer à la disponibilité de la jeunesse, mais seulement de faire halte un moment, de réfléchir, de sonder en moi-même l'obscurité.

— Pour dessiner commodément cet objet selon tous les points de vue, expliquait Zwida, il faudrait que j'en aie un chez moi et que je puisse me familiariser avec lui. Croyez-vous que je pourrais en acheter un à un pêcheur ?

— On peut demander, dis-je.

— Pourquoi n'essaieriez-vous pas de m'en acheter un, vous ? Je n'ose pas le faire moi-même, parce qu'une jeune fille de la ville qui s'intéresse à un grossier instrument de pêcheur, cela susciterait l'étonnement.

Je me vis en train de lui présenter le grappin de fer comme si c'eût été un bouquet de fleurs : l'image, dans son incongruité, avait quelque chose de grinçant, de violent. Assurément il s'y cachait un sens qui m'échappait ; en me promettant d'y réfléchir plus tard dans le calme, je répondis que j'essaierais.

« J'aimerais que le grappin soit pourvu de son câble, a précisé Zwida. Je peux passer des heures à dessiner un tas de filins enroulés, sans me lasser. Prenez donc un filin assez long : dix ou douze mètres. »

Jeudi soir. Les médecins m'ont donné la permission d'user, mais modérément, de boissons alcooliques. Pour fêter la nouvelle, je suis entré en fin d'après-midi au café « L'Etoile de Suède » afin d'y prendre une tasse de rhum chaud. Il y avait au comptoir des pêcheurs, des douaniers, des hommes de peine. Parmi toutes les voix dominait celle d'un homme âgé, en uniforme de gardien de prison, qui, à moitié ivre, délirait au milieu d'un flot de paroles :

— Chaque mercredi la demoiselle parfumée me donne un billet de cent couronnes pour que je la laisse seule avec le prisonnier. Et le jeudi, les cent couronnes s'en sont déjà allées en bière. Quand l'heure de la visite est passée, la demoiselle sort avec sur ses vêtements élégants la puanteur de la prison ; le détenu retourne dans sa cellule avec sur ses vêtements de galérien le parfum de la demoiselle. Moi, il me reste l'odeur de la bière. La vie n'est qu'un échange d'odeurs.

— La vie, et aussi la mort, tu peux dire, est intervenu un autre ivrogne, qui est fossoyeur de son état, ainsi que je l'ai appris aussitôt. Moi, l'odeur de la bière, j'essaie de m'en servir pour me débarrasser de l'odeur de la mort. Et toi, c'est seulement l'odeur de la mort qui te débarrassera de l'odeur de la bière ; comme tous les buveurs dont il faut que je creuse la fosse.

J'ai pris ce dialogue comme un avertissement d'avoir à me tenir sur mes gardes : le monde se décompose et tente de m'entraîner dans sa dissolution.

Vendredi. Le pêcheur est devenu défiant d'un seul coup :

— Et ça vous servira à quoi ? Qu'est-ce que vous avez à en faire, d'un grappin ?

C'étaient des questions indiscrètes ; j'aurais dû répondre : « C'est pour dessiner », mais je savais la répugnance de Mlle Zwida à faire étalage de son activité artistique dans un cadre peu fait pour l'apprécier ; et puis, la réponse juste, en ce qui me concerne, aurait été : « Pour y réfléchir », et l'on peut croire si j'aurais été compris.

— C'est mon affaire, répondis-je.

Nous avions commencé à discuter amicalement : nous avions fait connaissance au café hier soir ; mais soudain le dialogue tournait court.

— Allez donc dans un magasin de fournitures nautiques, coupa le pêcheur. Mon matériel, je ne le vends pas.

Avec le commerçant, il m'arriva la même chose : à peine eus-je le temps de poser ma question que son visage s'assombrit.

— Nous ne pouvons pas vendre ces choses-là à des

71

étrangers. Nous ne voulons pas d'histoires avec la police. Pensez : avec un câble de douze mètres, par-dessus le marché. Ce n'est pas que je vous soupçonne, mais ce ne serait pas la première fois que quelqu'un lancerait un grappin jusqu'aux grilles de la forteresse pour faire évader un prisonnier...

Le mot « évader » est de ceux que je ne puis entendre sans me laisser aller à une activité mentale sans fin. Cette recherche d'une ancre, à quoi je m'emploie, semble m'indiquer la voie d'une évasion, peut-être d'une métamorphose, d'une résurrection. J'écarte avec un frisson la pensée que la prison pourrait être mon corps mortel et l'évasion qui m'attend, le départ de l'âme, le commencement d'une vie dans l'au-delà.

Samedi. C'était ma première sortie nocturne depuis de nombreux mois, et cela me donnait un peu d'appréhension, surtout à cause des rhumes de cerveau auxquels je suis sujet ; si bien qu'avant de sortir, j'ai enfilé un passe-montagne et une casquette de laine et, par-dessus encore, un chapeau de feutre. Ainsi emmitouflé, une écharpe autour du cou, une autre autour des reins, avec ma veste de laine, ma veste de fourrure, ma veste de cuir et des bottes fourrées, je retrouvais quelque assurance. La nuit, je pus le constater, était douce et sereine. Mais je ne saisissais décidément pas pourquoi M. Kauderer avait eu besoin de me fixer un rendez-vous au cimetière en pleine nuit, par un billet mystérieux qui m'avait été remis en grand secret. S'il était revenu, pourquoi ne pas nous voir comme tous les jours ? Et s'il n'était pas revenu, qui donc allais-je rencontrer, au cimetière ?

A la grille, j'ai retrouvé le fossoyeur que j'avais aperçu au café « L'Etoile de Suède ». Il m'ouvrit :

— Je cherche M. Kauderer, lui dis-je.

Il répondit :

— Il n'y a pas de M. Kauderer. Mais comme le cimetière est la maison de ceux qui ne sont pas, entrez donc.

J'avançais entre les pierres tombales quand une ombre

rapide et bruissante m'a effleuré ; elle a freiné et est descendue de sa selle :

— Monsieur Kauderer ! m'écriai-je, tout étonné de le voir circuler sans lumière entre les tombes.

— Chut ! souffla-t-il. Vous commettez de graves imprudences. Quand je vous ai confié l'observatoire, je ne supposais pas que vous seriez compromis dans une tentative d'évasion. Sachez que nous n'aimons pas les évasions individuelles. Il faut laisser faire le temps. Nous avons un plan plus vaste à mener à terme, dont l'échéance n'est pas encore arrivée.

En l'entendant dire « nous » avec un geste large autour de lui, j'ai pensé qu'il parlait au nom des morts. Les morts, dont M. Kauderer était indubitablement le porte-parole, déclaraient donc ne pas vouloir m'accepter encore parmi eux. J'en ai éprouvé un soulagement non douteux.

« Par votre faute, je devrai prolonger mon absence, ajouta-t-il. Demain ou après-demain, on vous convoquera au commissariat de police et on vous y interrogera au sujet du grappin. Faites bien attention de ne pas me mêler à cette affaire ; n'oubliez pas que les questions du commissaire tendront toutes à vous faire me compromettre d'une ou l'autre façon. Vous ne savez rien de moi, sinon que je suis en voyage et que je ne vous ai pas dit quand je reviendrais. Vous pouvez dire aussi que je vous ai demandé de me remplacer pour les relevés pendant quelques jours. Du reste, à partir de demain vous êtes dispensé d'aller à l'observatoire.

— Non, pas ça ! me suis-je exclamé, pris d'un désespoir soudain, comme si j'avais pris conscience à ce moment-là que seul le contrôle des instruments météorologiques me mettait en mesure de maîtriser les forces de l'univers et d'y reconnaître un ordre.

Dimanche. De bon matin, je me suis rendu à l'observatoire météorologique, je suis monté sur l'estrade et suis resté là, debout, à écouter le tic-tac des instruments enregistreurs comme la musique des sphères célestes. Le vent poussait de légers nuages dans le ciel du matin, les nuages se disposaient en festons de cirrus, puis de cumulus ; vers neuf heures et demie il est tombé une averse, et le pluviomètre en a conservé quelques centilitres ; un arc-en-ciel a suivi, mais incomplet, et il dura peu ; le ciel s'est obscurci de nouveau, la plume du baromètre enregistreur est descendue suivant une ligne presque verticale ; le tonnerre a grondé, et il est tombé de la grêle. Moi, de là-haut, je croyais tenir dans mes mains les éclaircies et les tempêtes, les orages et les brumes ; non, pas comme un dieu, ne croyez pas que je suis devenu fou, je ne me prenais pas pour Zeus tonnant, mais plutôt comme un chef d'orchestre qui a devant lui une partition écrite et sait que les sons qui sortent des instruments répondent à une intention dont il est le principal gardien et le dépositaire. Le toit de tôle résonnait comme un tambour sous les averses ; l'anémomètre tournait ; cet univers fait de ruptures et de sautes était traduisible en chiffres à recopier en colonnes sur mon registre ; un calme souverain présidait à la mise en route des cataclysmes.

Dans ce moment de plénitude et d'harmonie, un craquement m'a fait baisser le regard. Pelotonné entre les marches de l'estrade et les poteaux de soutien du hangar, se tenait un homme barbu, vêtu d'une grossière veste à rayures trempée de pluie. Il me regardait de ses yeux clairs.

— Je me suis évadé, dit-il. Ne me livrez pas. Il faudrait aller avertir quelqu'un. Vous voulez bien ? C'est à l'hôtel du Lys de Mer.

J'ai senti soudain que dans l'ordre parfait de l'univers une brèche s'était ouverte, une déchirure irréparable.

IV

Ecouter quelqu'un qui lit à haute voix, ce n'est pas la même chose que lire en silence. Quand tu lis, tu peux t'arrêter, ou survoler les phrases : c'est toi qui décides du rythme. Quand c'est un autre qui lit, il est difficile de faire coïncider ton attention avec le *tempo* de sa lecture : sa voix va ou trop vite ou trop lentement.

Si, en plus, le lecteur traduit, il s'ensuit une zone de flottement, d'hésitation autour des mots, une marge d'incertitude et d'improvisation éphémère. Le texte qui, lorsque tu le lis toi-même, est un objet bien présent, qu'il te faut affronter, devient, quand on te le traduit à haute voix, une chose qui existe et n'existe pas, une chose que tu n'arrives pas à toucher.

Qui plus est, le professeur Uzzi-Tuzii s'était engagé dans sa traduction comme s'il n'était pas bien sûr de l'enchaînement des mots les uns avec les autres, revenant sur chaque période pour en remettre en place des mèches syntaxiques, tripotant les phrases jusqu'à ce qu'elles soient complètement froissées, les chiffonnant, les rafistolant, s'arrêtant sur chaque vocable pour en expliquer les usages idiomatiques et connotations, s'accompagnant de gestes enveloppants comme pour m'inviter à me contenter d'équivalences approximatives, s'interrompant pour énoncer règles grammaticales, dérivations étymologiques et citations des classiques. Et puis, lorsque tu t'es enfin convaincu que la philologie et l'érudition tiennent plus à cœur au professeur que le déroulement même du récit, tu constates que c'est tout le contraire : l'enveloppe universitaire n'est là que pour protéger ce que le récit dit et ne dit pas, son souffle intérieur toujours sur le point de se disperser au contact de l'air, l'écho en lui d'un savoir disparu qui ne se révèle qu'à travers la pénombre et de tacites allusions.

Partagé entre la nécessité d'intervenir, de faire appel à ses lumières interprétatives pour aider le texte à développer la pluralité de ses significations, et la conscience que toute interprétation exerce sur le texte une violence arbitraire, le professeur ne trouvait rien de mieux, lorsqu'il rencontrait des passages particulièrement embrouillés, pour te faciliter la compréhension, que de se mettre à lire le texte dans la langue originale. La prononciation de cette langue inconnue, déduite de règles purement théoriques, de n'avoir pas été transmise par des voix et leurs inflexions individuelles, de ne pas porter les traces de l'usage qui modèle et transforme, avait le caractère absolu de ces sons qui n'attendent pas de réponse, comme le dernier chant du dernier oiseau d'une espèce éteinte, ou le vrombissement d'un prototype de jet qui se désagrège au premier vol d'essai en plein ciel.

Et puis, peu à peu, quelque chose s'était mis à bouger, à circuler entre les phrases de cette lecture hachée. La prose du roman s'était imposée aux incertitudes de la voix ; elle était devenue transparente, fluide, continue ; Uzzi-Tuzii s'y déplaçait comme un poisson dans l'eau, s'accompagnant du geste (mains ouvertes en nageoires), d'un mouvement de ses lèvres (dont les mots sortaient comme de petites bulles d'air), de son regard (ses yeux parcouraient la page comme ceux d'un poisson des profondeurs, ou comme ceux du visiteur d'un aquarium qui suit les mouvements d'un poisson dans un bassin illuminé).

Tu as oublié la salle de l'Institut autour de toi, les rayonnages, le professeur : tu es entré dans le roman, tu vois une plage du Nord, tu suis les pas d'un jeune homme fragile. Tu es si absorbé que tu ne t'aperçois pas tout de suite d'une présence à côté de toi. Du coin de l'œil, tu as reconnu Ludmilla. Elle est là, assise sur une pile d'in-folio, occupée elle aussi à écouter, à suivre le roman.

Vient-elle d'arriver à l'instant ? A-t-elle écouté la lecture depuis le début ? Est-elle entrée sans frapper, en silence ? Ou bien était-elle déjà ici, cachée entre deux rayons ? (Elle vient se cacher ici, à ce qu'a dit Irnerio. Ils viennent ici faire des choses innommables, c'est ce qu'a dit Uzzi-Tuzii.) Ou encore, est-ce une apparition, surgie tout droit de l'enchantement qui se dégage des paroles de notre professeur-sorcier ?

Il poursuit sa lecture, Uzzi-Tuzii, et ne donne aucun signe de surprise devant la présence de cette nouvelle auditrice, c'est comme si elle avait toujours été là. Il ne tressaille même pas lorsque, profitant d'une pause plus longue que les autres elle lui demande :

— Et ensuite ?

Le professeur referme le livre d'un coup sec.

— Ensuite, rien. *Penché au bord de la côte escarpée* s'interrompt ici. Après avoir écrit ces premières pages, Ukko Ahti a fait une crise dépressive, qui l'a conduit en quelques années à trois tentatives de suicide manquées, plus une réussie. Ce fragment a été publié dans un recueil de ses écrits posthumes, avec des vers épars, un journal intime et les notes pour un essai sur les réincarnations de Bouddha. Il n'a malheureusement pas été possible de retrouver un plan ou une ébauche qui explique comment Ahti entendait développer son récit par la suite. Tout mutilé qu'il est, ou peut-être justement parce qu'il l'est, *Penché au bord de la côte escarpée* constitue le texte le plus représentatif de la prose cimmérienne : pour ce qu'il révèle et plus encore pour ce qu'il cache, pour ses dérobades, ses manques, ses défections...

La voix du professeur semble près de s'éteindre. Tu tends le cou pour t'assurer qu'il est encore là, de l'autre côté de la cloison de livres qui le cache à ta vue, mais tu n'arrives pas à voir, peut-être a-t-il glissé dans la haie des publications universitaires et collections de revues, se faisant petit au point de se faufiler dans ces interstices avides de poussières, peut-être a-t-il succombé à son tour au fatal effacement qui menace l'objet de toutes ses études, ou sombré dans le gouffre ouvert par la brusque interruption du roman. Tu voudrais te retenir au bord de ce gouffre, en soutenant Ludmilla ou en t'agrippant à elle, tes mains cherchent à saisir les siennes...

« Ne me demandez pas où se trouve la suite de ce livre !

Le cri, perçant, est parti d'un point indéterminé des rayonnages.

« Tous les livres continuent bien au-delà...

La voix du professeur monte et descend ; où est-il caché ? Peut-être se roule-t-il sous la table, peut-être s'est-il pendu à une lampe du plafond.

— Continuent où ? demandez-vous, accrochés au bord du précipice. Au-delà de quoi ?

— Les livres sont les marches d'un seuil... que tous les auteurs cimmériens ont franchi. Ensuite commence la langue sans paroles des morts, qui dit ce que seule la langue des morts peut dire. Le cimmérien, c'est l'ultime langue des vivants... La langue du seuil ! On vient ici pour tendre l'oreille à l'au-delà... Ecoutez...

A vrai dire, vous deux, vous n'entendez plus rien. Vous avez disparu à votre tour, vous vous êtes glissés dans un coin, serrés l'un contre l'autre. C'est là votre réponse ? Vous voulez montrer que les vivants aussi ont une langue sans paroles, avec laquelle on ne peut pas écrire des livres, qu'on vit seulement, seconde après seconde, sans l'enregistrer ni en garder mémoire ? C'est celle qui vient d'abord, la langue sans paroles des corps vivants — est-ce la prémisse dont vous voudriez qu'Uzzi-Tuzii tienne compte ? — ; ensuite seulement viennent les mots avec lesquels on écrit les livres et dans lesquels on essaie en vain de traduire cette langue première ; ensuite...

« Les livres cimmériens sont tous inachevés, soupire Uzzi-Tuzii : c'est dans l'au-delà qu'ils continuent... dans l'autre langue, la langue silencieuse à laquelle se ramènent tous les mots des livres que naïvement nous croyons lire...

— Que nous croyons ? Pourquoi : croyons ? Moi, j'aime lire, lire vraiment...

C'est Ludmilla qui parle, avec sa conviction et sa chaleur. Elle est assise en face du professeur, habillée à sa manière, simple et élégante, de vêtements clairs. Sa façon d'être au monde, son intérêt pour ce que le monde peut lui offrir éloignent l'abîme égocentrique et suicidaire où le roman finissait par s'engloutir en lui-même. Dans sa voix, tu cherches une preuve du besoin que tu as de t'attacher aux choses telles qu'elles sont, de lire ce qui est écrit, et rien de plus, repoussant les fantasmes qui fuient entre les doigts. (Même si votre étreinte, avoue-le, n'a eu lieu que dans ton imagination, c'est tout de même une étreinte qui d'un moment à l'autre pourrait se réaliser.)

Mais Ludmilla a toujours un pas d'avance sur toi.

« J'aime savoir qu'il existe des livres que je peux vraiment lire..., dit-elle.

Sûre qu'à la force de son désir doivent correspondre des objets existants, concrets, même s'ils lui sont encore inconnus. Comment ne pas te faire distancer par une femme qui lit toujours un livre en plus de celui qu'elle a sous les yeux, un livre qui n'existe pas encore mais qui ne pourra pas ne pas exister puisqu'elle le veut ?

Le professeur est là, à sa table ; ses mains émergent dans le cône de lumière d'une lampe, tantôt levées, tantôt posées sur le livre fermé qu'elles effleurent, avec la nostalgie d'une caresse.

— Lire, dit-il, c'est cela toujours : une chose est là, une chose faite d'écriture, un objet solide, matériel, qu'on ne peut pas changer ; et à travers cette chose on entre en contact avec quelque chose d'autre, qui n'est pas présent, quelque chose qui fait partie du monde immatériel, invisible, parce qu'elle est seulement pensable, ou imaginable, ou parce qu'elle a été et n'existe plus, parce qu'elle est passée, disparue, inaccessible, perdue au royaume des morts...

— Ou bien parce qu'elle n'existe pas encore, quelque chose qui fait l'objet d'un désir, d'une crainte, possible ou impossible (c'est Ludmilla qui parle) : lire, c'est aller à la rencontre d'une chose qui va exister mais dont personne ne sait encore ce qu'elle sera...

(Soudain, tu vois la Lectrice penchée en avant, scrutant

par-delà le bord de la page imprimée l'apparition à l'horizon de navires venus en sauveurs ou en conquérants, de tempêtes...)

« Le livre que j'aimerais lire maintenant, c'est un roman où l'on entendrait l'histoire en train d'advenir comme un tonnerre encore confus, l'Histoire avec un grand H mêlée au destin des personnages, un roman qui donnerait l'impression qu'on est en train de vivre un bouleversement qui n'a pas encore de forme ni de nom...

— Bravo, petite sœur, je vois que tu fais des progrès !

Entre les rayonnages vient d'apparaître une jeune fille : cou long, visage d'oiseau, un regard ferme derrière les lunettes, des cheveux frisés montant comme une grande aile ; une blouse large et des pantalons étroits.

« Je venais te dire que j'ai trouvé le roman que tu cherchais : c'est justement celui auquel nous consacrons notre séminaire sur la révolution féminine. Si tu veux nous entendre l'analyser et le discuter, tu es invitée.

— Lotaria, ne me dis pas que tu en es, toi aussi, à *Penché au bord de la côte escarpée,* le roman inachevé d'Ukko Ahti, écrivain cimmérien !

— Tu es mal informée, Ludmilla ; le roman est bien celui que tu dis, seulement il n'est pas inachevé, il est même tout ce qu'il y a de terminé ; et puis il n'est pas écrit en cimmérien, mais en cimbre ; et le titre en est devenu *Sans craindre le vertige et le vent ;* enfin, l'auteur a signé d'un pseudonyme : Vorts Viljandi.

— C'est un faux ! crie le professeur Uzzi-Tuzii. Un cas notoire de contrefaçon. Il s'agit de matériaux apocryphes, diffusés par les nationalistes cimbres durant une campagne de propagande anticimmérienne qui suivit la Première Guerre mondiale.

Derrière Lotaria se pressent les avant-postes d'une phalange de petites jeunes filles aux yeux limpides et tranquilles, un peu inquiétants peut-être parce que limpides et tranquilles à l'excès. Un homme les écarte et s'avance, un barbu pâle, sarcastique, avec à la bouche un pli résolument désabusé.

— Désolé de contredire un illustre collègue, mais l'authenticité de ce texte a été définitivement prouvée par la découverte des manuscrits, que les Cimmériens avaient cachés.

— Je m'étonne, Galligani (gémissement d'Uzzi-Tuzii), que tu prêtes l'autorité de ta chaire de langues et littérature hérulo-altaïques à une grossière mystification ! Liée, qui plus est, à des revendications territoriales qui n'ont avec la littérature rien à voir !

— Je t'en prie, Uzzi-Tuzii (réplique de Galligani), ne rabaisse pas la polémique. Tu sais parfaitement que le nationalisme cimbre est fort éloigné de mes préoccupations comme, j'espère, le chauvinisme cimmérien des tiennes. Lorsque je confronte l'esprit de deux littératures, la question que je me pose est : laquelle va le plus loin dans la négation des valeurs ?

La polémique cimbro-cimmérienne ne semble pas toucher Ludmilla, qu'un seul sujet préoccupe : la possibilité de voir reprendre le roman interrompu.

— Ce serait donc vrai, ce que disait Lotaria ? te demande-t-elle à mi-voix. Cette fois, je voudrais bien qu'elle ait raison, qu'il y ait une suite au commencement que nous a lu le professeur. Peu importe dans quelle langue...

— Ludmilla, annonce Lotaria, nous partons pour notre collectif d'étude. Si tu veux assister à la discussion sur le roman de Viljandi, viens. Tu peux inviter ton ami, si cela l'intéresse.

Te voici enrôlé sous la bannière de Lotaria. Le groupe s'installe dans une salle, autour d'une table. Ludmilla et toi, vous voudriez vous mettre le plus près possible du dossier que Lotaria a posé devant elle, et qui contient, à ce qu'il semble, le roman en question.

— Nous devons remercier M. Galligani, professeur de littérature cimbraïque, commence Lotaria, d'avoir bien voulu mettre à notre disposition un exemplaire rare de *Sans craindre le vertige et le vent* et d'intervenir en personne à notre séminaire. Je tiens à souligner là une attitude, une ouverture encore plus appréciables si on les compare à l'incompréhension de certains enseignants des disciplines voisines...

Et Lotaria lance un coup d'œil à sa sœur, pour qu'elle comprenne bien l'allusion polémique à Uzzi-Tuzii.

En guise d'introduction, le professeur Galligani est prié de fournir un aperçu historique :

— Je me bornerai à rappeler comment les provinces qui formaient l'Etat cimmérien ont été réunies, après la Seconde Guerre mondiale, à la République populaire cimbrienne. En classant les documents des archives cimbriennes, bouleversées par le passage du front, les Cimbres ont pu réévaluer la personnalité complexe d'un écrivain comme Vorts Viljandi, qui avait écrit tant en cimmérien qu'en cimbre, mais dont les Cimmériens n'avaient publié que la production en leur langue, au reste fort limitée. Bien plus importants en quantité et en qualité étaient les écrits en langue cimbraïque, tenus secrets par les Cimmériens ; à commencer par le vaste roman *Sans craindre le vertige et le vent* dont le début semble avoir connu une première version en cimmérien, signée du pseudonyme Ukko Ahti. Il est de toute façon certain que, pour ce roman, l'auteur n'a trouvé son inspiration authentique qu'après qu'il eut opté pour la langue cimbraïque.

« Je ne vous ferai pas l'histoire, continue le professeur, des fortunes diverses que ce livre a connues dans l'histoire de la République populaire cimbrienne. Publié d'abord comme un classique, traduit même en allemand, pour sa diffusion à l'étranger (c'est de cette traduction que nous nous servons aujourd'hui), il a ensuite fait les frais d'une campagne de rectification idéologique, a été retiré alors de la circulation, et pour finir des bibliothèques. Nous pensons, au contraire, que son contenu révolutionnaire est des plus audacieux...

Vous avez hâte, Ludmilla et toi, de voir renaître de ses cendres le livre perdu ; mais vous devez attendre que les garçons et les filles du collectif se soient distribué les tâches : au fil de la lecture, quelqu'un sera chargé d'y souligner le reflet des modes de production, un autre les processus de réification, d'autres la sublimation du refoulé, les codes sémantiques du sexe, les métalangages du corps, la transgression des rôles, dans les sphères du politique et du privé.

Voici enfin que Lotaria ouvre son carton et commence à lire. Les fils barbelés se défont comme des toiles d'araignée. Tout le monde suit en silence : vous comme les autres. Mais vous, vous comprenez tout de suite que ce que vous écoutez ne se recoupe en aucun point avec *Penché sur le bord de la côte escarpée* ni avec *En s'éloignant de Malbork* et pas davantage avec *Si par une nuit d'hiver un voyageur*. Vous échangez un regard, Ludmilla et toi, et même deux : le premier d'interrogation, le second de connivence. Quoi qu'il en soit, c'est un roman où, une fois entrés, vous voudriez continuer sans vous arrêter.

Sans craindre le vertige et le vent.

A cinq heures du matin, des convois militaires traversaient la ville ; devant les magasins d'alimentation, commençaient à se former des queues de femmes portant chacune une chandelle dans une lanterne : sur les murs, était encore humide la peinture des inscriptions de propagande tracées par les brigades des différentes tendances du Conseil Provisoire pendant la nuit.

A l'heure où les musiciens replaçaient leurs instruments dans leurs étuis et sortaient du sous-sol, le ciel était vert. Les clients du « Nouveau Titania » faisaient un bout de route avec eux, comme pour ne pas rompre la complicité qui s'était créée dans le local durant la nuit, entre gens rassemblés par le hasard ou l'habitude ; tous formaient un seul groupe où les hommes, dans leur pardessus au col relevé, avaient l'air de cadavres, de momies sorties de sarcophages où elles auraient été conservées pendant quatre mille ans, et prêtes à tomber en poussière d'un moment à l'autre, tandis qu'un vent d'excitation gagnait les femmes qui chantonnaient, chacune pour soi, leur manteau ouvert sur le décolleté de leurs robes du soir, promenant leurs jupes longues dans les flaques au rythme incertain d'un pas de danse, selon ce phénomène propre à l'ivresse qui fait qu'une nouvelle euphorie jaillit sur la retombée de l'euphorie précédente ; on aurait dit qu'en chacun d'eux, l'espoir subsistait que la fête ne fût pas encore finie, que les musiciens s'arrêteraient à un moment ou l'autre au milieu de la rue, rouvriraient leurs étuis et en tireraient de nouveau contrebasses et saxophones.

En face de l'ancienne banque Levinson, surveillée par des patrouilles de la garde populaire, baïonnette au canon et cocarde au béret, le groupe des noctambules se dispersa, comme s'ils s'étaient donné le mot, et chacun poursuivit sa route sans saluer les autres. Nous restions trois : Valerian et moi avions pris Irina chacun par un bras, moi à sa droite, comme toujours, pour faire de la place à l'étui du lourd pistolet que je portais à la ceinture, tandis que Valerian, qui était en civil, appartenant au Commissariat de l'Industrie Lourde, s'il avait un pistolet sur lui (et je crois bien qu'il en avait un), c'était sûrement l'un de ces pistolets plats qui tiennent dans une poche. A cette heure-là, Irina devenait silencieuse et comme sombre, et une espèce de crainte s'emparait de nous — je parle de moi, mais je suis certain que Valerian partageait mon état d'esprit, bien que nous ne nous soyons jamais fait de confidences à ce sujet — parce que nous sentions que c'était l'instant où elle prenait véritablement possession de nous deux, et qu'aussi folles que fussent les choses qu'elle nous amènerait à faire une fois prisonniers de son cercle magique, ce ne serait rien au regard de ce qu'elle était en train d'échafauder en imagination, sans s'arrêter devant aucun excès : qu'il s'agisse de curiosité sensuelle, d'exaltation mentale, ou de cruauté. La vérité est que nous étions tous très jeunes, beaucoup trop jeunes pour ce que nous vivions ; les garçons surtout. Irina, elle, avait la précocité des femmes de son genre, bien qu'elle fût la plus jeune de nous trois ; et elle nous faisait faire tout ce qu'elle voulait.

Elle se mit à siffloter silencieusement, Irina, et seuls ses yeux souriaient, comme si elle avait goûté par avance une idée qui lui était venue ; puis le sifflement se fit entendre, c'était une marche bouffe d'une opérette en vogue, et nous, toujours un peu inquiets de ce qui était en train de se préparer, nous nous mîmes à siffler pour l'accompagner, nous marchions comme entraînés par le son d'une irrésistible fanfare, nous nous sentions tout à la fois des victimes et des triomphateurs.

La chose arriva lorsque nous passions devant l'église Sainte-Apollonie, transformée en lazaret pour les cholériques ; les cercueils exposés sur des chevalets, entourés de grands cercles de chaux pour empêcher les gens d'approcher, attendaient les charrettes qui les amèneraient au cimetière. Une vieille femme priait à genoux sur le parvis, et nous, qui défilions entraînés par la musique de notre marche, nous avions failli la renverser. Elle leva vers nous un petit poing sec et jaune, rugueux comme une châtaigne, et, s'appuyant de l'autre au pavé, cria : « Maudits les messieurs ! » ou plutôt : « Maudits ! Messieurs ! », comme si c'était là deux imprécations en crescendo, et qu'en nous appelant « messieurs », elle nous eût désignés comme deux fois maudits ; suivit un mot du dialecte d'ici, qui veut dire « habitués du bordel » et encore quelque chose comme « vous finirez... », mais à ce moment elle vit mon uniforme, baissa la tête et se tut.

Je raconte l'incident dans tous ses détails parce qu'il fut considéré — pas tout de suite, plus tard — comme un présage de tout ce qui devait arriver ; et parce que ces images de l'époque doivent traverser la page comme les convois la ville (même si le mot « convois » évoque des images un peu approximatives ; il n'est pas mauvais qu'il flotte dans l'air une certaine indétermination, typique de la confusion qui régnait à l'époque) : comme ces banderoles tendues d'une maison à l'autre, qui invitaient la population à souscrire à l'emprunt d'État, ou ces cortèges syndicaux organisés par des centrales rivales, dont les trajets devaient ne pas se rencontrer, les uns manifestant pour la poursuite à outrance de la grève à l'usine de munitions Kauderer, les autres pour la suspension du mouvement, la priorité des priorités étant de distribuer des armes au peuple contre les troupes contre-révolutionnaires sur le point d'encercler la ville. En se croisant, toutes ces lignes obliques délimiteront assez bien l'espace où nous nous déplacions, Valerian, Irina et moi ; celui où notre histoire pouvait sortir du rien, se trouver un point de départ, une direction, un dessein.

Irina, je l'avais connue le jour où le front avait cédé à douze kilomètres (ou moins encore) de la porte d'Orient. Pendant que la milice urbaine — des garçons de moins de dix-huit ans et des réservistes d'âge avancé — prenait position autour des édifices bas de l'Abattoir — lieu dont le nom semblait déjà de mauvais augure, mais pour qui, on ne le savait pas encore —, un flot humain se repliait sur la ville vers le pont de Fer. Paysannes tenant sur la tête une corbeille d'où pointait une oie, cochons hystériques vous filant entre les jambes, poursuivis par les glapissements des enfants (l'espoir de mettre quelque chose à l'abri des réquisitions militaires poussait les familles de la campagne à disperser le plus possible enfants et animaux, pour les confier à la fortune), soldats à pied ou à cheval, qu'ils aient déserté leur unité ou qu'ils cherchent à rejoindre le gros de forces dispersées, vieilles dames du monde à la tête d'une caravane de servantes et de hardes, brancardiers avec leurs civières, malades chassés des hôpitaux, marchands ambulants, fonctionnaires, moines, gitans, pupilles de l'ex-collège des filles d'officiers en tenue de voyage : tout ce monde-là s'écoulait entre les structures métalliques du pont, comme poussé par un vent glacé, humide, qui semblait souffler à travers les déchirures de la carte, les brèches qui s'étaient ouvertes dans les frontières et le front. Ils étaient nombreux, ces jours-là, à chercher refuge en ville : il y avait ceux qui craignaient de voir s'étendre avec la révolte les pillages, et ceux qui avaient de bonnes raisons de ne pas se trouver sur le chemin des armées de la restauration ; ceux qui cherchaient refuge auprès de la fragile légalité du Conseil Provisoire, et ceux qui voulaient seulement disparaître dans la confusion pour se dérober sans problème à la loi, que ce fût l'ancienne ou la nouvelle. Chacun sentait que sa propre survie était en jeu, et l'étrange est que, là où il aurait pu sembler le plus incongru de parler de solidarité, car il fallait d'abord s'ouvrir un chemin du coude et des ongles, il se formait une sorte de communauté, une entente, qui faisait qu'on s'unissait face aux obstacles, et qu'on se comprenait à demi-mot.

Pour cette raison sans doute, ou bien parce que la jeunesse se reconnaît toujours dans la pagaille générale, et en jouit : le fait est qu'en traversant le pont de Fer au milieu de la foule, ce matin-là, je me sentais léger, content, en harmonie avec les autres, avec le monde, avec moi-même, comme cela ne m'était pas arrivé depuis longtemps. (Je ne voudrais pas me tromper de mot : je me sentais — pour mieux dire — en harmonie avec l'inharmonie des autres, du monde et de moi.) J'étais arrivé juste à l'extrémité du pont, là où une volée de marches rejoint la rive, le flot humain ralentissait, s'engorgeait, opposant aux poussées des contre-poussées pour ne pas renverser ceux qui descendaient plus lentement — mutilés qui s'arc-boutaient tour à tour sur une béquille puis sur l'autre, chevaux tenus par le mors et dirigés en diagonale pour éviter que les sabots ferrés ne glissent sur le rebord des marches de fer, side-cars qu'il fallait soulever à bout de bras (ceux-là auraient mieux fait de prendre le pont aux Charrettes, c'est ce que ne manquaient pas de leur crier les piétons, mais cela aurait voulu dire rallonger d'un bon mille) — lorsque je remarquai la femme qui descendait à côté de moi.

Manteau à revers de fourrure au col et aux poignets, chapeau cloche à voilette piqué d'une rose : élégante, en somme ; avec cela, jeune et plaisante, je le constatai aussitôt après. Tandis que je la regardais de profil, je la vis ouvrir les yeux tout grands, porter une main gantée à sa bouche agrandie par un cri de terreur, et se laisser aller en arrière. Elle serait tombée, elle aurait sûrement été piétinée par cette foule qui avançait comme une horde d'éléphants, si je n'avais été assez prompt pour la retenir par un bras.

— Vous vous sentez mal ? Appuyez-vous sur moi. Vous verrez que ce n'est rien.

Elle s'était raidie et ne pouvait faire un pas de plus.

— Le vide, le vide, là-dessous, dit-elle, j'ai le vertige, au secours...

Rien de ce qu'on voyait ne semblait justifier qu'on eût le vertige ; mais elle était bel et bien prise de panique.

— Ne baissez pas les yeux, tenez-vous à mon bras ; suivez les autres, nous arrivons au bout du pont.

J'espérais que ces arguments suffiraient à la tranquilliser. Mais elle :

— Je vois tous ces pieds quitter les marches, avancer dans le vide, y tomber... Toute une foule qui s'engloutit, dit-elle toujours raidie.

Je regarde entre les marches de fer le courant incolore du fleuve, qui charrie tout en bas des fragments de glace comme autant de nuages blancs. Durant un court instant de trouble, il me semble éprouver ce qu'elle éprouve : chaque vide se prolonge dans un autre vide, chaque surplomb, même infime, donne sur un autre surplomb, chaque gouffre débouche sur un abîme infini. Je passe un bras autour de ses épaules, je cherche à résister à la poussée de ceux, derrière nous, qui veulent descendre et protestent :

— Laissez donc passer ! Allez vous embrasser ailleurs ! Vous n'avez pas honte ?

Mais l'unique façon de sortir de cette avalanche humaine, ce serait de continuer tout droit dans le vide, de s'envoler... Et voici qu'à mon tour je me sens suspendu comme au-dessus d'un précipice...

Peut-être est-ce mon récit qui forme un pont sur le vide ! il procède en jetant devant lui des informations, des sensations, des émotions pour créer un fond de bouleversements collectifs et individuels, au milieu duquel on puisse s'ouvrir un chemin tout en restant largement dans l'ignorance des circonstances historiques et géographiques. Moi, je m'ouvre un passage dans une profusion de détails qui couvrent un vide que je ne veux pas voir, j'avance d'un bon pas, tandis que mon personnage féminin s'immobilise sur le bord d'une marche, au milieu de la foule qui la presse, jusqu'à ce que je parvienne à la faire descendre, à presque la porter, marche après marche, pour l'amener sur le pavé du quai.

Elle se ressaisit ; lève devant elle un regard assuré ; reprend sa marche sans s'arrêter, sans hésiter ; se dirige vers la rue des Moulins ; et moi, j'ai presque peine à la suivre.

Mon récit, lui aussi, doit s'efforcer de la suivre, rapporter un dialogue construit, réplique après réplique, sur le vide. Car le récit, le pont, n'est pas fini : sous chaque mot, reste ouvert le néant.

— C'est passé ? demandé-je.

— Ce n'est rien. Le vertige me prend quand je m'y attends le moins, même quand il n'y a pas l'ombre d'un danger. Le haut et le bas me font le même effet... La nuit, si je regarde le ciel en pensant à la distance des étoiles... Et même le jour... Si je m'étendais ici, par exemple, le regard tourné vers le haut, un étourdissement me prendrait...

Elle montre les nuages qui passent, poussés par le vent. Elle parle de l'étourdissement comme d'une tentation qui, d'une certaine manière, pèse sur elle.

Je suis un peu déçu qu'elle n'ait pas eu pour moi un seul mot de remerciement. J'observe :

— Ce n'est pas un bon endroit pour s'étendre et regarder le ciel, ici, ni de jour ni de nuit. Vous pouvez me faire confiance, je m'y connais.

Des intervalles de vide s'ouvrent dans le dialogue entre une réplique et la suivante, comme entre les marches de fer du pont.

— Vous savez observer le ciel ? Tiens ! Vous êtes astronome ?

— Non, j'ai un autre genre d'observatoire...

Je lui montre sur le col de mon uniforme l'écusson des artilleurs.

« ... Des journées sous les bombardements à regarder passer les shrapnels.

Son regard passe de l'écusson aux épaulettes, que je n'ai pas, puis aux insignes peu voyants de mon grade, cousus sur mes manches.

— Vous venez du front, lieutenant ?

Je me présente :

— Alex Zinnober. Je ne sais pas si je peux m'appeler lieutenant. Dans notre régiment, les grades ont été abolis, mais les dispositions changent sans cesse. Pour le moment, je suis un militaire avec deux galons sur la manche, un point c'est tout.

— Moi, je suis Irina Piperin, et je l'étais déjà avant la révolution. Dans l'avenir, je ne sais pas. Je dessinais des

91

tissus, et tant que le tissu manquera, je ferai des dessins dans le vide.

— Avec la révolution, il y a des gens qui changent au point de devenir méconnaissables et des gens qui se sentent plus que jamais semblables à eux-mêmes. Ce doit être le signe qu'ils étaient déjà prêts pour les temps nouveaux. N'est-ce pas ?

Elle ne répond rien. J'ajoute :

« A moins que ce ne soit leur refus absolu qui les préserve des changements. C'est votre cas ?

— Moi... Dites-moi, d'abord, vous, si vous croyez avoir beaucoup changé.

— Pas beaucoup. Je m'aperçois que je tiens à certaines formes d'autrefois : soutenir une femme qui tombe par exemple ; même si plus personne aujourd'hui ne dit merci.

— Tout le monde a des moments de faiblesse, les femmes comme les hommes, et il n'est pas dit, lieutenant, que je n'aurai pas bientôt l'occasion de vous rendre votre politesse.

Il y a dans sa voix une pointe d'amertume, presque de ressentiment.

A cet endroit, le dialogue — qui a concentré toute l'attention sur lui, au point de faire presque oublier la vision de la ville bouleversée — pourrait s'interrompre : les convois militaires traversent encore une fois la place et la page et nous séparent, ou bien c'est encore une fois une queue de femmes devant les magasins, encore une fois des cortèges d'ouvriers porteurs de pancartes. Irina est loin maintenant, le chapeau à la rose flotte sur une mer de casquettes grises, de casques, de foulards ; moi j'essaie de la suivre, mais elle ne se retourne pas.

Viennent ici quelques paragraphes remplis de noms de généraux et de députés, à propos de canonnades, de front, de retraites, de scissions et de réunifications dans les partis représentés au Conseil ; le tout coupé de notations météorologiques : averses, gelées blanches, passages nuageux, vent du nord en tempête.

Mais ce n'est que le cadre de mes états d'âme : tantôt un joyeux abandon au flot des événements, tantôt un repliement sur moi, une concentration obsessionnelle sur un projet, comme si tout ce qui arrive autour de moi ne servait qu'à me masquer, à me dérober, à la façon des sacs de sable qui s'élèvent pour la défense un peu partout (la ville semble se préparer pour un combat de rues) et des palissades que chaque nuit les colleurs de différentes tendances recouvrent d'affiches aussitôt détrempées par la pluie, illisibles tant le papier est spongieux et l'encre délavée.

Chaque fois que je passe devant le siège du Commissariat à l'Industrie Lourde, je me dis : « Aujourd'hui, j'irai voir mon ami Valerian. » Je le répète depuis le jour de mon arrivée. Valerian : l'ami le plus cher que j'aie en ville. Mais je remets chaque fois, à cause d'une affaire importante à expédier. Et dire que je semble jouir d'une liberté insolite pour un militaire en service : la nature exacte de mes fonctions n'est pas claire ; je vais et viens entre les différents quartiers généraux ; on me voit rarement à la caserne, c'est comme si je n'étais rattaché à aucune unité ; et on ne me voit pas davantage cloué derrière un bureau.

A la différence de Valerian : lui, ne bouge guère de sa table. Le jour où je monte le voir, je le trouve là, mais il ne paraît pas occupé à des tâches de gouvernement : il est en train de nettoyer un revolver à barillet. En me voyant, il ricane dans sa barbe mal rasée :

— Alors, tu es venu te jeter dans le piège avec nous.

— Ou mettre les autres dans le piège.

— Les pièges sont l'un à l'intérieur de l'autre, et ils se referment tous à la fois.

Il semble vouloir m'avertir de quelque chose.

Le palais où sont installés les bureaux du Commissariat est l'ancienne résidence d'une famille de profiteurs de guerre, confisquée à la révolution. Des restes d'ameublement d'un luxe voyant se mêlent au triste mobilier de bureau ; celui de Valerian est encombré de chinoiseries de boudoir : des vases à dragons, des coffres laqués, un paravent de soie.

— Et qui veux-tu capturer dans cette pagode ? Une reine orientale ?

Une femme sort de derrière le paravent : cheveux courts, vêtements de soie grise, bas couleur lait :

— Les rêves masculins ne changent pas, malgré les révolutions.

Au ton agressivement sarcastique de la voix, je reconnais la passante rencontrée sur le pont de Fer.

— Tu vois ? Il y a des oreilles qui écoutent tout ce que nous disons..., constate Valerian en riant.

Et moi :

— La révolution ne fait pas le procès des rêves, Irina Piperin.

— Pas plus qu'elle ne nous sauve des cauchemars.

Valerian intervient :

— Je ne savais pas que vous vous connaissiez.

— Nous nous sommes rencontrés en rêve, dis-je. Nous étions en train de tomber d'un pont.

Et elle :

— Mais non. A chacun son rêve.

— Il y a même — j'insiste — des gens à qui il arrive de se réveiller dans un endroit sûr, à l'abri de tout vertige, comme celui-ci.

— Le vertige est partout.

Elle prend le revolver que Valerian a fini de remonter, l'ouvre, appuie son œil au canon comme pour vérifier qu'il est bien propre, fait tourner le barillet, glisse un projectile dans un des logements, lève le chien, et tient l'arme pointée contre son œil, en faisant tourner le barillet.

« On dirait un puits sans fond. On ressent l'appel du néant, la tentation de tomber, de rejoindre une obscurité qui vous convoque...

— Eh, on ne joue pas avec une arme ! fais-je.

Et j'avance la main. Mais elle, braque le revolver dans ma direction.

— Pourquoi pas ? Vous, oui, et les femmes non ? La vraie révolution commencera le jour où les armes seront entre les mains des femmes.

— Et où les hommes seront désarmés ? Cela te semble juste, camarade ? Des armes aux femmes, pour quoi faire ?

— Pour prendre votre place. Nous dessus, et vous dessous. Pour que vous éprouviez un peu ce qu'on sent, quand on est une femme. Allez, remue-toi, passe de l'autre côté, mets-toi à côté de ton ami.

L'arme est toujours braquée sur moi.

— Irina a de la suite dans les idées, m'avertit Valerian. La contredire ne sert à rien.

— Et maintenant ? dis-je en regardant Valerian, attendant qu'il intervienne pour faire cesser la plaisanterie.

Valerian regarde Irina, mais c'est d'un regard perdu, comme en transes, un regard de soumission absolue, celui d'un homme qui attend le plaisir seulement de son obéissance au bon vouloir d'une femme.

Entre un motocycliste du Commandement Militaire, portant une brassée de dossiers. En s'ouvrant, la porte cache Irina qui disparaît. Valerian, comme si de rien n'était, expédie les affaires.

« Mais dis…, lui demandé-je, dès que nous pouvons parler, tu crois que ce sont des plaisanteries à faire ?

— Irina ne plaisante pas, dit-il sans lever les yeux de ses papiers, tu verras.

Et voici qu'à partir de ce moment-là, le temps change de forme, la nuit se dilate, les nuits ne font plus qu'une seule nuit dans la ville parcourue par notre trio, désormais inséparable, une nuit unique qui culmine dans la chambre d'Irina, au cours de scènes d'intimité mais aussi bien d'exhibition et de défi, pour la célébration d'un culte secret et sacrificiel dont Irina est tout à la fois l'officiant, la divinité, la profanatrice et la victime. Le récit reprend son cours interrompu, l'espace qu'il doit parcourir est cette fois surchargé, dense, il n'y reste aucune ouverture sur l'horreur du vide, entre les tentures aux motifs géométriques, les coussins, une atmosphère imprégnée de l'odeur de nos corps nus, les seins d'Irina qui saillent à peine sur sa maigre cage thoracique, leurs aréoles brunes qui seraient mieux adaptées à un sein plus épanoui, la pointe de son pubis étroit en forme de triangle isocèle (ce mot « iso-cèle », pour avoir été associé au pubis d'Irina, s'est chargé pour moi d'une sensualité telle que je ne peux le prononcer sans trembler). En se rapprochant du centre de la scène, les lignes ont tendance à se tordre, se font sinueuses comme la fumée du brasero où brûlent de médiocres parfums, restes d'une droguerie arménienne à qui sa réputation usurpée de fumerie d'opium a valu d'être saccagée par une foule qui prétendait venger les bonnes mœurs ; elles s'enroulent les unes sur les autres — les lignes — comme la corde invisible qui nous tient liés tous trois et qui, à mesure que nous nous débattons pour nous en défaire, resserre davantage ses nœuds et les imprime dans notre peau. Au centre de cet enchevêtre-ment, au cœur du drame de notre complicité secrète, il y a le secret que je porte au-dedans de moi et que je ne peux révéler à personne, à Valerian et à Irina moins qu'à tout autre, la mission secrète qui m'a été confiée : découvrir l'espion infiltré dans le Comité Révolutionnaire, celui qui se prépare à faire tomber la ville entre les mains des Blancs.

Au milieu des révolutions qui, pendant cet hiver venteux, balayaient les rues des capitales comme des rafales de vent du nord, était en train de naître une révolution secrète qui transformerait le pouvoir des corps et des sexes : Irina le croyait, et elle était parvenue à le faire croire non seulement à Valerian qui, fils d'un juge de district, diplômé en économie politique, disciple de gourous indiens et de théosophes suisses, était prédestiné à devenir l'adepte de la première doctrine venue, pourvu qu'elle le porte aux limites du pensable, mais à moi aussi, qui venais d'une école beaucoup plus rude, moi qui savais que l'avenir se jouerait à brève échéance entre le Tribunal Révolutionnaire et la Cour Mar-tiale des Blancs, moi que deux pelotons d'exécution atten-daient l'arme au pied : un dans chaque camp.

J'essayais d'échapper en me glissant avec des mouvements rampants vers le centre de la spirale, là où les lignes se tordaient comme des serpents, suivant la contorsion des membres flexibles et nerveux d'Irina, dans une danse lente où ce n'était pas le rythme qui comptait mais l'enroulement et le déroulement sinueux des lignes. Ce qu'Irina a saisi de ses mains, ce sont deux têtes de serpent qui s'exacerbent sous son étreinte en vertu de leur propension à pénétrer en droite ligne ; elle qui prétendait au contraire qu'au maximum de force retenue réponde une ductilité de reptiles se pliant pour la rejoindre en d'impossibles contorsions.

Car c'était là le premier article de foi du culte qu'avait institué Irina : nous devions abdiquer tout parti pris de verticalité, de ligne droite, et ce reste mal placé d'orgueil masculin qui nous avait suivi alors même que nous avions accepté notre condition d'esclaves d'une femme qui, entre nous, n'admettait ni jalousie ni suprématie d'aucun genre. « Baisse la tête », disait Irina, et sa main pressait la nuque de Valerian, les doigts enfoncés dans les cheveux laineux couleur d'étoupe du jeune économiste, sans lui laisser lever plus haut que son giron le visage. « Baisse encore ! » : pendant ce temps, elle me regardait avec des yeux de glace, et voulait que je regarde aussi, et que nos regards se déplacent suivant des voies sinueuses continues. Je sentais son regard, qui ne m'abandonnait pas un instant, je sentais en même temps sur moi un autre regard, qui me suivait toujours, partout, le regard d'un pouvoir invisible qui n'attendait de moi qu'une seule chose : la mort — celle dont je serais porteur pour les autres ou la mienne, peu importe.

J'attendais le moment où le lacet des regards d'Irina se détendrait. Voici qu'elle ferme les yeux ; je me glisse dans l'ombre, derrière les coussins les divans le brasero, là où selon son habitude Valerian a laissé ses vêtements pliés dans un ordre parfait, je glisse dans l'ombre des cils baissés d'Irina, je fouille dans les poches, dans la serviette de Valerian, je me dissimule dans l'ombre des paupières closes d'Irina, dans l'ombre du cri qui sort de sa gorge, je trouve la feuille pliée en quatre où mon nom a été écrit à la plume d'acier, sous la formule, signée et contresignée, d'une condamnation à mort pour trahison, avec tous les timbres réglementaires.

On s'arrête ici pour ouvrir la discussion. Evénements personnages atmosphère sensations sont mis de côté, pour laisser la place à des concepts plus généraux.

— Le désir pervers-polymorphe...

— Les lois de l'économie de marché...

— L'homologie des structures signifiantes...

— La déviance et les institutions...

— La castration...

Toi seul es resté là, à attendre la suite, toi et Ludmilla ; mais reprendre la lecture, personne n'y songe.

Tu t'approches de Lotaria, tu tends une main vers les papiers étalés devant elle, tu demandes :

— Je peux ?

Et tu cherches à t'emparer du roman. Mais ce n'est pas un livre ; c'est un cahier déchiré. Et le reste ?

« Excuse-moi, dis-tu, je cherchais les autres pages : la suite.

— La suite ?... Oh il y a déjà là de quoi discuter pendant un mois.

— Ce n'était pas pour discuter ; c'était pour lire.

— Ecoute, il y a plusieurs groupes d'étude, la bibliothèque de l'Institut hérulo-altaïque ne disposait que d'un seul exemplaire, alors nous nous le sommes partagé, ç'a été une répartition un peu difficile, le livre est parti en morceaux, mais je crois que j'ai eu le meilleur.

Assis à une table de café, vous dressez un bilan de la situation, Ludmilla et toi.

— En résumé : *Sans craindre le vertige et le vent* n'est pas *Penché au bord de la côte escarpée* qui, à son tour, n'est pas *En s'éloignant de Malbork,* lequel est tout autre chose que *Si par une nuit d'hiver un voyageur.* Il ne nous reste plus qu'à remonter aux origines de cet imbroglio.

— C'est la maison d'édition qui nous a exposés à cette série de frustrations, c'est donc elle qui nous doit réparation. Il faut aller nous renseigner auprès d'elle.

— Savoir si Ahti et Vijlandi sont la même personne ?

— Avant tout, demander *Si par une nuit d'hiver un voyageur,* s'en faire remettre un exemplaire complet, et aussi un exemplaire complet de *En s'éloignant de Malbork.* Je veux dire : un exemplaire complet des romans que nous avons commencé de lire en croyant qu'ils portaient ce titre-là ; si ce ne sont pas les vrais titres ni les vrais auteurs, qu'on nous le dise, qu'on nous explique le mystère qu'il y a sous cette affaire de pages qui circulent d'un volume à l'autre.

— A partir de là, nous retrouverons peut-être la trace qui nous conduira à *Penché au bord de la côte escarpée :* que le livre soit ou non achevé.

— Je ne peux pas nier, constate Ludmilla, que je m'étais laissé prendre à la nouvelle que la suite avait été retrouvée.

— ... et aussi à *Sans craindre le vertige et le vent :* c'est celui que j'ai le plus hâte de reprendre...

— Moi aussi ; et pourtant, je dois dire que ce n'est pas mon roman idéal...

Nous y revoilà. A peine crois-tu être sur la bonne route que tu te trouves bloqué par une interruption ou un changement de direction : dans tes lectures, la recherche du livre perdu, ou l'inventaire des goûts de Ludmilla.

« Le roman que j'ai le plus envie de lire en ce moment, explique-t-elle, c'est celui qui tiendrait toute sa force motrice de la seule volonté de raconter, d'accumuler histoire sur histoire, sans prétendre imposer une vision du monde ; un roman qui simplement te ferait assister à sa propre croissance, comme une plante, avec son enchevêtrement de branches et de feuilles...

Là-dessus, tu es immédiatement d'accord avec elle : tournant le dos aux pages déchirées par les analyses intellectuelles, tu rêves de retrouver une condition de lecture naturelle, innocente : primitive.

— Il faut retrouver le fil que nous avons perdu, dis-tu. Allons tout de suite chez l'éditeur.

Et elle :

— Pas besoin d'y aller tous les deux. Vas-y, tu me raconteras.

Voilà qui n'est pas de ton goût. La chasse te passionne parce que tu la fais avec elle, parce que vous pouvez la vivre ensemble et la commenter tout en la vivant. Juste au moment où tu croyais avoir rencontré de l'entente, de la confiance, d'abord parce que maintenant vous vous tutoyez, mais surtout parce que vous vous sentez complices dans une entreprise que personne d'autre peut-être ne comprendrait...

— Et pourquoi ne veux-tu pas venir ?

— Par principe.

— C'est-à-dire ?

— Il y a une ligne de partage : d'un côté, ceux qui font les livres ; de l'autre, ceux qui les lisent. Je veux continuer à faire partie de ceux qui lisent, et pour cela je fais attention de me tenir toujours en deçà de la ligne. Sinon, le plaisir désintéressé de lire n'existe plus, ou du moins il se transforme en quelque chose d'autre, qui n'est pas ce que je veux, moi. C'est une frontière imprécise, qui tend à s'effacer : le monde de ceux qui ont affaire professionnellement aux livres est toujours plus peuplé, et tend à s'identifier avec celui des lecteurs. Evidemment, les lecteurs aussi sont de plus en plus nombreux, mais on dirait que le nombre de ceux qui utilisent les livres pour produire d'autres livres croît plus vite que le nombre de ceux qui aiment les livres pour les lire, un point c'est tout. Je sais que si je franchis la limite, même accidentellement, je risque de me perdre dans cette marée qui monte ; conclusion : je

101

refuse de mettre, même pour quelques minutes, les pieds dans une maison d'édition.

— Et moi alors ?

— Toi, je ne sais pas. A toi de voir. Chacun réagit à sa manière.

Il n'y a pas moyen de la faire changer d'idée, cette femme-là. Tu mèneras ton expédition tout seul, et vous vous retrouverez ici, au café, à six heures.

— Vous êtes venu pour votre manuscrit ? Il est en lecture, non, je me trompe, il a été lu, et avec intérêt, bien sûr que je me rappelle ! Une pâte linguistique remarquable, une authentique révolte, vous n'avez pas reçu notre lettre ? nous regrettons pourtant de devoir vous informer : tout cela était dans la lettre, il y a un moment déjà que nous l'avons expédiée, le courrier a toujours du retard, vous la recevrez, ne vous inquiétez pas, notre programme d'édition trop chargé, la conjoncture défavorable, vous voyez que vous l'avez reçue ? et que disait-elle de plus ? vous remerciant de nous avoir donné à lire votre manuscrit, nous vous le faisons retourner, ah, vous venez le reprendre ? non, non, nous ne l'avons pas retrouvé, un peu de patience, on finira bien par le retrouver, n'ayez pas peur, ici on ne perd jamais rien, nous venons tout juste de retrouver des manuscrits que nous cherchions depuis dix ans, oh non, avant dix ans, nous retrouverons le vôtre bien avant, du moins espérons-le, nous avons tant de manuscrits, des piles hautes comme ça, si vous voulez je peux vous les montrer, vous voulez le vôtre, cela se comprend, et pas un autre, il ne manquerait plus que ça, je voulais dire que nous en gardons tout un tas dont nous ne savons que faire, alors croyez bien que le vôtre nous n'allons pas le jeter, nous y tenons trop, non, pas pour le publier, pour vous le rendre...

Celui qui parle ainsi est un petit homme sec et voûté, qui semble se dessécher et se voûter un peu plus chaque fois que quelqu'un l'appelle, le tire par la manche, lui soumet un problème, lui pose sur les bras une pile d'épreuves : « Dot-

tore Cavedagna ! » « S'il vous plaît, Dottore Cavedagna ! »
« Demandons au Dottore Cavedagna ! », et lui, chaque fois,
concentre toute son attention sur la question du dernier
interlocuteur, les yeux fixes, le menton tremblant, le cou
ployé sous l'effort de tenir en réserve, sans les oublier, toutes
les questions non encore résolues, avec cette patience doulou-
reuse qu'ont les personnes trop nerveuses, et cette nervosité
électronique qu'ont les personnes patientes à l'excès.

Quand tu es entré dans la maison d'édition et que tu as
exposé aux huissiers la question des volumes mal brochés que
tu voulais échanger, ils t'ont d'abord dit de t'adresser au
Service Commercial ; lorsque tu as ajouté que tu ne voulais
pas seulement échanger, mais aussi qu'on t'explique ce qui
s'était passé, on t'a adressé au Service Technique ou de
Fabrication ; et quand tu as précisé que ton objectif principal
était de continuer les romans interrompus, ils ont conclu :

— Alors il vaut mieux que vous alliez voir le Dottore
Cavedagna. Veuillez entrer dans l'antichambre, il y a déjà des
gens, attendez votre tour.

En prenant place parmi les autres visiteurs, tu as entendu
Cavedagna recommencer plusieurs fois l'histoire du manuscrit
qu'on ne retrouve pas, en l'adressant chaque fois à un
interlocuteur différent, toi compris, et chaque fois, avant de
s'être par lui-même aperçu de l'équivoque, il a été interrompu
par le visiteur, le rédacteur ou l'employé. Tu as tout de suite
compris que le Dottore Cavedagna est ce personnage indispensable dans l'organisation de toute entreprise, sur les
épaules de qui ses collègues tendent instinctivement à se
décharger des tâches les plus épineuses et compliquées. A
peine as-tu commencé à lui parler, que quelqu'un vient lui
apporter le plan de publication des cinq prochaines années
pour qu'il le revoie, un index où tous les numéros de pages
doivent être changés, une édition de Dostoïevski à recomposer de fond en comble parce que chaque fois qu'on a imprimé
Maria il faut maintenant écrire Mar'ja, et chaque fois qu'on a
écrit Piotr, c'est désormais Pëtr qui est correct. Il écoute tout
le monde avec attention, toujours ennuyé cependant d'avoir

coupé au beau milieu de la conversation qu'il avait avec un autre requérant ; dès qu'il le peut, il essaie de calmer les plus impatients, en les assurant qu'il ne les a pas oubliés, qu'il pense toujours à leur affaire.

— Nous avons vivement apprécié l'atmosphère fantastique... (— Comment ? sursaute un historien des scissions trotskistes en Nouvelle-Zélande...) Peut-être faudrait-il atténuer légèrement le caractère scatalogique des images... (— Mais qu'est-ce que vous dites là ! proteste un spécialiste de la macro-économie des oligopoles.)

Soudain, le Dottore Cavedagna disparaît. Les couloirs de la maison d'édition sont pleins de pièges : il y rôde des collectifs théâtraux d'hôpitaux psychiatriques, des groupes qui s'adonnent à la psychanalyse de groupe, des commandos de féministes. Cavedagna risque à chaque pas d'être assiégé, capturé, happé.

Tu es tombé ici à un moment où ceux qui gravitent autour des maisons d'édition ne sont plus seulement des aspirants poètes ou romanciers, des candidates poétesses ou romancières ; c'est le moment (dans l'histoire de la culture occidentale) où ceux qui cherchent à se réaliser sur du papier ne sont plus des individus isolés mais des collectivités : séminaires d'étude, groupes de recherche, équipes, comme si le travail intellectuel était trop désolant pour pouvoir être affronté dans la solitude. La figure de l'auteur est devenue plurielle, et se déplace toujours en groupe parce que — en plus — personne ne peut représenter personne : quatre ex-détenus dont un évadé, trois ex-hospitalisés avec leur infirmier et le manuscrit de ce dernier. Ou bien ce sont des couples ; pas nécessairement, mais souvent le mari et la femme, comme si la vie à deux n'avait pas de soutien plus puissant que la production de manuscrits.

Chacun de ces personnages a demandé à parler au responsable d'un secteur ou d'une branche donné, mais pour finir tous sont reçus par le Dottore Cavedagna. Des vagues de discours où affluent les lexiques des disciplines et des écoles de pensée les plus spécialisées, les plus fermées, se déversent sur le vieux rédacteur qu'au premier coup d'œil tu as défini comme « un petit homme sec et voûté », non qu'il soit plus petit, plus voûté et plus sec que tant d'autres, ou que les mots « petit homme sec et voûté » fassent partie de sa manière de s'exprimer, mais parce qu'il semble sortir tout droit d'un monde où encore — non, d'un livre où l'on rencontre encore — c'est ça : il semble sortir d'un monde où on lit encore des livres où l'on rencontre de « petits hommes secs et voûtés ».

Sans se laisser déconcerter, il laisse les problématiques glisser sur sa calvitie, secoue la tête et cherche à réduire chaque question à ses aspects les plus pratiques.

— Mais est-ce que vous ne pourriez pas, dites-moi, faire entrer dans le texte les notes en bas de page, et concentrer le texte un petit peu, non, qu'en pensez-vous, et puis le mettre comme note en bas de page ?

— Je suis un lecteur, seulement un lecteur, pas un auteur, te hâtes-tu d'annoncer, comme on se précipite au secours de quelqu'un qui va faire un faux pas.

— Ah bon ! Bravo, bravo, je suis bien content !

Le coup d'œil qu'il te jette est vraiment plein de gratitude et de sympathie.

« Vous me faites plaisir. De vrais lecteurs, j'en rencontre de moins en moins.

Le voilà en veine de confidences ; il se laisse emporter ; il oublie d'autres obligations ; il te prend à part :

« Cette maison d'édition, j'y travaille depuis tant d'années... et tant de livres me passent entre les mains... est-ce que je peux dire que je lis ? Ce n'est pas ce que j'appelle lire, ça... Dans mon village, il n'y avait que peu de livres, mais je lisais, alors, oui, je peux dire que je lisais... Je me dis toujours que, quand je serai à la retraite, je retournerai dans mon village et que je me remettrai à lire comme avant. De temps en temps, je mets un livre de côté, je me dis : celui-là je me le réserve, je le lirai quand je serai à la retraite, et puis je pense que non, ce ne sera plus la même chose... Cette nuit j'ai fait un rêve, j'étais dans mon village, dans le poulailler de ma maison, je cherchais quelque chose dans le poulailler, dans la corbeille où les poules font leurs œufs, et qu'est-ce que je trouve ? Un livre, un de ces livres que j'ai lus enfant, une édition populaire, les pages en lambeaux, avec des gravures en noir et blanc que j'avais coloriées au crayon de couleur... Je vais vous dire. Enfant, je me cachais pour lire dans le poulailler...

Tu essaies de lui exposer le motif de ta visite. Il saisit au vol, et ne te laisse même pas continuer :

« Alors vous aussi, vous aussi, ces cahiers mélangés, nous étions au courant, des livres qui commencent et ne continuent pas, toute la production de la maison ces derniers temps est sens dessus dessous ; vous y comprenez quelque chose, vous ? Nous, nous n'y comprenons rien de rien, mon cher monsieur.

Il tient entre ses bras une pile d'épreuves ; il la pose délicatement, comme si la moindre secousse risquait de mélanger des caractères typographiques si bien ordonnés.

« Une maison d'édition est un organisme fragile, cher monsieur, il suffit qu'en un point quelconque quelque chose se détraque, et le désordre s'étend, le chaos s'ouvre sous nos pieds. Pardonnez, quand j'y pense, cela me donne le vertige.

Et il se cache les yeux, comme pour échapper à la vision de ces milliers de pages, de lignes, de mots qui tourbillonnent dans un nuage de poussière.

— Allons, allons, Dottore Cavedagna, ne le prenez pas ainsi !

Il faut que ce soit toi qui le consoles, à présent.

« C'était une simple curiosité de lecteur... Mais si vous ne pouvez rien me dire...

Et le rédacteur :

— Ce que je sais, je vous le dirai bien volontiers. Ecoutez, la chose a commencé quand s'est présenté à la maison d'édition un jeune homme qui prétendait être un traducteur du... comment donc... comment ça s'appelle ?

— Du polonais ?

— Non, pas du polonais ! Une langue difficile, que peu de gens connaissent...

— Du cimmérien ?

106

— Pas le cimmérien, plus au nord ; comment dit-on ? Il se faisait passer pour un polyglotte extraordinaire, il n'y avait pas de langue qu'il ne connût, même ce truc-là, le cimbre, oui, c'est cela, le cimbre. Il nous apporte un livre écrit dans cette langue-là, un beau roman, épais, comment s'appelait-il donc, le *Voyageur*, non, le *Voyageur*, c'est de l'autre, *En s'éloignant de...*

— Le roman de Tadzio Bazakbal ?

— Non, pas Bazakbal, c'était *la Côte escarpée* ; Chose, voyons...

— Ahti ?

— Oui, c'est ça, Ukko Ahti !

— Mais, pardonnez-moi, Ukko Ahti n'était-il pas un auteur cimmérien ?

— Eh bien, on sait qu'il était cimmérien au début, Ukko Ahti : mais vous savez ce qui s'est passé, pendant la guerre et après la guerre, les rectifications de frontières, le rideau de fer, le fait est que là où c'était autrefois la Cimmérie c'est maintenant la Cimbrie, et que la Cimmérie on l'a déplacée un peu plus loin. Et dans les réparations de guerre, les Cimbres ont tout pris, même la littérature cimmérienne...

— Ça, c'est la thèse du professeur Galligani, mais le professeur Uzzi-Tuzii la rejette.

— Imaginez un peu la rivalité entre Instituts à l'Université, deux chaires en concurrence, deux professeurs qui ne peuvent pas se voir, comment voulez-vous que Uzzi-Tuzii admette que le chef-d'œuvre de sa langue, il faille aller le lire dans la langue de son collègue !

— Reste le fait, remarques-tu, que *Penché au bord de la côte escarpée* est un roman inachevé, et même à peine commencé... J'ai vu l'original...

— *Penché au bord...* Attendez, vous m'embrouillez, c'est un titre qui lui ressemble mais ce n'est pas celui-là, c'est quelque chose comme *le Vertige*, oui, c'est ça, *le Vertige* de Vijlandi.

— *Sans craindre le vertige et le vent* ? Mais dites-moi : alors, il est traduit ? Vous l'avez publié ?

107

— Attendez. Le traducteur, un certain Hermès Marana, semblait avoir tous ses papiers en règle : il nous remet un essai de traduction, nous annonçons déjà le titre, il nous remet ponctuellement les pages traduites, cent par cent, il empoche les avances, nous envoyons le texte à l'impression, nous commençons à le composer, pour ne pas perdre de temps... Et puis, à la correction des épreuves, nous remarquons des contresens, des étrangetés... Nous faisons venir Marana, nous lui posons quelques questions, il se trouble, il se contredit... Nous le serrons de près, nous lui mettons le texte original sous les yeux en lui demandant d'en traduire un bout à haute voix... Il avoue que du cimbre, il ne sait pas un traître mot !

— Et la traduction qu'il vous avait apportée ?

— Il avait mis les noms propres en cimbre, non, en cimmérien, je ne sais plus, mais le texte il l'avait traduit d'un autre roman...

— Quel roman ?

— Quel roman ? C'est ce que nous lui avons demandé. Et lui : un roman polonais (le voilà, le polonais !) de Tadzio Bazakbal...

— *En s'éloignant de Malbork...*

— Bravo. Mais attendez. C'est ce qu'il nous disait, lui. Et nous avons failli le croire. Le livre était déjà sous presse. Nous faisons tout arrêter, changer la page de titre, la couverture. C'était une grosse perte pour nous, mais de toute façon, avec un titre ou un autre, d'un auteur ou d'un autre, le livre était là, traduit, composé, imprimé... Nous n'imaginions pas que tous ces ordres et contrordres à l'impression, à la reliure, que le remplacement des premiers cahiers qui avaient une mauvaise page de titre par de nouveaux cahiers avec la page de titre correcte... bref, il en est sorti une confusion qui s'est étendue à toutes les nouveautés que nous avions en chantier, des tirages entiers à renvoyer au pilon, des volumes déjà distribués à retirer des librairies...

— Il y a une chose que je n'ai pas bien comprise : vous parlez maintenant de quel roman ? Celui de la gare ? Celui du garçon qui quitte la ferme ? Ou celui...

— Un peu de patience. Ce que je vous ai raconté n'est encore rien. Parce que évidemment, c'est naturel, nous n'avions plus du tout confiance en ce monsieur, nous voulions y voir clair, confronter la traduction avec l'original. Et là qu'est-ce qui se passe ? Ce n'était pas non plus un Bazakbal, c'était un roman traduit du français, d'un auteur belge peu connu, Bertrand Vandervelde, intitulé... Attendez, je vais vous montrer...

Cavedagna s'éloigne et revient avec un dossier de photocopies :

« Le voici, il s'appelle *Regarde en bas dans l'épaisseur des ombres*. Nous avons ici le texte des premières pages en français. Regardez-le de vos propres yeux, jugez un peu quelle escroquerie ! Hermès Marana a traduit ce petit roman de quatre sous mot à mot, en le faisant passer pour cimmérien, pour cimbre, pour polonais...

Tu feuillettes les photocopies : et au premier coup d'œil, tu t'aperçois que ce *Regarde en bas dans l'épaisseur des ombres* n'a rien à voir avec aucun des quatre romans que tu as dû interrompre. Tu voudrais en avertir aussitôt Cavedagna, mais il a sorti un feuillet joint au dossier, qu'il tient à te montrer :

« Vous voulez voir ce qu'il a eu le front de nous répondre, ce Marana, quand nous lui avons reproché ses mystifications ? Voici sa lettre.

Et il te montre un paragraphe, pour que tu le lises.

« Qu'importe le nom de l'auteur en couverture ? Transportons-nous en pensée d'ici à trois mille ans. Dieu sait quels livres de notre époque auront survécu, et de quels auteurs on se rappellera encore le nom. Certains livres seront restés célèbres mais on les considérera comme des œuvres anonymes, comme l'est pour nous l'épopée de Gilgamesh ; il y aura des auteurs dont le nom sera demeuré célèbre, mais dont il ne restera aucune œuvre, comme c'est le cas pour Socrate ; ou bien tous les livres qui auront survécu seront attribués à un mystérieux auteur unique, comme Homère... »

— Vous avez vu, le beau raisonnement ? s'exclame Cavedagna. Le pire, c'est qu'il pourrait bien avoir raison...

Il secoue la tête, saisi par une idée, ricane, pousse un léger soupir. Cette idée, tu peux la lire, Lecteur, sur son front. Il y a des années que Cavedagna vit auprès des livres pendant qu'ils se font, pièce à pièce, qu'il voit des livres naître et mourir tous les jours, et pourtant, les vrais livres, pour lui, c'est autre chose : ce sont ceux du temps où, pour lui, les livres étaient encore les messagers d'autres mondes. Même chose pour les auteurs : il a affaire à eux tous les jours, il connaît leurs obsessions, leur irrésolution, leur susceptibilité, leur égocentrisme, et pourtant les auteurs véritables restent ceux qui n'étaient pour lui qu'un nom sur une couverture, un mot qui ne se laissait pas séparer du titre, des auteurs qui partageaient la réalité de leurs personnages ou des lieux nommés dans les livres, qui existaient et en même temps n'existaient pas, comme les personnages et les lieux. L'auteur était sur le point invisible d'où partaient les livres, un vide parcouru de fantômes, un tunnel souterrain qui mettait d'autres monde en communication avec le poulailler de son enfance...

On l'appelle. Il hésite un moment entre prendre ses feuillets et te les laisser.

« C'est un document important, il ne peut pas sortir d'ici, c'est le corps du délit, il peut donner lieu à un procès pour plagiat. Si vous voulez l'examiner, asseyez-vous ici, à cette table, mais n'oubliez pas de me le rendre, même si je n'y pense plus, gare à vous si vous me le perdez...

Tu pourrais répondre que tout cela n'a pas d'importance, que ce n'est pas le roman que tu cherchais, mais peut-être parce que l'attaque ne te déplaît pas, peut-être parce que le Dottore Cavedagna, de plus en plus préoccupé, a disparu, englouti dans le tourbillon de ses activités éditoriales, il ne te reste plus qu'à te mettre à la lecture de *Regarde en bas dans l'épaisseur des ombres.*

Regarde en bas dans l'épaisseur des ombres.

J'avais beau tirer sur l'ouverture du sac de plastique : elle arrivait à peine au cou de Jojo, et la tête restait en dehors. L'autre méthode aurait consisté à commencer par la tête, mais cela ne résolvait pas mon problème, car alors c'étaient les pieds qui restaient dehors. La solution aurait été de lui faire plier les genoux, mais bien que j'aie essayé de l'y aider à coups de pieds, les jambes raidies résistaient, et quand à la fin j'y suis parvenu, jambes et sac se sont pliés ensemble, il était encore plus difficile à transporter ainsi et la tête ressortait encore plus qu'avant.

« Quand est-ce que j'arriverai à me débarrasser vraiment de toi, Jojo », lui disais-je, et chaque fois que je le retournais, je me retrouvais devant sa figure de butor, ses moustaches de joli cœur, ses cheveux collés à la brillantine, le nœud de sa cravate qui sortait du sac comme d'un pull-over, je veux dire un pull-over des années dont il continuait à suivre la mode. La mode de ces années-là, peut-être que Jojo y était arrivé en retard, quand elle n'était déjà plus à la mode nulle part, mais lui qui avait envié tout jeune les types habillés et coiffés comme ça, depuis la brillantine jusqu'aux chaussures en vernis noir avec empeigne de velours, et qui avait identifié cette apparence-là avec la fortune, une fois que c'était arrivé, il était trop pris par son succès pour regarder autour de lui et s'apercevoir que, maintenant, ceux à qui il voulait ressembler se présentaient tout autrement.

La brillantine avait bien tenu ; même quand j'avais comprimé la tête pour le pousser au fond du sac, les cheveux avaient continué de former bloc, une calotte sphérique faite d'arcs soulevés, comme autant de bandes compactes. Le nœud de la cravate avait été un peu dérangé ; il me vint instinctivement le geste de le redresser, comme si un cadavre à la cravate de travers devait attirer l'attention plus qu'un cadavre à la cravate bien en place.

— Il faudrait un autre sac pour la tête, dit Bernadette.

Et je dus encore une fois reconnaître que l'intelligence de cette fille était bien supérieure à ce qu'on pouvait attendre de sa condition sociale.

Le malheur est que nous n'arrivions pas à trouver un second sac de plastique un peu grand. Il n'y avait là qu'un sac à poubelle de cuisine, un petit sac orange, qui pouvait très bien servir à lui cacher la tête, mais pas à cacher qu'il s'agissait d'un corps humain enveloppé dans un sac, avec un sac plus petit pour envelopper la tête.

De toute façon, nous ne pouvions pas rester plus longtemps dans ce sous-sol, il fallait se débarrasser de Jojo avant le jour, il y avait déjà deux bonnes heures que nous le promenions comme s'il avait été vivant, un troisième passager dans ma petite auto décapotable, et nous avions déjà attiré l'attention de trop de gens. Comme ces deux agents à bicyclette qui s'étaient approchés tout doucement et s'étaient arrêtés pour nous regarder au moment où nous nous préparions à le jeter dans le fleuve (un moment plus tôt, le pont de Bercy nous avait paru désert) : aussitôt, Bernadette et moi, nous nous mettons à lui donner de grandes tapes dans le dos, il est affaissé contre le parapet, Jojo, la tête et les mains pendantes, et moi : « Allez, mon vieux, vas-y, crache tes tripes, ça t'éclaircira les idées ! », je dis, puis le soutenant à deux, ses bras passés sur nos épaules, nous le ramenons à la voiture. A ce moment, le gaz qui gonfle le ventre des cadavres est sorti bruyamment ; et les deux policiers de se marrer. Je me suis dit que Jojo mort avait un tout autre caractère que Jojo vivant, avec ses manières délicates ; et puis qu'il n'aurait jamais été assez généreux pour venir au secours de deux amis qui risquaient la guillotine justement pour l'avoir assassiné.

112

C'est alors que nous nous sommes mis à la recherche du sac de plastique et du bidon d'essence ; il ne restait plus maintenant qu'à trouver l'endroit. Ça paraît impossible, mais dans une métropole comme Paris, un endroit commode pour brûler un cadavre, on peut perdre des heures à le chercher.

— Est-ce qu'il n'y a pas une forêt à Fontainebleau ?

Question, en démarrant, à Bernadette qui était revenue s'asseoir à côté de moi.

« Montre-moi le chemin, toi qui sais.

Et je me disais : peut-être que, quand le soleil teintera le ciel de gris, nous serons en train de rentrer en ville, dans la queue des camions de maraîchers, et il ne restera de Jojo qu'un petit tas roussi et nauséabond dans une clairière au milieu des charmes, de Jojo et de mon passé — oui, cette fois, ce serait la bonne, je pourrais être sûr que mes passés étaient brûlés, oubliés, tous, comme s'ils n'avaient jamais existé.

Combien de fois, lorsque je m'apercevais que mon passé commençait à me peser, que trop de gens croyaient avoir chez moi un crédit illimité, matériel et moral — à Macao par exemple, les parents des filles du « Jardin de Jade », je parle d'eux parce qu'il n'y a rien de pire qu'une famille chinoise pour vous coller après : et pourtant, quand je les engageais, tout était parfaitement clair, avec leurs familles comme avec elles, et je payais comptant, pour ne pas les voir revenir, sans cesse, pères et mères, maigrichons avec leurs chaussettes blanches et leur panier de bambou qui sentait toujours le poisson, et leur air dépaysé, comme s'ils arrivaient de la campagne, alors qu'ils habitaient tous le quartier du port — oui, combien de fois, quand mon passé pesait trop lourd sur mes épaules, j'avais caressé l'espoir de couper net : changer de métier, de ville, de femme, de continent — un continent après l'autre, jusqu'à ce que j'aie fait le tour complet —, d'habitudes, d'amis,. d'affaires, de clientèle ? C'était une erreur ; mais quand je m'en suis aperçu, c'était trop tard.

Parce que, de cette façon-là, je n'ai fait qu'accumuler sur moi les passés, que les multiplier, les passés, et si une seule vie me semblait déjà trop épaisse, et ramifiée, et embrouillée

113

pour que je la traîne jusqu'à la fin derrière moi, alors imaginez un peu toutes ces vies, chacune avec son passé, plus les passés des autres vies qui n'arrêtent pas de s'entremêler. J'avais beau dire chaque fois : quel soulagement, je remets le compteur à zéro, je passe l'éponge sur le tableau ; le lendemain du jour où j'étais arrivé dans un nouvel endroit, le zéro était devenu un nombre à tant de chiffres qu'il ne tenait plus sur le compteur, et occupait le tableau d'un bord à l'autre — personnes, lieux, sympathies, antipathies, faux pas. Comme cette nuit-là, où nous cherchions le bon endroit pour carboniser Jojo, avec nos phares qui fouillaient entre troncs et rochers, et où soudain Bernadette m'a montré le tableau de bord :

— Attends ; tu ne vas pas me dire que nous n'avons plus d'essence !

C'était la vérité. Avec tout ce que j'avais en tête, je ne m'étais pas souvenu de faire le plein, et maintenant nous risquions de nous retrouver en pleine campagne, la voiture en panne, à une heure où les distributeurs sont fermés. Par chance, le Jojo, nous ne l'avions pas encore livré aux flammes : je nous vois d'ici, bloqués à peu de distance du bûcher, et ne pouvant même pas filer à pied en laissant là une voiture aussi facile à reconnaître que la mienne. En somme, il ne nous restait plus qu'à verser dans le réservoir le bidon d'essence destiné à arroser le complet bleu de Jojo, la chemise de soie avec ses initiales ; et à rentrer en ville au plus vite, en essayant de trouver une autre idée pour nous débarrasser de lui.

J'avais beau me dire que je m'étais toujours sorti de tous les pastis où je m'étais fourré, de tous les bons comme de tous les mauvais coups : mon passé est comme un ver solitaire de plus en plus long que je porte enroulé au-dedans de moi, et qui ne perd pas ses anneaux, si fort que j'essaie de me vider les tripes dans tous les cabinets à l'anglaise ou à la turque, les tinettes de prisons, les vases d'hôpitaux, les fossés de campements, ou plus simplement les buissons, en faisant bien attention qu'il n'y ait pas par là un serpent comme certaine fois au

Venezuela. Le passé, on ne peut pas en changer, pas plus qu'on ne peut changer de nom : malgré tous les passeports que j'ai pu avoir, et tous ces noms dont je ne me souviens même plus, tout le monde m'a toujours appelé Ruedi le Suisse : de quelque côté que j'aille, et de quelque nom que je me présente, il y avait toujours quelqu'un qui savait qui j'étais et ce que j'avais fait, même si j'avais pas mal changé avec le passage des années, surtout depuis que mon crâne est devenu chauve et jaune comme un pamplemousse, ça, ça s'est produit au moment de l'épidémie de typhus à bord de la *Stjärna,* quand, à cause de notre chargement, nous ne pouvions pas approcher de la côte et pas davantage demander du secours par radio.

La conclusion à tirer de toutes ces histoires, c'est que la vie que chacun a vécue est une et unique, uniforme et compacte comme une couverture feutrée dont on ne peut plus séparer les fils. Et si par hasard il m'arrive de m'appesantir sur un détail quelconque d'une quelconque journée, mettons la visite d'un Cinghalais qui veut me vendre une couvée de crocodiles nouveau-nés dans une bassine de zinc, je peux être certain que dans ce tout petit épisode insignifiant se trouve impliqué tout ce que j'ai vécu, tout mon passé, tous les passés nombreux que j'ai en vain cherché à laisser derrière moi, toutes ces vies qui pour finir n'en font plus qu'une, ma vie, qui se continue jusque dans cet endroit que j'ai décidé de ne plus lâcher, cette petite maison avec un jardin par-derrière, dans la banlieue parisienne, où j'ai installé mon vivier de poissons tropicaux, un commerce sans histoires, qui m'oblige à une vie stable comme je n'en ai jamais connue, parce que, les poissons, on ne peut pas les négliger même un seul jour, et quant à ce qui est des femmes, à mon âge on a le droit de ne plus vouloir se mettre dans de nouveaux pastis.

Bernadette, c'est une tout autre histoire ; avec elle je peux dire que j'ai mené les choses sans la plus petite erreur : dès que j'ai appris que Jojo était rentré à Paris et qu'il était sur mes traces, je me suis mis immédiatement, moi, sur les siennes, c'est ainsi que j'ai découvert Bernadette, et j'ai su la mettre de mon côté, et nous avons combiné le coup ensemble sans qu'il se doute de rien. Au bon moment, j'ai tiré le rideau et la première chose que j'ai vue de lui — après toutes ces années où nous nous étions perdus de vue —, c'est le mouvement de piston de son gros derrière velu serré entre ses genoux blancs à elle ; et puis sa nuque bien peignée, sur l'oreiller, tout contre son visage à elle, un peu fade, qui s'est déplacé de quatre-vingt-dix degrés pour me permettre de tirer. Tout s'est passé de la manière la plus rapide et la plus propre, sans lui donner le temps de se retourner, de me reconnaître, de savoir qui était venu lui gâcher son plaisir, peut-être même de s'apercevoir du passage de la frontière entre l'enfer des vivants et l'enfer des morts.

Ça valait mieux, de ne le revoir en face que mort.

— Fini de jouer, vieux bâtard.

Je me suis surpris à lui dire ça sur un ton presque affectueux, tandis que Bernadette le rhabillait complètement, sans oublier ses chaussures de vernis noir et de velours, parce qu'il fallait que nous l'emmenions en faisant croire qu'il était ivre au point de ne pas se tenir sur ses pieds. Je me suis souvenu de notre première rencontre, il y a bien des années, à Chicago, dans l'arrière-boutique de la vieille Mikonikos, pleine de bustes de Socrate : c'est le moment où je me suis rendu compte que j'avais investi dans ses machines à sous rouillées tout l'argent que l'assurance nous avait versé après l'incendie volontaire, et qu'ils me tenaient, cette vieille paralytique nymphomane et lui, à leur merci. La veille, en regardant du haut des dunes le lac gelé, j'avais savouré la liberté comme cela ne m'était pas arrivé depuis des années, mais en moins de vingt-quatre heures l'espace autour de moi s'était de nouveau refermé, et tout se décidait dans ce bloc de maisons puantes, entre le quartier grec et le quartier polonais. Des tournants de ce genre, ma vie en a connu des douzaines, dans un sens comme dans l'autre, mais c'est à partir de ce moment-là que je n'ai plus cessé de chercher à prendre ma revanche sur lui, et à partir de ce moment-là que la liste de mes défaites n'a plus cessé de s'allonger. Même à présent que l'odeur du cadavre commençait à percer derrière son parfum de mauvaise eau de Cologne, je sentais que la partie n'était pas encore finie, que Jojo mort pouvait me perdre encore une fois, comme il l'avait si souvent fait de son vivant.

Je fais remonter trop d'histoires à la fois, parce que je veux qu'on sente autour du récit d'autres histoires jusqu'à saturation, des histoires que je pourrais raconter, ou que je raconterai peut-être — ou qui sait si je ne les ai pas racontées dans une autre occasion ? —, un espace rempli d'histoires qui n'est peut-être rien d'autre que le temps de ma vie, où l'on peut, comme dans l'espace, se déplacer dans toutes les directions, y trouvant toujours de nouvelles histoires à raconter à condition d'en raconter d'autres d'abord, de sorte qu'à partir de n'importe quel moment ou de n'importe quel endroit on rencontre toujours la même épaisseur de matière à raconter. Et même, si je regarde en perspective l'ensemble de ce que je laisse en dehors de la narration principale, je vois comme une forêt qui s'étend de tous les côtés et ne laisse pas passer la lumière, tellement elle est épaisse, une matière en somme beaucoup plus riche que ce que j'ai cette fois choisi de mettre au premier plan, raison pour laquelle il n'est pas exclu que celui qui suit mon récit se sente un peu frustré en voyant que le courant se disperse en nombre de petits ruisseaux et qu'il ne lui parvient, des faits essentiels, que les échos et reflets ultimes, mais il n'est pas exclu non plus que j'aie justement cherché cet effet-là en me mettant à raconter, ou que ce soit, disons, un expédient que j'aie choisi d'adopter, une règle de discrétion qui consiste à me tenir un peu en dessous des possibilités de récit dont je dispose.

Et cela, si on y regarde bien, c'est le signe d'une vraie richesse, solide et détaillée, au sens où si, par hypothèse, je n'avais qu'une histoire à raconter, je m'y donnerais tout entier, à cette histoire-là, et je finirais par la griller dans mon désir forcené de la mettre en valeur, tandis que, si je dispose d'un dépôt pratiquement illimité de substance à raconter, je suis en mesure de le manier avec détachement et sans hâte, allant même jusqu'à laisser transparaître un léger ennui et

117

m'offrant le luxe de m'attarder sur des épisodes secondaires et des détails insignifiants.

Chaque fois que la grille grince — je suis dans la remise aux bassins, au fond du jardin —, je me demande duquel de mes passés arrive celui qui vient me chercher ici : peut-être simplement le passé d'hier et de cette banlieue-ci, le petit balayeur arabe qui commence dès octobre à faire la tournée des étrennes, maison par maison, avec le calendrier, parce qu'il dit qu'en décembre ses collègues gardent tout pour eux et qu'il ne touche, lui, pas un sou — après ce sont peut-être des passés plus lointains qui courent après le vieux Ruedi et qui ont trouvé la grille de l'impasse : les contrebandiers du Valais, les croupiers du casino de Varadero au temps de Fulgencio Batista.

Bernadette n'avait rien à voir avec aucun de mes passés ; ces vieilles histoires entre Jojo et moi qui m'avaient obligé à me débarrasser de lui et de cette manière-là, elle n'en connaissait rien, elle croyait peut-être bien que je l'avais fait pour elle, à cause de ce qu'elle m'avait dit de la vie qu'il l'obligeait à mener. Et pour l'argent, naturellement, car il y en avait — et comment —, même si je ne pouvais pas dire que je le sentais déjà dans ma poche. C'est l'intérêt commun qui nous réunissait : Bernadette est une fille qui saisit au vol les situations ; ce gâchis-là, ou bien nous arrivions à nous en sortir ensemble ou bien nous y laissions des plumes tous les deux. Mais Bernadette avait sûrement une autre idée en tête : une fille comme elle, pour se diriger dans le monde, il lui faut compter sur quelqu'un qui connaît son affaire ; si elle avait fait appel à moi pour se débarrasser de Jojo, c'était pour me mettre à sa place. Des histoires de ce genre, il y en avait trop eu dans mon passé et aucune ne s'était jamais inscrite à mon actif ; c'est pour cette raison que je m'étais retiré des affaires et je ne voulais plus y rentrer.

Ainsi, comme nous allions commencer nos va-et-vient nocturnes, avec lui complètement rhabillé et assis derrière, bien droit, dans la décapotable, et qu'elle s'était assise devant à côté de moi, un bras allongé dans le dos pour le retenir, au moment où j'allais démarrer, la voici qui passe sa jambe par-dessus le levier de vitesse et la pose à cheval sur ma jambe droite. Moi, je m'exclame :

« Bernadette ! Qu'est-ce que tu fais ? Tu crois que c'est le moment ?

Et elle de m'expliquer qu'en faisant irruption dans la chambre, je l'avais interrompue dans un moment où il ne fallait pas l'interrompre ; avec l'un ou avec l'autre, pas d'importance, mais elle devait absolument reprendre à ce moment précis et aller cette fois jusqu'au bout. Elle tenait le mort d'une main, et de l'autre commençait à me déboutonner ; nous étions serrés tous les trois dans cette voiture minuscule sur un parking du faubourg Saint-Antoine. En se contorsionnant, avec des mouvements de jambes harmonieux, je dois dire, elle s'installe à cheval sur mes genoux et m'étouffe presque dans ses seins : une vraie avalanche. Pendant ce temps-là Jojo nous tombait sur le dos, mais elle n'oubliait pas de le tenir, sa figure à quelques centimètres de celle du mort qui la regardait de ses yeux blancs exorbités. Quant à moi, pris pour ainsi dire par surprise, avec mes réactions physiques qui suivaient leur propre cours, préférant évidemment lui obéir à elle plutôt qu'à mon esprit terrorisé, sans que j'aie besoin de bouger parce que c'est elle qui s'en occupait, eh bien, j'ai compris à ce moment-là que ce que nous faisions était une cérémonie à laquelle elle donnait une signification spéciale, là, sous les yeux du mort ; j'ai senti qu'un étau doux mais tenace se resserrait, et que je ne pouvais pas lui échapper.

« Tu te trompes, fillette, j'aurais voulu lui dire, ce mort est mort pour une autre histoire, pas pour la tienne, une histoire qui n'est pas encore terminée. » J'aurais voulu lui dire qu'il y avait une autre femme entre Jojo et moi, dans cette histoire inachevée, et si je continue à sauter d'une histoire à l'autre, c'est parce que je continue à tourner autour de cette première histoire et de fuir, comme ce premier jour où j'ai compris qu'ils s'étaient mis ensemble contre moi, Jojo et l'autre femme. C'est une histoire que je finirai tôt ou tard par raconter, mais parmi d'autres, sans lui donner plus d'importance qu'à une autre, sans y mettre d'autre passion que le plaisir de raconter et de se souvenir, parce que se souvenir même du mal peut donner du plaisir quand le mal se trouve mêlé, je ne dis pas au bien, mais à ce qui est variable, changeant, mouvementé, à ce qu'en somme je peux finir par appeler le bien, et qui est le plaisir de voir les choses à distance, de les raconter comme quelque chose de passé.

« Celle-là aussi sera bien bonne à raconter, quand nous en serons sortis.

C'est ce que je disais à Bernadette pendant que montait l'ascenseur, avec Jojo dans son sac de plastique.

Notre projet était de le balancer en bas dans une petite cour étroite depuis la terrasse du dernier étage, pour qu'en le trouvant le lendemain on pense à un suicide ou un faux pas au cours d'une tentative de cambriolage. Et si quelqu'un arrêtait l'ascenseur à un étage intermédiaire et nous voyait avec le sac ? Je dirais que l'ascenseur était remonté pendant que je descendais les ordures. Le fait est que l'aube approchait.

— Toi, tu sais prévoir toutes les situations, constata Bernadette.

Et comment j'aurais fait pour m'en tirer, j'aurais voulu lui dire, durant toutes ces années où je devais me garder de la bande à Jojo, qui avait placé des hommes à lui dans toutes les plaques tournantes du monde ? Mais il aurait fallu que je lui explique dans le détail les dessous de l'histoire, Jojo et l'autre femme qui n'ont jamais renoncé à prétendre que je leur fasse récupérer ce qu'ils disaient avoir perdu par ma faute, ni à me balancer cette série de chantages qui m'oblige une fois encore à passer la nuit à la recherche d'une place sûre pour un vieil ami installé au fond d'un sac de plastique.

Avec le Cinghalais aussi, je me suis dit que ça cachait quelque chose :

— Je ne prends pas les crocodiles, jeune homme, je lui ai dit. Va donc au Jardin zoologique ; moi, je m'occupe d'autres articles, je fournis les magasins du centre, les aquariums d'appartement en poissons exotiques, tout au plus en tortues.

On me demande des iguanes de temps en temps, mais je n'en fais pas, c'est trop délicat.

Le garçon — il pouvait avoir dix-huit ans — restait planté là : moustaches et cils comme des plumes noires sur ses joues bistres.

« Qui t'a envoyé chez moi ? Dis un peu, je lui ai demandé.

Parce que, quand il s'agit du Sud-Est asiatique, je me méfie toujours ; j'ai de bonnes raisons pour ça.

— Mlle Sibylle, il fait.

— Qu'est-ce que ma fille a à voir avec des crocodiles ?

Je veux bien qu'elle vive indépendante depuis un bout de temps, mais chaque fois qu'il m'arrive une nouvelle d'elle, je suis vaguement inquiet. La pensée de mes enfants m'a, je ne sais pourquoi, toujours donné une espèce de remords.

C'est comme ça que j'apprends que ma fille fait un numéro dans une boîte de la place Clichy avec des caïmans ; dite tout à trac, la chose m'a fait un si sale effet que je n'ai pas demandé d'autres détails. Je savais qu'elle travaillait dans des boîtes de nuit, mais cette histoire là, se produire en public avec un crocodile, il me semble que c'est bien la dernière chose qu'un père puisse souhaiter comme avenir pour sa fille unique : au moins un père qui, comme moi, a reçu une éducation protestante.

« Comment il s'appelle, ce bel endroit ?

Je suis livide.

« J'aimerais aller y jeter un coup d'œil.

Il me tend un carton-réclame, et pour le coup une sueur froide me trempe le dos : ce nom, le « Nouveau Titania », m'est familier, trop familier ; même s'il s'agit de souvenirs liés à une tout autre partie du globe.

« Et qui est-ce qui le dirige ? je demande. Oui, qui est le directeur, le patron ?

— Ah, Mme Tatarescu, vous voulez dire ?

Et il soulève son baquet pour remporter la nichée.

Je fixais ce grouillement d'écailles vertes, de pattes, de queues, de gueules entrebâillées, et c'était comme si on m'avait asséné un coup de matraque sur le crâne, je n'entendais plus qu'un bourdonnement grave, un ronflement, les trompettes du Jugement, depuis qu'avait retenti le nom de cette femme à la désastreuse influence de qui j'avais réussi à soustraire Sibylle — lui faisant perdre nos traces à travers deux océans, puis construisant pour la petite et pour moi une vie tranquille et silencieuse. Rien à faire : Vlada avait retrouvé sa fille, et à travers Sibylle elle me tenait dans sa main, une fois de plus, avec cette capacité qui n'était qu'à elle d'éveiller en moi la plus féroce aversion et l'attirance la plus obscure. Déjà, elle m'envoyait un message où je pouvais la reconnaître : cette agitation de reptiles, pour me rappeler que le mal est son élément vital, et que le monde est un puits grouillant de crocodiles d'où je ne pourrai pas sortir.

C'est de la même façon que je regardais, penché au bord de la terrasse, le fond de cette cour lépreuse. Le ciel s'éclaircissait déjà, mais, tout en bas, l'obscurité était encore épaisse, et je pouvais à peine y distinguer la tache irrégulière que formait Jojo après avoir roulé dans le vide, les pans de sa veste relevés comme des ailes, et s'être fracassé les os avec un bruit d'arme à feu.

Le sac de plastique m'était resté dans les mains. Nous aurions pu le laisser là, mais Bernadette craignait qu'en le retrouvant on ne reconstruise le déroulement des faits ; il valait donc mieux l'emporter et le faire disparaître.

Au rez-de-chaussée, lorsque s'est ouverte la porte de l'ascenseur, il y avait là trois hommes, les mains dans les poches.

— Salut, Bernadette.

Et elle :

— Salut.

Ça ne me plaisait guère, qu'elle les connût : d'autant plus qu'à leur façon de s'habiller, même si elle était plus à la mode que la sienne, je leur trouvais un certain air de famille avec Jojo.

— Qu'est-ce que tu portes dans ton sac ? Fais voir, me dit le plus gros des trois.

— Regarde. Il est vide, je fais calmement.

Il fourre une main dedans.

— Et ça, c'est quoi ?

Il en sort une chaussure vernie noire à empeigne de velours.

VI

Les pages photocopiées s'arrêtent là, mais ce qui compte désormais pour toi, c'est de continuer la lecture. On doit pouvoir trouver quelque part le volume complet ; tu le cherches du regard autour de toi, mais tu perds aussitôt courage : dans ce bureau, les livres ne figurent que sous la forme de matériau brut, pièces de rechange, engrenages à démonter et remonter. Tu comprends maintenant pourquoi Ludmilla a refusé de te suivre ; la crainte te saisit d'être passé toi aussi « de l'autre côté » et d'avoir perdu ce rapport privilégié avec le livre qui est celui du seul lecteur : le pouvoir de considérer ce qui est écrit comme quelque chose de fini et définitif, à quoi on ne peut rien ajouter ni rien enlever. Ce qui malgré tout te réconforte, c'est la confiance que Cavedagna continue d'avoir en les possibilités d'une lecture naïve, même dans cette ambiance-là.

Voici que le vieux rédacteur réapparaît par la porte vitrée. Attrape-le par une manche, dis-lui que tu veux continuer à lire *Regarde en bas dans l'épaisseur des ombres*.

— Ah, qui sait où il est passé !... Tous les papiers de l'affaire Marana ont disparu. Les copies dactylographiées, les textes originaux, cimbre, polonais, français. Lui disparu, tout à disparu, du jour au lendemain.

— Et on n'a plus eu de nouvelles de lui ?

— Si, il a écrit... Nous avons reçu je ne sais combien de lettres. Des histoires à dormir debout... Je ne vais pas me mettre à vous les raconter, parce que je n'arriverais pas à m'y

retrouver. Il faudrait des heures, pour lire toute sa correspondance.

— Je pourrais y jeter un œil ?

En voyant que tu es décidé à aller jusqu'au bout, Cavedagna accepte de te faire monter des archives le dossier
« Marana doct. Hermès ».

— Vous avez du temps libre ? Bien, asseyez-vous ici et
lisez. Après, vous me direz ce que vous en pensez. Qui sait,
vous arriverez peut-être à y comprendre quelque chose, vous.

Pour écrire à Cavedagna, Marana a toujours des raisons
pratiques : justifier son retard dans la remise des traductions,
solliciter le paiement d'une avance, signaler des nouveautés
étrangères à ne pas laisser passer. Mais, parmi ces sujets
normaux d'une correspondance professionnelle, il se glisse
des allusions à des intrigues, des complots, des mystères, et
pour expliquer ces allusions, ou les motifs qu'il a de ne pas en
dire davantage, Marana finit par se lancer dans des affabulations toujours plus frénétiques et embrouillées.

A l'en-tête de ses lettres figurent les noms de localités
dispersées sur les cinq continents ; il semble cependant
qu'elles n'aient jamais été confiées à des postes régulières
mais plutôt à des messagers occasionnels qui les ont postées
ailleurs : les timbres des enveloppes ne correspondent jamais
aux pays d'origine. La chronologie elle-même est incertaine :
il y a des lettres qui font allusion à des missives précédentes
qu'on découvre ensuite avoir été écrites plus tard ; il y a des
lettres qui promettent des précisions ultérieures et qui se
trouvent au contraire dans des feuilles datées d'une semaine
plus tôt.

« Cerro Negro », nom — à ce qu'il paraît — d'un village
perdu d'Amérique du Sud, telle est l'indication qui figure à
l'en-tête de ses dernières lettres ; mais où se trouve exactement ce village, tout en haut de la cordillère des Andes, ou
dans le fond des forêts de l'Orénoque, cela ne ressort pas
clairement de paysages contradictoires évoqués par frag-

ments. Ce que tu as sous les yeux a l'air d'une lettre d'affaires normale : mais comment diable une maison d'édition en langue cimmérienne a-t-elle échoué là-bas ? Et, si ces éditions sont destinées au marché limité que constituent les émigrés cimmériens des deux Amériques, comment celles-ci peuvent-elles publier les traductions en cimmérien de *nouveautés absolues* des auteurs les plus cotés au niveau international, dont elles possèdent *l'exclusivité mondiale,* jusques et y compris dans la langue originale de l'auteur ? Le fait est là : Hermès Marana, qui semble être devenu leur *manager,* offre à Cavedagna une option sur le roman tant attendu, *Dans un réseau de lignes entrelacées,* du fameux écrivain irlandais Silas Flannery.

Une autre lettre, toujours datée de Cerro Negro, est écrite sur un tout autre ton, lyrique, inspiré : faisant allusion — à ce qu'il semble — à une légende locale, elle parle d'un vieil Indien appelé « le Père des Récits », vieillard dont les années se perdent dans la nuit des mémoires, aveugle et analphabète, qui raconte sans interruption des histoires se déroulant dans des pays et des époques de lui complètement inconnus. Le phénomène a attiré sur les lieux des expéditions d'anthropologues et de parapsychologues : on a pu vérifier que nombre de romans publiés par des auteurs fameux avaient été racontés mot pour mot par la voix catarrheuse du « Père des Récits » plusieurs années avant leur sortie. Le vieil Indien serait, selon certains, la source universelle de la matière narrative, le magma primordial d'où partent les manifestations individuelles de chacun de ceux qu'on nomme écrivains : selon d'autres, un voyant qui parvient, sous l'effet de champignons hallucinogènes, à se mettre en communication avec le monde intérieur des tempéraments visionnaires les plus forts et à en capter les ondes psychiques ; selon d'autres encore, il serait la réincarnation d'Homère, de l'auteur des *Mille et Une Nuits,* de celui du *Popol Vuh,* d'Alexandre Dumas aussi et de Joyce ; certains objectent cependant qu'Homère n'a nul besoin de la métem-

127

psycose, puisqu'il n'est jamais mort et qu'à travers les millénaires il a continué à vivre et composer : auteur, en plus des quelques poèmes qu'on lui attribue d'habitude, d'une grande partie des plus remarquables récits écrits qui soient connus. Hermès Marana, en approchant un magnétophone de l'ouverture de la grotte où le vieillard se cache...

Selon une lettre antérieure, de New York celle-là, l'origine des inédits offerts par Marana pourrait être tout différente :

« Le siège de l'OEPHLW, comme vous le voyez d'après l'en-tête, est situé dans le vieux quartier de Wall Street. Depuis que le monde des affaires a déserté ces édifices solennels, à l'allure d'église héritée des banques anglaises, ils sont devenus plus sinistres encore que jadis. Je lance dans le parlophone :

« — C'est Hermès. Je vous apporte le début du roman de Flannery.

« On m'attendait depuis un moment, depuis que j'avais télégraphié de Suisse que j'étais parvenu à convaincre le vieil auteur de *thrillers* de me confier le début du roman ; un début qu'il n'arrivait pas à continuer et que nos ordinateurs seraient en mesure de compléter facilement, programmés comme ils sont pour développer chacun des éléments d'un texte avec une fidélité parfaite aux modèles stylistiques et conceptuels de l'auteur. »

Le voyage de ces pages vers New York n'a pas été chose facile, si l'on en croit ce qu'écrit Marana d'une capitale d'Afrique noire, en se laissant aller à sa veine aventureuse :

« Nous étions plongés, l'avion dans une mer crémeuse de nuages, moi dans la lecture du texte inédit de Silas Flannery *Dans un réseau de lignes entrelacées,* précieux manuscrit convoité par l'édition internationale et par moi heureusement soustrait à son auteur, quand tout soudain l'extrémité d'une mitraillette au canon scié se pose sur la monture de mes lunettes.

« Un commando de jeunes gens armés s'est rendu maître de l'avion ; l'odeur de transpiration est désagréable ; je ne tarde pas à comprendre que leur objectif principal est de s'emparer de mon manuscrit. Ce sont des garçons de l'APO, certainement, mais la dernière vague de militants m'est totalement inconnue ; des faces graves et barbues, une attitude hautaine ne sont pas des traits suffisamment caractéristiques pour me permettre de distinguer à laquelle des deux ailes du mouvement ils appartiennent.

« ... Il n'est pas question que je vous raconte par le menu les pérégrinations hésitantes de notre appareil sans cesse dérouté d'une tour de contrôle sur l'autre, aucun aéroport n'étant disposé à l'accueillir. Finalement, le président Butamatari, un dictateur aux penchants humanistes, a laissé atterrir l'avion à court de carburant sur les pistes accidentées de son aéroport perdu dans la brousse, et assumé le rôle de médiateur entre le commando d'extrémistes et les chancelleries terrorisées des grandes puissances. Pour nous, les otages, les journées se traînent et s'effilochent mollement sous un toit de tôle au fond d'un désert poussiéreux. Des vautours gris-bleu piquent le sol du bec pour en extraire des vers de terre. »

Qu'un lien existe entre Marana et les pirates de l'APO, cela ressort clairement de la façon dont il les apostrophe, dès qu'ils se trouvent face à face :

« — Rentrez à la maison, mes petits pigeons, et dites à votre chef qu'il envoie une autre fois des informateurs plus avisés, s'il veut mettre à jour sa bibliographie...

« Ils tournent vers moi ce regard embrumé de sommeil ou de rhume qu'ont ceux dont on vient d'éventer le plan. Cette secte vouée au culte et à la recherche des livres secrets est tombée entre les mains de garçons qui n'ont qu'une idée approximative de leur mission.

« — Mais qui es-tu, toi ? me demandent-ils.

« A peine ont-ils entendu mon nom qu'ils se raidissent. Nouveaux dans l'Organisation, ils ne pouvaient pas m'avoir connu personnellement et ne savaient de moi que les ragots mis en circulation après mon expulsion : agent double, triple, ou quadruple, au service de Dieu sait qui et de Dieu sait quoi. Personne ne sait que l'Organisation du Pouvoir Apocryphe, c'est moi qui l'ai fondée, et qu'elle a gardé un sens aussi longtemps (mais pas plus) que mon ascendant a empêché qu'elle ne tombe sous l'influence de gourous douteux.

« — Tu nous a pris pour ceux de la Wing of Light, dis la vérité ! me lancent-ils. Pour ta gouverne, nous, nous sommes de la Wing of Shadow, et nous ne tombons pas dans ton piège.

« C'était ce que je voulais savoir. Je me suis contenté de hausser les épaules et de sourire. Wing of Light ou Wing of Shadow, pour les uns comme pour les autres je suis le traître à éliminer, mais ici ils ne peuvent rien me faire, du moment que le président Butamatari, qui leur garantit le droit d'asile, m'a pris sous sa protection... »

Pourquoi donc les pirates de l'APO voulaient-ils s'emparer du manuscrit ? Tu parcours les pages en cherchant une explication, mais tu y trouves surtout les vantardises de Marana qui s'attribue le mérite d'avoir réglé diplomatiquement l'accord aux termes duquel Butamatari, après avoir désarmé le commando et s'être emparé du manuscrit de Flannery, en garantit la restitution à son auteur, demandant en contrepartie que celui-ci s'engage à lui écrire un roman dynastique susceptible de justifier, avec ses ambitions impériales, son couronnement et ses visées annexionnistes sur les territoires voisins.

« Celui qui a proposé la formule de l'accord et qui a conduit les tractations, c'est moi. Dès le moment où je me suis présenté comme le représentant de l'agence " Mercure et les Muses ", spécialisée dans l'exploitation publicitaire des œuvres littéraires et philosophiques, la situation a changé de cours. Ayant conquis la confiance du dictateur africain, et reconquis celle de l'écrivain celtique (en subtilisant son manuscrit, je l'avais mis à l'abri des plans de capture montés par différentes organisations, toutes secrètes), il m'a été facile de persuader les parties d'en venir à un contrat avantageux pour toutes les deux... »

Une lettre antérieure encore, du Liechtenstein, permet de reconstituer le préambule des relations entre Flannery et Manara :

« Il ne faut pas attacher foi aux bruits qui courent, selon lesquels cette principauté alpine n'abriterait que le siège administratif et fiscal de la société anonyme qui possède le copyright et signe les contrats du fécond auteur de best-sellers, dont par ailleurs personne ne saurait exactement où il est, ni même s'il existe vraiment... Je dois dire que mes premiers contacts, des secrétaires qui me renvoyaient à des fondés de pouvoir, lesquels me renvoyaient à des agents, semblaient confirmer vos propres observations... La société anonyme qui exploite l'immense production verbale de frissons, de crimes et d'étreintes du vieil auteur, a la structure d'une efficace banque d'affaires. Mais l'atmosphère qui y régnait était une atmosphère de gêne et d'anxiété, comme à la veille d'un crack...

« Les raisons, je n'ai pas tardé à les découvrir : depuis quelques mois, Flannery est entré en crise ; il n'écrit plus une ligne ; les nombreux romans qu'il a commencés et pour lesquels il a reçu d'éditeurs du monde entier des avances qui supposent des financements bancaires internationaux, ces romans dont des contrats passés par l'intermédiaire d'agences de publicité spécialisées ont déjà spécifié la marque des liqueurs qu'y boivent les personnages, les localités touristiques qu'ils fréquentent, les modèles de haute couture, les fournisseurs d'ameublement et de gadgets, ces romans restent incomplets, à la merci d'une crise spirituelle aussi inexplicable qu'inattendue. Une équipe de nègres, experts dans l'art d'imiter le style du maître avec toutes ses nuances et ses manières, se tient prête à intervenir pour boucher les voies d'eau, parachever et compléter les textes à demi rédigés, de façon telle qu'aucun lecteur ne puisse distinguer les parties

131

dues à une main de celles qui sont dues à une autre... (Il semble d'ailleurs que leur contribution n'ait pas été mince dans la dernière production de notre Ami.) Mais, aujourd'hui, Flannery dit à tout le monde d'attendre, repousse les échéances, annonce des changements de programme, promet de se remettre au travail très vite, refuse les propositions d'aide. Selon les rumeurs les plus pessimistes, il se serait mis à écrire un journal, un cahier de réflexions, où il ne se passe jamais rien, seulement ses états d'âme et les descriptions du paysage qu'il contemple pendant des heures de son balcon, à la jumelle... »

Plus optimiste est le message que Marana envoie de Suisse quelques jours plus tard :

« Notez bien ceci : là où tout le monde échoue, Hermès Marana réussit ! Je suis arrivé à parler à Flannery en personne : il se tenait sur la terrasse de son chalet, arrosant des pieds de zinnia en pot. C'est un petit vieux rangé et tranquille, de manières affables tant qu'il n'est pas repris par un de ses accès nerveux... Je pourrais vous communiquer de nombreux renseignements sur lui, précieux pour votre activité éditoriale, et je le ferai dès que j'aurai reçu un signe d'intérêt de votre part, par télex, auprès de la banque où j'ai ouvert le compte courant dont le numéro suit... »

Les raisons, qui avaient poussé Marana à rendre visite au vieux romancier, ne ressortent pas clairement de l'ensemble de la correspondance : il semble parfois qu'il se soit présenté comme le représentant de l'OEPHLW de New York (Organisation pour la Production Electronique d'Œuvres Littéraires Homogénéisées), et lui ait offert l'assistance technique de celle-ci pour terminer son roman (« Flannery était devenu tout pâle, il tremblait, il serrait le manuscrit contre sa poitrine : Non, pas cela, disait-il, je ne permettrai jamais... ») ; et parfois qu'il soit venu là pour défendre les intérêts d'un écrivain belge, Bertrand Vandervelde, impudemment plagié par Flannery... Si par ailleurs on se reporte à

132

ce qu'écrivait Marana à Cavedagna, pour lui demander de le mettre en contact avec l'inaccessible écrivain, il se serait agi de lui proposer comme cadre pour les épisodes culminants de son prochain roman, *Dans un réseau de lignes entrelacées*, une île de l'océan Indien « dont les plages couleur ocre se détachent sur une immensité de cobalt » : la proposition était faite au nom d'une entreprise milanaise d'investissements immobiliers, en vue du lancement d'un lotissement sur l'île, avec village de bungalows vendus à tempérament et par correspondance.

Dans cette dernière entreprise, il semble que les fonctions de Marana aient concerné « les relations publiques pour le développement des pays en voie de développement, avec une attention toute spéciale à l'égard des mouvements révolutionnaires avant et après la prise du pouvoir ; cela de manière à garantir la poursuite des permis de construire à travers les différents changements de régime ». En cette qualité, il avait effectué sa première mission dans un sultanat du golfe Persique, où il devait traiter l'adjudication d'une construction de gratte-ciel. Une occasion fortuite, liée à son travail de traducteur, lui avait ouvert des portes normalement fermées à tout Européen...

« La dernière femme du sultan est une de nos compatriotes, une femme au tempérament sensible et inquiet, qui souffre de l'isolement auquel la contraignent la situation géographique, les coutumes locales et l'étiquette de la cour ; mais qui trouve du réconfort dans une passion insatiable pour la lecture... »

Comme elle avait dû interrompre un roman, *Regarde en bas dans l'épaisseur des ombres,* à cause d'un défaut de fabrication de son exemplaire, la jeune sultane avait écrit au traducteur, pour protester. Marana s'était précipité en Arabie :

« ... Une vieille femme voilée aux yeux chassieux me fit signe de la suivre. Dans un jardin couvert, parmi les bergamotiers, les oiseaux-lyres et les jets d'eau, elle-même vint à ma rencontre, drapée d'indigo, le visage couvert d'un masque de soie verte moucheté d'or blanc, un fil d'aigues-marines sur le front... »

Tu voudrais en savoir davantage sur cette sultane ; tes yeux parcourent avec impatience les feuillets de papier pelure, comme si tu t'attendais à la voir paraître d'un moment à l'autre... Or, il semble que Marana, en remplissant page sur page, soit mû par le même désir : qu'il la poursuive et qu'elle se dérobe... D'une lettre à l'autre, l'histoire se fait plus compliquée : écrivant à Cavedagna « d'une somptueuse résidence aux confins du désert », Marana cherche à se justifier de sa soudaine disparition en racontant que les émissaires du sultan l'ont contraint par la force (ou convaincu par un contrat alléchant ?) à se transporter là-bas, pour y continuer son travail, ni plus ni moins... L'épouse du sultan ne doit jamais rester privée de livres à sa convenance : ce point fait l'objet d'une clause du contrat matrimonial, c'est une condition qu'elle a posée à son auguste prétendant avant de consentir aux noces... Après une paisible lune de miel, pendant laquelle la jeune souveraine recevait en service les nouveautés des principales littératures d'Occident dans leurs langues originales qu'elle lit toutes couramment, la situation s'est soudain gâtée... Avec raison, semble-t-il, le sultan redoute un complot révolutionnaire. Ses services secrets ont découvert que les conjurés recevaient des messages chiffrés cachés à l'intérieur de textes imprimés dans notre alphabet. Depuis lors, il a décrété, pour tout son territoire, l'embargo sur les livres occidentaux et leur confiscation. Même l'approvisionnement de la bibliothèque personnelle de son épouse s'en est trouvé interrompu. Une méfiance naturelle — renforcée, semble-t-il, par des indices précis — pousse le sultan à soupçonner chez celle qui partage son trône des connivences avec les révolutionnaires. Reste que la non-exécution de la fameuse clause du contrat pourrait conduire à une rupture, et très onéreuse pour la dynastie régnante : la princesse ne s'est pas fait faute de l'en menacer dans une bourrasque de colère, lorsque les gardes lui ont arraché des mains un roman à peine commencé : celui précisément de Bertrand Vandervelde...

C'est alors que les services secrets du sultan, ayant appris qu'Hermès Marana était en train de traduire ce même roman dans la langue maternelle de la princesse, l'ont persuadé, à l'aide de toutes sortes d'arguments très convaincants, de se transporter en Arabie. La sultane reçoit régulièrement, chaque soir, la quantité stipulée de prose romanesque, non plus dans l'édition princeps, mais dans la copie dactylographiée tout juste sortie des mains du traducteur. Si un message était caché dans la succession des mots ou des lettres de l'original, on ne pourrait désormais le retrouver...

« Le sultan m'a fait appeler et m'a demandé combien de pages il me restait encore à traduire, pour finir le livre. J'ai compris que, dans ses soupçons d'infidélité politico-conjugale, le moment qu'il craignait le plus était la chute de tension qui suivra la fin du roman, lorsque sa femme, avant d'en commencer un autre, sera reprise par le dégoût de sa condition. Il sait que les conjurés attendent de la sultane un signe pour mettre le feu aux poudres, mais qu'elle a donné l'ordre qu'on ne la dérange pas aussi longtemps qu'elle lit . quand bien même le palais serait sur le point de sauter... J'ai, de mon côté, mes raisons pour redouter un moment qui pourrait bien signifier la perte de mes privilèges à la cour... »

Bref, Marana a proposé au sultan un stratagème inspiré de la tradition littéraire de l'Orient : il interrompra sa traduction au moment le plus passionnant, et commencera à traduire un autre roman, en l'insérant dans le premier par quelque expédient rudimentaire, par exemple un personnage du premier roman ouvre un livre et se met à lire... Le second roman s'interrompra à son tour et laissera la place à un troisième, qui n'ira pas bien loin avant de s'ouvrir sur un quatrième, et ainsi de suite...

Divers sentiments t'agitent tandis que tu feuillettes ces lettres. Le livre que tu te réjouissais déjà de poursuivre par personne interposée, il s'interrompt de nouveau... Tu vois en Hermès Marana un serpent venu pervertir de ses maléfices le paradis de la lecture... A la place du voyant indien qui racontait tous les romans du monde, te voici devant un roman-piège préparé par un traducteur déloyal, avec des débuts de romans qui restent en suspens... Comme reste en suspens la révolte, tandis que les conjurés attendent en vain de communiquer avec leur illustre complice, et que le temps plane, immobile, sur les côtes plates de l'Arabie... Est-ce que tu lis ? est-ce que tu fantasmes ? Ont-elles tant de pouvoir sur toi, les affabulations d'un graphomane ? Est-ce que tu rêves toi aussi d'une sultane pétrolifère ? Est-ce que tu envies le sort de celui qui transvase des romans dans les sérails d'Arabie ? Tu voudrais être à sa place, établir ce lien exclusif, cette communion de rythme intérieur qui s'obtient entre deux personnes lorsqu'elles lisent en même temps un livre, ainsi que tu as cru faire avec Ludmilla ? Tu ne peux éviter de donner à la lectrice sans visage qu'évoque Marana l'apparence de la Lectrice que tu connais, déjà tu vois Ludmilla à travers une moustiquaire, étendue sur le côté, l'onde de ses cheveux tombant sur la page, dans l'épuisante saison des moussons, tandis que la conjuration de palais fourbit ses armes en silence ; elle, s'abandonne au flux de la lecture comme au seul acte de vie possible dans un monde où rien d'autre n'existe que du sable aride sur des couches de bitume oléagineux, avec la menace d'une mort commandée par la raison d'Etat et la répartition des sources d'énergie...

Tu parcours encore une fois le dossier, y cherchant des nouvelles plus récentes de la sultane... Ce que tu vois apparaître et disparaître, ce sont d'autres figures de femmes :

dans l'île de l'océan Indien, une baigneuse « vêtue d'une paire de grosses lunettes noires et d'une couche d'huile de noix, qui interpose entre sa personne et les rayons d'un soleil caniculaire le mince écran d'une célèbre revue new-yorkaise ». Le numéro qu'elle est en train de lire donne en prépublication le début du nouveau *thriller* de Silas Flannery. Marana lui explique que la publication du premier chapitre en revue est le signe que l'écrivain irlandais s'estime prêt à accepter un contrat avec les entreprises qui souhaitent voir figurer dans le roman leurs marques de whisky ou de champagne, des modèles d'autos, des localités touristiques. « Il semble que son imagination soit stimulée par le nombre des commissions publicitaires qu'il reçoit. » La femme, lectrice passionnée de Silas Flannery, est déçue.

— Les romans que je préfère, dit-elle, sont ceux qui dès la première page communiquent un sentiment de malaise...

de la terrasse de son chalet helvétique, Silas Flannery contemple, à l'aide d'une longue-vue montée sur un trépied, une jeune femme étendue dans une chaise longue, et qui lit un livre, sur une autre terrasse, deux cents mètres plus bas dans la vallée.

— Elle est là tous les jours, commente l'écrivain ; chaque fois que je vais me mettre à ma table, j'éprouve le même besoin de la regarder. Que peut-elle bien lire ? Je sais que ce n'est pas un livre de moi, et instinctivement j'en souffre, je ressens la jalousie de mes livres qui voudraient être lus comme elle lit. Je ne me fatigue pas de la regarder : elle semble habiter une sphère suspendue dans un autre espace, un autre temps. Je m'assieds à ma table, mais aucune des histoires que j'invente ne correspond à ce que je voudrais.

Marana lui demande si c'est pour cela qu'il n'arrive plus à travailler.

« Oh non, j'écris, c'est maintenant, seulement maintenant, depuis que je la regarde, que j'écris. Je ne fais que suivre la lecture de cette femme que je vois d'ici, jour après jour, heure après heure. Je lis sur son visage ce qu'elle désire lire : c'est cela que j'écris fidèlement...

— Trop fidèlement, interrompt Marana, avec froideur. Comme traducteur et représentant des intérêts de Bertrand Vandervelde, l'auteur du roman que cette dame est en train de lire, *Regarde en bas dans l'épaisseur des ombres,* je vous somme de cesser immédiatement de le plagier !

Flannery pâlit ; une seule chose semble le préoccuper :
— Alors, selon vous, les livres qu'elle lit avec tant de

passion, la lectrice, ce sont des romans de Vandervelde ? Je ne peux pas le supporter...

dans un aéroport africain, parmi les otages de l'avion détourné qui attendent couchés sur le sol en s'éventant ou se pelotonnent sous les plaids distribués par les hôtesses au moment où tombe brusquement la température nocturne, Marana admire le calme imperturbable d'une jeune femme qui se tient accroupie dans un coin, les bras passés autour de ses genoux relevés sous sa longue jupe, ses cheveux qui tombent sur un livre lui cachant le visage, sa main abandonnée tournant les pages comme si l'essentiel se décidait là, au prochain chapitre. « Dans la dégradation qu'une captivité prolongée et la promiscuité imposent à l'aspect et à la tenue de chacun de nous, cette femme me semble protégée, isolée, préservée, comme si elle séjournait sur une autre planète... » Et voici que Marana pense : je dois convaincre les pirates de l'APO que le livre pour lequel il valait la peine de monter toute cette opération risquée, ce n'est pas celui qu'ils ont pris, mais celui qu'elle est en train de lire..

à New York, dans la salle des contrôles, la lectrice est là, attachée à son fauteuil par les poignets, harnachée de tensiomètres et de ceintures stéthoscopiques, les tempes prises dans la couronne hérissée de fils serpentins des encéphalographes, chargés de révéler l'intensité de sa concentration et la fréquence des stimuli : « Tout notre travail dépend de la sensibilité du sujet dont nous disposons pour les épreuves de contrôle : ce doit être de surcroît une personne à la vue et aux nerfs assez résistants pour qu'elle puisse être soumise sans interruption à la lecture des romans, et des variantes de romans, sortis de l'élaborateur. Si l'attention se maintient à un certain niveau avec une certaine continuité, le produit est bon, et peut être lancé sur le marché ; si l'attention, au contraire, ralentit et s'affaiblit, la combinaison est rejetée, ses éléments sont décomposés et réutilisés dans d'autres contextes. L'homme en blouse blanche arrache l'une après l'autre les feuilles des encéphalogrammes comme si c'était un calendrier.

« — De mal en pis, constate-t-il. Il ne sort plus de là un roman qui se tienne. Ou bien c'est le programme qui doit être revu, ou bien c'est la lectrice qu'il faut tenir pour hors d'usage.

« Je regarde ce fin visage, entre les œillères et la visière, impassible, à cause peut-être des tampons qu'on lui a mis sur les oreilles et de la jugulaire qui lui immobilise le menton. Quel sera son sort ? »

Aucune réponse à cette question, que Marana a laissée tomber avec une sorte d'indifférence. Retenant ton souffle, tu as suivi d'une lettre à l'autre les transformations de la lectrice, comme s'ils s'agissait toujours de la même personne... Le vrai est que, même si elles sont plusieurs, tu leur attribues à toutes les traits de Ludmilla... N'est-ce pas elle qui soutient qu'on ne peut désormais demander au roman que de réveiller un fond d'angoisse enfoui, ultime condition pour qu'il garde une vérité capable de l'arracher au destin d'un produit de série auquel il ne peut plus échapper ? L'image de son corps nu sous le soleil de l'équateur te semble déjà plus crédible que derrière un voile de sultane, mais il pourrait bien s'agir d'une même Mata-Hari traversant sans les voir les révolutions du Tiers Monde pour ouvrir la voie aux bulldozers d'une entreprise de béton armé... Tu balaies cette image et accueilles celle de la chaise longue, qui vient à ta rencontre à travers l'air limpide des Alpes. Et te voici soudain prêt à tout planter là, à partir, pour trouver le refuge de Flannery, et regarder à la longue-vue la femme qui lit, ou chercher sa trace dans le journal de l'écrivain en crise. (Ou bien c'est que l'idée te tente de reprendre la lecture de *Regarde en bas dans l'épaisseur des ombres,* même sous un autre titre et sous une autre signature ?) Mais les nouvelles que transmet d'elle Marana sont de

plus en plus angoissantes : la voici otage dans un détournement d'avion, prisonnière dans un slum de Manhattan...
Comment a-t-elle échoué là, attachée à un instrument de
torture ? Pourquoi est-elle contrainte de subir comme un
supplice ce qui est sa condition naturelle : la lecture ? Et quel
dessein caché fait se croiser continuellement la route de ces
personnages : elle, Marana, et la secte mystérieuse qui dérobe
les manuscrits ?

A ce que tu peux comprendre d'après des allusions dispersées dans ces lettres, le Pouvoir Apocryphe, déchiré par des
luttes internes et soustrait au contrôle de son fondateur
Hermès Marana, s'est scindé en deux tronçons : une secte
d'illuminés conduits par l'Archange de la Lumière et une
secte de nihilistes, conduits par l'Archonte de l'Ombre. Les
premiers sont persuadés que, parmi les faux livres qui
circulent dans le monde, on peut trouver un petit nombre de
livres porteurs d'une vérité : extrahumaine peut-être ou
extraterrestre... Les seconds sont convaincus que seule la
contrefaçon, la mystification et le mensonge intentionnel
peuvent constituer dans un livre une valeur absolue, une
vérité que les pseudo-vérités régnantes n'auront pas conta-
minée.

« Je croyais être seul dans l'ascenseur, écrit Marana, encore
une fois de New York, quand soudain une figure se dresse à
côté de moi : un jeune homme à la chevelure en buisson était
accroupi dans un coin, caché entre des lambeaux de toile
écrue. Ce n'est pas un ascenseur, c'est plutôt un monte-
charge, que ferme une grille coulissante. A chaque étage, on
voit apparaître une enfilade de locaux déserts, des murs
délavés portant la trace de meubles qu'on a enlevés, de tuyaux
arrachés, un désert de parquets et de plafonds moisis. De ses
mains rouges aux longs poignets, le jeune homme arrête
l'ascenseur entre deux étages.

« — Donne-moi le manuscrit. C'est à nous que tu l'as
apporté, pas aux autres. Même si tu croyais le contraire. Ceci
est un *vrai* livre, même si son auteur en a écrit beaucoup de
faux. Donc, il est pour nous.

« D'une prise de judo, il m'étend sur le sol et s'empare du manuscrit. Je comprends alors que le jeune fanatique est convaincu qu'il a en main le journal de la crise spirituelle de Silas Flannery et non l'ébauche d'un de ses *thrillers* habituels. Il est extraordinaire de voir combien les sectes secrètes sont rapides à saisir toute nouvelle, vraie ou fausse, dès qu'elle va dans le sens de leur attente. Le crise de Flannery avait mis en révolution les deux factions rivales du Pouvoir Apocryphe : avec des espérances opposées, elles avaient dispersé leurs informateurs dans les vallées qui entourent le chalet du romancier. Les militants de l'Aile d'Ombre, sachant que le grand fabricant de romans en séries n'arrivait plus à croire à ses propres artifices, s'étaient convaincus que son prochain roman montrerait qu'il était passé de la mauvaise foi ordinaire et relative à la mauvaise foi essentielle et absolue, que ce serait le chef-d'œuvre de la fausseté comme mode de connaissance, et donc le livre qu'ils cherchaient depuis si longtemps. Les militants de l'Aile de Lumière pensaient en revanche qu'une crise chez pareil professionnel du mensonge ne pourrait manquer de produire un cataclysme de vérité, et prêtaient ces mérites au journal de l'écrivain dont on parlait tant... A la nouvelle, mise en circulation par Flannery, que je lui avais volé un manuscrit important, les uns et les autres l'avaient identifié avec l'objet de leurs recherches et s'étaient mis sur mes traces, l'Aile d'Ombre provoquant le détournement de l'avion, l'Aile de Lumière celui de l'ascenseur...

« Le jeune homme buissonneux, ayant caché le manuscrit sous sa veste, se glisse hors de l'ascenseur, m'en referme la grille au nez et presse le bouton pour me faire descendre, après m'avoir lancé l'ultime menace :

« — La partie n'est pas encore finie, Agent de la Mystification ! Il nous reste à libérer notre Sœur enchaînée à la machine des Faussaires !

« Je ris, tandis que je descends lentement.

« — Il n'y a pas la moindre machine, mon petit pinson ! C'est " le Père des Récits " qui nous dicte les livres !

« Il rappelle l'ascenseur.

« — Tu as dit " le Père des Récits " ?

« Il a pâli. Depuis des années, les disciples de la secte cherchent le vieil aveugle sur tous les continents où sa légende s'est transmise à travers des variantes locales en nombre infini.

« — Oui, va donc le dire à l'Archange de la Lumière ! Dis-lui que j'ai trouvé " le Père des Récits " ! Je le tiens et c'est pour nous qu'il travaille ! Autre chose qu'une machine électronique, crois-moi !

« Cette fois c'est moi qui appuie sur le bouton, pour descendre. »

A cet endroit, trois désirs simultanés se disputent en toi. Tu serais prêt à partir immédiatement, à franchir l'Océan, à explorer le continent qu'illumine la Croix du Sud jusqu'à ce que tu aies trouvé l'ultime cachette d'Hermès Marana : afin de lui arracher la vérité ou du moins pour obtenir de lui la suite des romans interrompus. En même temps, tu voudrais demander à Cavedagna s'il peut te faire lire tout de suite *Dans le réseau de lignes entrelacées* du pseudo- (ou authentique ?) Flannery : ce pourrait bien être la même chose que *Regarde en bas dans l'épaisseur des ombres* de l'authentique (ou pseudo- ?) Vandervelde. Avec ça, tu n'as qu'une hâte, c'est de courir au café où tu as rendez-vous avec Ludmilla, pour lui rapporter les résultats confus de ton enquête et pour te convaincre, en la voyant, qu'il ne peut rien y avoir de commun entre elle et les lectrices rencontrées à travers le monde par le traducteur mythomane.

Tes deux derniers désirs sont faciles à réaliser, et ils ne s'excluent pas entre eux. Au café, en attendant Ludmilla, tu commences le livre envoyé par Marana.

Dans un réseau de lignes entrelacées.

La première sensation que devrait transmettre ce livre, c'est celle que j'éprouve quand j'entends un téléphone sonner, je dis « devrait » parce que je doute que des mots écrits puissent en donner une idée, même partielle : il ne suffit pas de déclarer que ma réaction est de refuser, de fuir devant cet appel menaçant et agressif et, dans le même temps, de me sentir coincé par l'urgence, l'incontournable, le coercitif, obligé d'obéir à l'injonction de la sonnerie et de me précipiter pour répondre, tout en sachant qu'elle ne m'apportera que peine et désagrément. Je ne crois pas non plus qu'une tentative pour décrire mon état d'esprit serait avantageusement remplacée par une métaphore : par exemple, la déchirure brûlante que ferait une flèche, à pénétrer dans la chair nue de mon flanc ; ce n'est pas qu'on ne puisse recourir à une sensation imaginaire, pour rendre une sensation connue : bien que personne n'en sache plus rien, tout le monde croit pouvoir imaginer facilement ce qu'on éprouve quand on est frappé par une flèche — la sensation de se trouver sans défense, sans protection contre quelque chose qui surgit d'espaces étrangers inconnus : ce qui vaut aussi bien pour la sonnerie du téléphone — ; mais c'est que la flèche, dans sa course péremptoire, inexorable, sans modulations, exclut toutes ces intentions, ces implications, ces hésitations qui peuvent passer dans la voix de quelqu'un que je ne vois pas, si je peux prévoir avant même qu'il parle, peut-être pas ce qu'il dira, au moins les réactions que ce qu'il va dire suscitera chez moi. L'idéal, ce serait que le livre donne au commencement la sensation qu'on est dans un espace que ma présence occupe entièrement, qu'il n'y a autour de moi que des objets inertes, téléphone compris, que cet espace, à ce qu'il semble, ne peut pas contenir autre chose que moi, isolé que je suis dans mon temps intérieur ; et puis qu'il y ait interruption dans la continuité du temps, l'espace n'est plus celui du début parce qu'il est occupé par la sonnerie, et ma présence n'est plus celle d'avant, parce qu'elle se trouve soumise à la volonté de cet objet, là, qui appelle. Il faudrait que le livre puisse rendre tout cela dès le début, pas en une seule fois, mais par une sorte de dissémination dans l'espace et le temps de ces sonneries de téléphone qui déchirent la continuité de l'espace, du temps et de la volonté.

L'erreur a consisté peut-être à supposer qu'au début nous sommes, le téléphone et moi, dans un espace fini, disons celui de mon appartement ; ce que je devrais plutôt montrer, c'est ma situation en face de plusieurs sonneries de téléphones, des téléphones qui peut-être ne m'appellent pas, moi, qui n'ont peut-être aucun rapport avec moi, mais il suffit que je puisse être appelé par un téléphone pour qu'il devienne possible, au moins pensable, que je puisse aussi être appelé par tous. Par exemple, le téléphone sonne dans une maison voisine de la mienne, et pendant un instant je me demande si ce n'est pas chez moi : une hypothèse qui s'avère aussitôt sans fondement, mais qui laisse cependant une trace, car il pourrait encore se faire que l'appel ait été en réalité pour moi, et que ce soit par suite d'une erreur de numéro ou d'un mauvais contact entre les fils qu'il ait abouti chez les voisins ; d'autant qu'il n'y a personne là-bas pour répondre, le téléphone continue à sonner, et je me dis, dans cette logique irrationnelle que la sonnerie ne manque jamais de réveiller : peut-être est-ce vraiment pour moi, peut-être que le voisin est chez lui mais ne se dérange pas pour répondre parce qu'il sait que c'est pour moi, peut-être celui qui appelle sait parfaitement qu'il appelle un mauvais numéro mais le fait exprès pour me mettre dans l'état où me voilà, sachant très bien que je ne peux pas répondre, tout en sachant que je devrais.

Ou c'est mon angoisse lorsque je viens juste de sortir et que j'entends sonner le téléphone : il se pourrait que ce soit chez moi, il se pourrait que ce soit dans un autre appartement, je reviens précipitamment, j'arrive hors d'haleine après avoir monté l'escalier en courant, le téléphone se tait, et je ne saurai jamais si oui ou non l'appel était pour moi.

Ou lorsque je suis dans la rue, et que j'entends le téléphone sonner dans des maisons inconnues ; et même, quand je suis dans des villes inconnues, des villes où ma présence est ignorée de tous : même alors, quand j'entends la sonnerie, chaque fois ma première pensée, pendant une fraction de seconde, est que le téléphone m'appelle, moi, et, dans la fraction de seconde suivante, le soulagement de me savoir pour le moment à l'abri de tout appel, inaccessible, protégé, mais ce soulagement-là ne dure qu'un fragment de seconde, un instant après je pense que ce téléphone inconnu n'est pas seul en train de sonner, qu'à des kilomètres, des centaines, des milliers de kilomètres d'ici, chez moi, le téléphone est, j'en suis sûr, en train de sonner à travers les pièces désertes, et me voici de nouveau déchiré entre la nécessité et l'impossibilité de répondre.

Tous les matins, avant mes cours, je fais une heure de jogging : je me mets en survêtement, je sors et je commence à courir, parce que je sens le besoin de bouger, parce que les médecins me l'ont ordonné, pour combattre l'excès de poids qui m'alourdit, et pour me détendre un peu les nerfs. Ici, pendant la journée, si l'on ne va pas au campus, à la bibliothèque, aux cours de ses collègues ou à la cafétéria de l'université, on ne sait pas où aller ; la seule chose à faire est de se mettre à courir en long et en large sur la colline, entre les érables et les saules, comme font nombre de mes étudiants et aussi nombre de mes collègues. Nous nous croisons sur les sentiers bruissants de feuilles, parfois nous nous lançons : « Hi ! » et parfois rien du tout, parce que nous devons épargner notre souffle. C'est un des avantages du jogging par rapport à d'autres sports : chacun va pour son compte et n'a de compte à rendre à personne.

Toute la colline est habitée, en courant je longe des maisons de bois à deux étages avec un jardin, à la fois différentes et semblables, et de temps en temps j'entends un téléphone sonner. Cela me rend nerveux ; involontairement, je ralentis ; je tends l'oreille pour savoir si quelqu'un va répondre, et je m'impatiente lorsque la sonnerie continue. En poursuivant ma course, je passe devant une autre maison où le téléphone sonne, et je me dis : « Il y a un appel téléphonique qui me poursuit, quelqu'un cherche dans l'annuaire tous les numéros de Chestnut Lane et appelle les maisons l'une après l'autre, pour essayer de me rejoindre, moi. »

Parfois, les maisons sont silencieuses et désertes, des écureuils courent sur les troncs, des pies descendent picorer le grain qu'on a mis pour elles dans des écuelles de bois. Moi, en courant, j'éprouve une vague sensation d'alarme, et avant même qu'un son ait été capté par mon oreille, mon esprit a enregistré la possibilité d'une sonnerie, il l'appelle quasiment, il la fait surgir de son absence, et c'est alors que me parvient d'une maison, d'abord étouffé puis de plus en plus distinct, le trille de la sonnerie dont une antenne en moi avait peut-être recueilli les vibrations longtemps avant que mon ouïe ne les perçoive, et voilà que je succombe à une obsession absurde : prisonnier d'un cercle au centre duquel il y a ce téléphone en train de sonner, je cours sans m'éloigner, je m'attarde sans raccourcir mes foulées.

« Si personne n'a répondu jusqu'à maintenant, c'est signe qu'il n'y a personne là-dedans... Mais alors, pourquoi continue-t-on à appeler ? Ils espèrent quoi ? C'est peut-être un sourd qui habite là, et ils espèrent qu'à la longue, il va finir par entendre ? Ou peut-être un paralytique, et il faut lui laisser le temps de se traîner jusqu'à l'appareil... Ou un désespéré au bord du suicide, et aussi longtemps qu'on l'appelle, il reste une chance de le retenir, d'éloigner le geste fatal... » Je me dis que je devrais peut-être essayer de me rendre utile, prêter main-forte, aider le sourd, le paralytique, le désespéré... Et dans le même temps, en vertu de l'absurde logique qui travaille au-dedans de moi, je me dis que, ce faisant, je pourrais m'assurer si ce n'est pas moi, par hasard, qu'on appelle.

Sans cesser de courir, je pousse la grille, j'entre dans le jardin, je fais le tour de la maison, j'explore le terrain derrière, je contourne le garage, la cabane à outils, la niche du chien. Tout semble désert, vide. Par une fenêtre ouverte à l'arrière de la maison, on aperçoit une chambre en désordre, et sur une petite table le téléphone qui continue de sonner. La persienne claque, le battant de la fenêtre est pris dans un rideau déchiré.

J'ai déjà fait trois fois le tour de la maison ; je continue à faire les mouvements du jogging, à lever genoux et talons, à respirer au rythme de la course pour qu'il soit clair que mon intrusion n'est pas celle d'un voleur ; si on me surprenait en cet instant, il me serait difficile d'expliquer que je suis entré parce que j'entendais un téléphone sonner. Un chien aboie, pas ici, c'est le chien d'une autre maison, qu'on ne voit pas ; mais pendant un moment le signal « chien qui aboie » est plus fort que le signal « téléphone qui sonne » et cela suffit pour ouvrir une trouée dans le cercle qui me retenait prisonnier : me revoici qui cours entre les arbres de la route, laissant derrière moi la sonnerie s'éteindre petit à petit.

Je cours jusqu'à un endroit où il n'y a plus de maisons. Je m'arrête dans un pré pour reprendre mon souffle. Je fais des flexions, des extensions, je me masse les muscles des jambes de peur qu'ils ne se refroidissent. Je regarde l'heure. Je suis en retard, je dois revenir si je ne veux pas faire attendre mes étudiants. Il ne manquerait plus que ça : que se répande la rumeur que je cours les bois à l'heure de mes conférences... Je me lance sur le chemin du retour sans m'occuper de rien, la maison, je ne serais même pas capable de la reconnaître, je la dépasserai sans m'en apercevoir. Du reste, c'est une maison en tout semblable à toutes les autres, le seul moyen de la distinguer, ce serait que le téléphone sonne encore, chose parfaitement impossible...

Plus je retourne ces idées dans ma tête, en dévalant la pente, plus il me semble que de nouveau j'entends la sonnerie, que je l'entends de plus en plus clairement, de plus en plus distinctement : et voici, je suis de nouveau devant la maison, et le téléphone sonne toujours. J'entre dans le jardin ; je passe derrière la maison, je cours à la fenêtre. Il suffit de tendre la main pour saisir le combiné. Dans un souffle, je dis :

— Il n'y a personne, ici...

Du récepteur sort une voix exaspérée, enfin, un peu seulement, parce que ce qui frappe le plus dans cette voix, c'est la froideur, et le calme ; elle dit :

— Ecoute bien. Marjorie est ici, elle va s'éveiller dans un instant, mais elle est attachée et ne risque pas de s'échapper. Note bien le numéro, 115 Hillside Drive. Si tu viens la chercher, parfait ; sinon, il y a dans la cave un bidon de kérosène et une charge de plastic reliée à un minuteur. D'ici une demi-heure, tout brûlera.

— Mais je ne...

On a déjà raccroché.

Que faire maintenant ? Je pourrais évidemment appeler la police, les pompiers, avec ce téléphone, là, mais comment expliquer, comment justifier le fait que... en somme, qu'est-ce que je fais ici, moi qui n'ai rien à y faire ? Je me remets à courir, je fais encore une fois le tour de la maison, je reprends la route.

Je regrette pour cette Marjorie ; mais pour s'être fourrée dans une situation pareille, Dieu sait à quelles histoires il faut qu'elle soit mêlée, et si je fais quelque chose, moi, pour la tirer d'affaire, personne ne voudra croire que je ne la connaissais pas, cela fera un beau scandale, je suis ici en invité, je viens d'une autre université, « visiting professor », il y va du prestige de deux universités...

Reste que, quand il s'agit de la vie de quelqu'un, ces considérations-là devraient passer au second plan... Je ralentis. Je pourrais entrer dans l'une ou l'autre de ces maisons, demander qu'on me permette d'appeler la police, préciser tout de suite très clairement que, moi, je ne la connais pas, cette Marjorie, et même que je n'en connais aucune, de Marjorie.

148

A dire la vérité, il y a bien ici, à l'Université, une étudiante qui s'appelle Marjorie, Marjorie Stubbs : je l'ai tout de suite remarquée parmi les filles qui suivent mes cours. C'est même une fille qui, pour tout dire, m'a énormément plu, dommage qu'il se soit créé une situation embarrassante la fois où je l'ai invitée chez moi pour lui prêter des livres. Cette invitation était une erreur : j'en étais à mes premiers jours de cours, personne ici ne savait encore quel type d'homme je suis, elle pouvait se méprendre sur mes intentions, c'est de là qu'est née l'équivoque, une désagréable équivoque, qui ne s'est même pas encore tout à fait dissipée, à preuve : elle a toujours une façon ironique de me regarder, moi je n'arrive pas à lui adresser la parole sans bafouiller, et les autres filles ont le même sourire ironique pour me regarder...

Tout de même, je ne voudrais pas que le déplaisir réveillé en moi par ce nom de Marjorie suffise à m'empêcher de venir en aide à une autre Marjorie en danger de mort... A moins que ce ne soit la même... A moins que ce ne soit à moi que le coup de téléphone s'adressait... Une puissante bande de gangsters m'a à l'œil, ils savent que tous les matins je fais du jogging sur cette route, peut-être ont-ils un observatoire sur la colline avec un télescope pour suivre mes pas, quand je m'approche de cette maison déserte ils m'appellent au téléphone ; c'est bien moi qu'ils appellent, parce qu'ils savent quelle triste figure j'ai faite ce jour-là chez moi avec Marjorie, et ils veulent me faire chanter...

Presque sans m'en être rendu compte, je me retrouve à l'entrée du campus, courant toujours, avec mon survêtement et mes baskets ; je ne suis pas passé chez moi me changer et prendre mes livres, que faire maintenant ? Je traverse le campus à la course, je rencontre des filles qui passent par petits groupes sur la pelouse, ce sont mes étudiantes, elles se rendent déjà à mon cours, elles me regardent avec ce sourire ironique que je ne peux pas supporter.

Tout en continuant à faire mes mouvements de course, j'arrête Lorna Clifford, et lui demande :

« Stubbs est là ?

Elle bat des paupières :

— Marjorie ? Il y a deux jours qu'on ne l'a pas vue. Pourquoi ?

Je suis déjà loin. Je sors du campus. Je prends tour à tour Grosvenor Avenue, Cedar Street et Maple Road. Je suis complètement hors d'haleine, si je réussis à courir encore, c'est que je ne sens plus la terre sous mes pieds ni mes poumons dans ma poitrine. Voici Hillside Drive. 11, 15, 27, 51 ; heureusement que la numérotation avance vite, et saute d'une dizaine à l'autre. Voici le 115. La porte est ouverte, je monte l'escalier, j'entre dans une chambre plongée dans la pénombre. Marjorie est là, attachée sur un divan, bâillonnée. Je la détache. Elle vomit. Elle me regarde avec mépris. Elle me dit :

— Salaud.

VII

Tu es assis à une table de café, tu lis le roman de Silas Flannery que t'a prêté Cavedagna, tu attends Ludmilla. Tu as l'esprit occupé simultanément par deux attentes : l'une est interne à la lecture, l'autre, c'est celle de Ludmilla, en retard sur l'heure de votre rendez-vous. Tu te concentres dans ta lecture, cherchant à transférer l'attente de la femme sur le livre, espérant presque la voir sortir des pages à ta rencontre. Mais tu n'arrives plus à lire, le roman reste arrêté à la page que tu as sous les yeux, comme si seule l'arrivée de Ludmilla pouvait remettre en route la chaîne des événements.

On t'appelle. C'est ton nom que le garçon va répétant de table en table. Lève-toi, on t'appelle au téléphone. C'est Ludmilla ? C'est elle.

— Après, je te dis. Je ne peux pas venir maintenant.

— Ecoute : j'ai le livre ! Non, pas celui-là, aucun de ceux-là : un nouveau. Ecoute...

Tu ne vas tout de même pas lui raconter le livre au téléphone ? Attends plutôt de savoir ce qu'elle veut, laisse-la parler :

— Viens donc, toi, propose Ludmilla. Oui, chez moi. Pour l'instant je n'y suis pas, mais je ne vais pas tarder. Si tu arrives le premier, entre sans m'attendre. La clef est sous le paillasson.

Simplicité et désinvolture, c'est sa façon de vivre, la clef sous le paillasson, la confiance faite au prochain, sans doute aussi pas grand-chose à voler. Tu cours à l'adresse qu'elle t'a donnée. Tu sonnes en vain. Comme elle te l'avait annoncé, elle n'est pas à la maison. Tu trouves la clef. Tu entres dans la pénombre des persiennes baissées.

C'est un appartement de fille seule, l'appartement de Ludmilla. Voilà : elle vit seule. C'est cela que tu veux d'abord vérifier ? Si tu trouves ou non les signes d'une présence masculine ? Ou tu préfères éviter aussi longtemps que possible de savoir, rester dans l'ignorance, dans le doute ? En fait, quelque chose te retient de fouiner (tu as juste levé un peu les persiennes, pas trop). Peut-être la crainte de ne pas mériter son geste de confiance, en en profitant pour mener une enquête de détective. Ou c'est peut-être que tu crois savoir très bien comment est fait un appartement de fille seule, et pouvoir faire l'inventaire de ce qu'il contient avant même de regarder autour de toi. Nous vivons dans une civilisation uniforme, aux modèles culturels bien définis : l'ameublement, la décoration, les couvertures, les tourne-disques, on les choisit à l'intérieur d'un nombre limité de possibles. Comment pourraient-ils te révéler ce qu'elle est vraiment ?

Comment savoir ce que tu es, Lectrice ? Il est temps que ce livre à la seconde personne ne s'adresse plus seulement à un tu masculin générique, le semblable peut-être ou le frère d'un moi hypocrite, qu'il s'adresse directement à toi, qui as fait ton entrée à la fin du Second Chapitre comme Tierce Personne nécessaire pour que ce roman soit un roman, pour qu'entre la Seconde Personne au masculin et la Troisième Personne au féminin quelque chose advienne, prenne forme, s'affirme ou se gâte, selon les phases habituelles des aventures humaines. Ou plutôt : selon les modèles mentaux à travers lesquels, ces aventures, nous les vivons. Ou plutôt : selon les modèles mentaux à travers lesquels nous attribuons aux aventures humaines un sens qui nous permet de les vivre.

Ce livre a jusqu'à maintenant pris bien soin de laisser ouverte au Lecteur qui lit la possibilité de s'identifier au Lecteur qui est lu : pour cette raison, il n'a pas été donné à ce dernier un nom qui automatiquement l'aurait assimilé à une

152

Tierce Personne, à un personnage (alors qu'à toi, en tant que Troisième Personne, il a été nécessaire de t'attribuer un nom, Ludmilla), il a été maintenu dans la catégorie abstraite des pronoms, disponible pour tout attribut et toute action. Voyons si le livre pourra tracer de toi, Ludmilla, un portrait véritable, en partant du cadre pour se resserrer peu à peu sur toi, et déterminer les contours de ton image.

Tu es apparue pour la première fois au Lecteur dans une librairie, c'est en te détachant sur un fond de rayonnages que tu as pris forme, comme si la quantité des livres avait rendu nécessaire la présence d'une Lectrice. Ton appartement, c'est le lieu où tu lis : il peut nous dire la place que les livres tiennent dans ta vie, s'ils sont une défense que tu opposes au monde extérieur, un rêve où tu t'absorbes, comme une drogue ; ou au contraire autant de ponts que tu jettes vers l'extérieur, vers un monde qui t'intéresse au point que tu veuilles en multiplier et en élargir grâce aux livres les dimensions. Pour en juger, le Lecteur sait que la première chose à faire est de visiter la cuisine.

La cuisine est la partie de la maison qui peut dire le plus de choses sur toi : si tu te fais à manger ou non (on dirait que oui, pas tous les jours, mais fréquemment), si c'est pour toi seule ou pour d'autres aussi (souvent pour toi seule, mais avec soin, comme si c'était pour d'autres aussi ; et quelquefois aussi pour d'autres, mais avec désinvolture, comme si c'était pour toi seule), si tu te limites au minimum, à l'indispensable, ou si tu as du goût pour la gastronomie (tes achats et tes ustensiles suggèrent des recettes élaborées, originales, au moins dans tes intentions ; il n'est pas sûr que tu sois gourmande, mais l'idée de dîner de deux œufs au plat ne te sourit guère), si c'est pour toi une nécessité pénible de se tenir devant des fourneaux, ou si tu y trouves un réel plaisir (la cuisine minuscule est équipée de manière qu'on puisse y bouger commodément et sans trop d'efforts, le but est de ne pas s'y attarder trop mais de s'y tenir sans déplaisir). Les appareils électroménagers sont à leur place d'animaux utiles, dont on ne peut oublier les mérites, sans qu'on leur voue pourtant un culte spécial. Dans le choix

153

des ustensiles, on remarque une certaine recherche esthétique (une panoplie de hachoirs de taille décroissante, quand un seul suffirait), mais en général les éléments décoratifs sont aussi des objets utiles, et font peu de concessions au gratuit. Ce sont les provisions, surtout, qui peuvent nous apprendre quelque chose sur toi : un assortiment d'herbes aromatiques, certaines d'usage courant, d'autres qui semblent là pour compléter une collection ; on pourrait en dire autant des moutardes ; mais ce sont plus encore les colliers de têtes d'ail suspendus à portée de main qui indiquent un rapport aux nourritures ni vague ni distrait. Un coup d'œil au réfrigérateur peut permettre de recueillir d'autres données, et précieuses : dans le compartiment à œufs, il ne reste qu'un œuf ; en fait de cîtron, il n'y en a que la moitié d'un, et encore à moitié sec : on relève en somme une certaine négligence pour ce qui touche aux réapprovisionnements essentiels. Mais pour compenser, il y a de la crème de marron, des olives noires, un pot de salsifis ; lorsque tu fais les courses, il est manifeste que tu te laisses attirer par les marchandises que tu vois exposées, au lieu de penser à ce qui manque à la maison.

Ainsi, de l'observation de ta cuisine, peut-on retirer l'image d'une femme extravertie et lucide, sensuelle et méthodique, qui met son sens pratique au service de sa fantaisie. Quelqu'un pourrait-il tomber amoureux de toi rien qu'à voir ta cuisine ? Pourquoi pas ? Le Lecteur, peut-être ; il était déjà favorablement disposé.

Il poursuit sa reconnaissance dans l'appartement dont tu lui as laissé les clefs, le Lecteur. Tu en accumules des choses, autour de toi : éventails, flacons, cartes postales, colliers accrochés aux murs. Mais chaque objet vu de près se révèle bien particulier, on pourrait dire inattendu. Tu as avec les objets un rapport confidentiel, sélectif : ne deviennent tiennes que les choses que tu sens tiennes ; c'est un rapport avec la matérialité des choses, aucune idée (intellectuelle ou affective) ne remplace pour toi le voir et le toucher. Une fois associés à ta personne, marqués par ta possession, les objets n'ont plus l'air d'être là par hasard, ils tirent leur signification du discours dont ils font partie ; c'est comme une mémoire faite de signes et d'emblèmes. Possessive ? Nous n'avons peut-être pas encore d'éléments suffisants pour l'affirmer : on peut seulement dire pour le moment que possessive, tu l'es pour toi-même, que tu t'attaches aux signes dans lesquels tu identifies quelque chose de toi, craignant de te perdre avec eux.

Dans le coin d'un mur, il y a une quantité de photographies encadrées, accrochées serré. Des photographies de qui ? De toi à différents âges, et de beaucoup d'autres personnes, hommes et femmes, et même de très vieilles photos qu'on dirait sorties d'un album de famille, mais qui placées côte à côte semblent avoir pour objet moins de rappeler certaines personnes que de dessiner un montage des stratifications d'une existence. Les cadres sont tous différents : des lignes florales fin XIXe, en argent, en cuivre, en émail, en écaille, en cuir, en bois sculpté ; peut-être l'intention est-elle de mettre en valeur ces fragments d'une vie passée, peut-être n'est-ce qu'une collection de cadres, et les photos ne sont là que pour les remplir ; à preuve : certains cadres sont occupés par des photos découpées dans des journaux, un autre contient le feuillet illisible d'une vieille lettre, un autre est resté vide.

Il n'y a rien sur le reste du mur ; aucun meuble. Tout l'appartement est un peu fait comme cela : des murs ici nus et là surchargés, comme pour répondre au besoin de concentrer les signes en une sorte d'écriture serrée, et de conserver autour un vide où trouver repos et respiration.

La disposition des meubles et des bibelots n'est jamais symétrique. L'ordre que tu essaies d'obtenir (l'espace dont tu disposes est restreint, mais on note dans son utilisation une certaine étude, destinée à le faire paraître plus vaste qu'il n'est), ce n'est pas l'application d'un schéma, mais un accord entre des choses qui sont là.

En somme, es-tu ordonnée ou désordonnée ? A des questions aussi tranchées, ton appartement ne répond ni oui ni non. Tu as une certaine idée de l'ordre, assurément, et même exigeante, mais à laquelle ne correspond pas, dans la pratique, une mise en application rigoureuse. On voit que ton intérêt pour la maison est intermittent, qu'il suit les difficultés quotidiennes, les hauts et les bas de tes humeurs.

Es-tu de nature dépressive ou gaie ? L'appartement, avec sagesse, semble avoir profité de tes moments d'euphorie pour se préparer à t'accueillir dans tes moments de dépression.

Es-tu véritablement hospitalière, ou bien est-ce signe d'indifférence que cette façon de laisser entrer chez toi des gens que tu connais à peine ? Le Lecteur cherche à s'asseoir dans un endroit commode pour lire sans empiéter sur les espaces qui te sont clairement réservés : l'idée qu'il commence à se faire, c'est que ton hôte peut se trouver très bien chez toi, à condition de savoir s'adapter à tes règles.

Quoi d'autre ? Les plantes en pot semblent ne pas avoir été arrosées depuis plusieurs jours ; mais tu les as peut-être choisies exprès parmi celles qui n'ont pas besoin de beaucoup de soin. Du reste, dans ces pièces, il n'y a pas trace de chiens, de chats ou d'oiseaux : tu es une femme qui cherche à ne pas multiplier ses obligations ; et cela peut être un signe aussi bien d'égoïsme que de ce que tu te concentres sur d'autres préoccupations, moins extrinsèques, ou encore le signe que tu n'as pas besoin de substituts plus ou moins symboliques aux élans qui te portent naturellement à t'occuper des autres et à participer de leurs histoires : dans la vie ou dans les livres...

Voyons les livres. La première chose qu'on note, du moins à regarder ceux que tu laisses à portée de main, c'est que chez toi les livres ont pour fonction d'être lus immédiatement ; ce ne sont pas des instruments d'étude ou de consultation, ni les éléments d'une bibliothèque rangée selon un ordre déterminé. Tu as peut-être essayé quelquefois de donner une apparence d'ordre à tes rayonnages, mais chaque tentative de classement s'est trouvée rapidement bouleversée par des apports hétérogènes. Le principe selon lequel deux volumes sont rangés côte à côte, c'est — outre la dimension, pour les plus grands et les plus petits — essentiellement la chronologie : l'ordre d'arrivée. Tu peux d'ailleurs toujours t'y retrouver, ils ne sont pas si nombreux (tu dois avoir laissé d'autres bibliothèques à d'autres domiciles, dans d'autres phases de ton existence) ; et puis il ne t'arrive peut-être pas souvent de rechercher un livre que tu as déjà lu.

Tu n'as pas l'air, en somme, d'être une Lectrice-qui-relit. Tu te rappelles parfaitement tout ce que tu as lu (ça, c'est une des premières choses que tu as fait comprendre de toi) ; chaque livre s'identifie probablement pour toi avec la lecture que tu en as faite à un moment déterminé, une fois pour toutes. Mais de même que tu les conserves dans ta mémoire, tu aimes garder les livres en tant qu'objets, auprès de toi.

Parmi tes livres, dans cet ensemble qui ne forme pas une bibliothèque, on peut cependant distinguer une partie morte ou dormante — le dépôt des volumes mis de côté, lus et rarement relus, ou que même tu n'as pas lus et que tu ne liras jamais, et qui cependant sont conservés (et époussetés) et une partie vivante — les livres que tu es en train de lire, ou que tu as l'intention de lire, ou dont tu ne t'es pas encore détachée, ou que tu as plaisir à manipuler, à retrouver autour de toi. A la différence des provisions dans la cuisine, ici c'est la partie vivante, de consommation immédiate, qui dit le plus de choses sur toi. Il traîne çà et là des volumes, certains ouverts, d'autres avec des signets improvisés ou cornés à un angle de page. On voit que tu as l'habitude de lire plusieurs livres à la fois, que tu choisis des lectures différentes pour les différentes heures du jour, pour les diverses parties de ton habitation, si petite soit-elle : il y a les livres destinés à la table de nuit, ceux qui trouvent place près du fauteuil, à la cuisine ou au bain.

Cela pourrait bien faire un trait important à ajouter à ton portrait : ton esprit joue de cloisons internes qui permettent la séparation entre des temps, avec arrêt et reprise, et la concentration alternative sur des canaux parallèles. Cela suffit-il pour qu'on dise que tu voudrais vivre plusieurs vies

157

contemporainement ? Ou que tu les vis effectivement ? Que tu sépares ce que tu vis avec une personne et dans un lieu, d'avec de ce que tu vis ailleurs avec d'autres ? Que de toute expérience tu sais devoir attendre une insatisfaction qui ne se compense que par la somme de toutes les insatisfactions ?

Lecteur, dresse l'oreille. Un soupçon te gagne, et le voici qui alimente ton anxiété d'homme jaloux qui ne s'accepte pas encore comme tel. Ludmilla, lectrice de plusieurs livres à la fois, afin de ne pas se laisser surprendre par la déception que peut réserver chaque histoire, tendrait à mener de front plusieurs histoires à la fois.

(Ne crois pas que le livre te perde de vue, Lecteur. Le tu qui était passé à la Lectrice, il peut d'une phrase à l'autre revenir se braquer sur toi. Tu demeures toujours l'un des tu possibles. Qui oserait te condamner à la perte du tu, catastrophe non moins terrible que la perte du moi ? Pour qu'un discours à la seconde personne devienne un roman, il faut au moins deux tu distincts et concomitants, qui se détachent de la foule des lui, des elle, des eux.)

En vérité, la vue même des livres de Ludmilla te rassure. La lecture est solitude. Ludmilla t'apparaît protégée par les valves du livre ouvert comme une huître dans sa coquille. L'ombre d'un autre homme, probable, et même certaine, se trouve, sinon effacée, du moins reléguée dans la marge. On lit tout seul, même quand on lit à deux. Mais, dans ce cas, que cherches-tu ici ? Prétends-tu pénétrer dans sa coquille, t'insérer entre les pages des livres qu'elle est en train de lire ? Ou bien le rapport entre Lecteur et Lectrice demeure celui de deux coquilles séparées, qui ne peuvent communiquer qu'à travers une confrontation partielle d'expériences exclusives ?

Tu as apporté avec toi le livre que tu étais en train de lire au café et que tu voudrais maintenant poursuivre, pour le lui passer, et communiquer encore avec elle à travers le canal creusé par les mots d'autrui, des mots qui, justement parce qu'énoncés par une voix étrangère, la voix silencieuse d'une absence faite d'encre et d'espacements typographiques, peuvent devenir vôtres, un langage, un code entre vous, une façon d'échanger des signaux et de vous reconnaître.

Une clef tourne dans la serrure. Tu te tais, comme pour lui faire une surprise, comme pour affirmer à tes yeux et aux siens que te trouver ici est tout naturel. Mais ce pas-là n'est pas le sien. Un homme évolue avec lenteur dans l'entrée, tu vois son ombre entre les tentures, il porte une veste de cuir, son pas est celui d'un familier des lieux, avec de longs arrêts, ceux de quelqu'un qui cherche quelque chose. Tu le reconnais. C'est Irnerio.

Tu dois décider tout de suite de l'attitude à prendre. Le désappointement de le voir entrer chez elle comme chez lui est plus fort que le désagrément de te trouver là comme caché. Du reste, tu savais bien que la maison de Ludmilla était ouverte à ses amis : la clef est sous le paillasson. Depuis que tu es entré, il te semble que des ombres sans visages viennent t'effleurer. Irnerio au moins est un fantôme connu. Comme tu l'es pour lui.

— Ah, tu es là ?

Il s'est aperçu de ta présence, et ne s'en étonne pas. Ce que tu voulais, il y a un moment, imposer comme naturel, tu n'y trouves maintenant plus aucun plaisir.

— Ludmilla n'est pas à la maison, annonces-tu, pour établir une antériorité d'information et même d'occupation du territoire.

— Je sais, fait-il avec indifférence.

Il fouille autour de lui, tripote les livres.

— Je peux t'être utile ? continues-tu, comme si tu voulais le provoquer.

— Je cherchais un livre.

— Je croyais que tu ne lisais jamais.

— Ce n'est pas pour lire. C'est pour faire. Moi, avec les livres, je fais des choses. Des objets. Enfin, des œuvres : des statues, des tableaux, appelle ça comme tu voudras. Je leur ai

159

même consacré une exposition. Je fixe les livres avec de la résine, et ça tient. Fermés, ouverts ; ou bien je leur donne des formes, je les resculpte, j'ouvre des trous dedans. C'est une belle matière à travailler, le livre, on peut faire beaucoup de choses avec.

— Et Ludmilla est d'accord ?

— Elle aime mes travaux. Elle me donne des conseils. Les critiques disent que ce que je fais est important. On va bientôt rassembler toutes mes œuvres dans un livre : on m'a fait rencontrer le Dottore Cavedagna. Un livre avec la photographie de tous mes livres. Quand ce livre-là sera imprimé, je l'utiliserai pour en faire une œuvre, plusieurs œuvres. Puis on en fera un autre livre. Et ainsi de suite...

— Je voulais dire : Ludmilla est d'accord pour que tu lui emportes ses livres ?

— Elle en a tellement... Des fois, c'est elle qui me donne des livres exprès pour que je les travaille, des livres dont elle ne fait rien. Mais moi, ce qui me convient, ce n'est pas n'importe quel livre. Une œuvre ne me vient que si je la sens. Il y a des livres qui me donnent aussitôt l'idée de ce que je pourrai en faire ; d'autres, non, rien. Et parfois j'ai l'idée, mais je ne peux pas la réaliser tant que je ne trouve pas le bon livre.

Il dérange tous les livres d'un rayon ; en soupèse un, l'observe sur le dos, sur la tranche, le jette.

« Il y a des livres qui me sont sympathiques et des livres que je ne peux pas souffrir mais qui me tombent sans cesse entre les mains.

Et voilà : la Grande Muraille des livres, qui devait — à ce que tu espérais — protéger Ludmilla contre cet envahisseur barbare, n'est en vérité qu'un jouet qu'il démonte en toute confiance. Tu ricanes :

— On dirait que tu la connais par cœur, la bibliothèque de Ludmilla...

— Oh, c'est presque toujours les mêmes trucs... Mais c'est beau de voir tous ces livres ensemble. J'aime les livres, moi..

— Explique.

— J'aime voir des livres un peu partout. C'est pour cela qu'on se sent bien chez Ludmilla. Tu ne trouves pas ?

Le foisonnement des pages écrites entoure la pièce comme en un bois touffu l'épaisseur du feuillage, non, comme des stratifications de roche, des plaques d'ardoise, des lamelles de schiste : c'est ainsi que tu essaies de voir à travers les yeux d'Irnerio le fond sur lequel doit se détacher la personne vivante de Ludmilla. Si tu sais gagner sa confiance, Irnerio te révélera le secret qui t'intrigue, le rapport entre le Non-Lecteur et la Lectrice. Vite, pose-lui une question là-dessus, n'importe quoi.

— Mais toi (c'est la seule question qui te vient à l'esprit), pendant qu'elle lit, qu'est-ce que tu fais ?

— Cela ne m'ennuie pas de la voir lire. Et puis il faut bien que quelqu'un les lise, ces livres, non ? Au moins, je peux être sûr que je n'ai pas à les lire, moi.

Pas de quoi te réjouir, Lecteur. Le secret qui t'est révélé, celui de leur intimité, tient à la complémentarité de leurs rythmes vitaux. Pour Irnerio, seul compte ce qui se vit dans l'instant ; l'art n'a valeur pour lui qu'en tant que dépense d'énergie, non comme œuvre qui reste, ni comme cette accumulation de vécu que cherche Ludmilla dans les livres. D'une certaine manière, cette énergie accumulée, il la reconnaît lui aussi sans avoir nul besoin de lire, et il éprouve le besoin de la remettre en circulation, utilisant les livres de Ludmilla comme support matériel pour des œuvres où il investit sa propre énergie, au moins dans l'instant.

« Celui-là me convient, décide-t-il.

Et il s'apprête à glisser dans la poche de sa veste un volume.

— Non, celui-là, laisse-le. C'est celui que je suis en train de lire. En plus, il n'est pas à moi, je dois le rendre à Cavedagna. Choisis-en un autre. Tiens, celui-ci, qui lui ressemble...

Tu t'es emparé d'un volume qu'entoure une bande rouge : « Le dernier succès de Silas Flannery » ; voilà qui explique assez la ressemblance : toute la série des romans de Flannery se présente sous la même jaquette caractéristique. Mais ce n'est pas seulement la jaquette. Quel est le titre qui s'étale sur la couverture ? *Dans un réseau de lignes entr...* Ce sont deux exemplaires du même livre ! Tu ne t'y attendais pas.

« Ça, c'est étrange ! Je n'aurais jamais pensé que Ludmilla l'avait déjà...

Irnerio agite la main.

— Celui-là n'est pas à Ludmilla. Je ne veux rien avoir à faire, moi, avec ces trucs-là. Je croyais qu'il n'en traînait plus aucun, de ceux-là.

— Pourquoi ? De qui est-il ? Qu'est-ce que tu veux dire ?

Irnerio prend le volume entre deux doigts, se dirige vers un débarras, ouvre, jette le livre. Tu l'as suivi ; tu introduis la tête dans un cagibi obscur ; tu vois là une table avec une machine à écrire, un magnétophone, des dictionnaires, un dossier volumineux. Tu sors du dossier la feuille qui lui sert de page de titre ; tu la portes à la lumière, tu lis : *Traduction d'Hermès Marana.*

Tu restes comme frappé par la foudre. En lisant les lettres de Marana, tu avais à chaque instant l'impression d'y rencontrer Ludmilla. Parce que tu ne pouvais pas t'empêcher de penser à elle : voilà comment tu t'expliquais la chose ; c'était la preuve que tu étais décidément amoureux d'elle. Et, maintenant, en te promenant dans la maison de Ludmilla, tu tombes sur quoi ? Les traces de Marana. C'est une obsession qui te poursuit ? Non, depuis le début, tu avais le pressentiment qu'il existait entre eux un rapport... La jalousie, jusque-là une espèce de jeu avec toi-même, te saisit maintenant sans que tu puisses lui échapper. Et ce n'est pas seulement la jalousie : c'est le soupçon, la méfiance, le sentiment que tu ne peux être sûr de rien ni de personne. La poursuite du livre interrompu, et cette excitation particulière que tu y trouvais parce que tu t'y livrais avec elle, n'est donc rien d'autre que la recherche de Ludmilla elle-même qui t'échappe dans une démultiplication de mystères, de mensonges, de travestissements...

— Marana, comment, Marana ? t'étonnes-tu. Il habite ici ?

162

Irnerio secoue la tête.

— Il a habité ici. Maintenant, le temps a passé. Il ne devrait plus revenir. Mais désormais toutes ses histoires sont un tel tissu de mensonges que tout ce qu'on peut dire sur lui est mensonger. Il est au moins arrivé à cela. Les livres qu'il a apportés ici semblent pareils à tous les autres, de l'extérieur, mais moi je les reconnais tout de suite, et de loin. Dire qu'il ne devrait plus y en avoir, de ses papiers, en dehors de la petite pièce, là ! Rien n'y fait : de temps en temps une de ses traces réapparaît. Parfois, j'ai le soupçon que c'est lui qui les apporte ici, qu'il vient quand il n'y a personne et continue à faire ses substitutions habituelles, en cachette...

— Ses substitutions ?

— Je ne sais pas... Ludmilla dit que tout ce qu'il touche, si ce n'est pas déjà faux, le devient. Moi, je sais seulement que si j'essayais de faire un de mes travaux avec des livres qui lui ont appartenu, ce seraient des faux : même s'ils semblaient tout à fait pareils à ceux que je fais toujours...

— Mais pourquoi Ludmilla garde-t-elle ses affaires dans le cagibi ? Elle attend qu'il revienne ?

— Ludmilla était malheureuse, quand il était ici : elle ne lisait plus... Alors, elle est partie. C'est elle qui s'en est allée la première... Ensuite, il est parti à son tour...

L'ombre s'éloigne. Tu respires. Le passé est clos.

— Et s'il revenait ?

— Elle s'en irait de nouveau.

— Où ?

— Bah. En Suisse. Qu'est-ce que j'en sais ?

— Il y a quelqu'un d'autre, en Suisse ?

Instinctivement tu as vu surgir l'écrivain à la longue-vue.

— Quelqu'un d'autre si l'on veut... mais ce n'est pas du tout le même genre d'histoire. Le vieux des romans policiers...

— Silas Flannery ?

— A ce qu'elle disait, quand Marana la convainc que la différence entre le vrai et le faux n'est rien de plus qu'un préjugé, elle éprouve le besoin de voir quelqu'un qui fait des livres comme un plant de citrouille fait des citrouilles, c'est son expression...

La porte s'ouvre à l'improviste. Ludmilla entre, jette sur un fauteuil son manteau, ses paquets.

— Ah, chic alors ! Tout le monde est là : pardon pour le retard !

Vous êtes assis, elle et toi, vous prenez le thé. Irnerio devrait être là, mais son fauteuil reste vide.

— Il était là. Où est-il allé ?

— Oh, il doit être sorti. Il va et il vient sans rien dire.

— On entre et on sort comme ça chez toi ?

— Pourquoi pas ? Et toi, comment es-tu entré ?

— Moi et tous les autres !

— Hé là ! C'est une scène de jalousie ?

— Je ne vois pas comment j'aurais le droit.

— Tu crois qu'un moment pourrait venir où tu aurais le droit ? Dans ce cas-là, mieux vaut carrément ne pas commencer.

— Commencer quoi ?

Tu poses ta tasse sur la table. Tu quittes ton fauteuil et vas vers le divan où elle se tient assise.

(Commencer. C'est toi qui l'as dit, Lectrice. Mais comment déterminer le moment exact où une histoire commence ? Tout est déjà commencé depuis toujours, la première ligne de la première page de chaque roman renvoie à quelque chose qui a déjà eu lieu hors du livre. Ou bien la véritable histoire est celle qui commence dix ou cent pages plus loin, et tout ce qui précède n'est qu'un prologue. Les vies humaines forment une trame continue, où toute tentative d'isoler un fragment de vécu qui ait un sens en dehors du reste — par exemple, une rencontre entre deux personnes qui deviendra décisive pour toutes les deux — doit tenir compte du fait que chacun des deux traîne avec lui un tissu de faits, de lieux, d'autres

164

personnes, et que de la rencontre il découlera à nouveau d'autres histoires, qui à leur tour se sépareront de leur histoire commune.)

Vous êtes au lit ensemble, Lecteur et Lectrice. Le moment est donc venu de s'adresser à vous à la seconde personne du pluriel, opération lourde de sens, parce qu'elle équivaut à vous considérer comme un sujet unique. C'est à vous que je parle, enchevêtrement mal commode à démêler sous le drap froissé. Peut-être partirez-vous ensuite chacun de son côté, et le récit devra de nouveau s'efforcer de manœuvrer alternativement le levier de vitesse pour passer du tu féminin au tu masculin ; mais, pour l'instant, du fait que vos corps cherchent à trouver, entre peau et peau, le contact le plus généreux, le plus sensible, à transmettre et recevoir en houle motions et trépidations, à encastrer les vides dans les pleins, du fait que votre activité mentale elle-même est tendue vers la plus grande complicité, on peut vous adresser un discours suivi qui vous vise comme une seule personne à deux têtes. En premier lieu, il faut déterminer le champ d'action ou la modalité d'être de l'entité double que vous constituez. A quoi vous mène cette identification ? Quel est le thème central qui fait retour à travers vos variations et modulations ? S'agit-il d'une tension où chacun vise à ne rien perdre de son potentiel propre, à prolonger un état de réceptivité, à profiter de l'accumulation du désir de l'autre pour démultiplier sa charge propre ? Ou au contraire de l'abandon le plus désarmé, d'une exploration de l'immense étendue des espaces caressables et par réciproque caressants, d'une dissolution de l'être dans un lac à la surface tactile infiniment ? Dans les deux cas, vous n'existez qu'en fonction l'un de l'autre ; mais, pour rendre la chose possible, vos moi respectifs, au lieu de s'annuler, doivent occuper sans restes tout le vide de l'espace mental, s'investir chacun soi-même au plus haut taux d'intérêt ou se dépenser jusqu'au dernier centime. En somme, ce que vous faites est bien beau, mais grammaticalement ne change rien. Au moment où vous apparaissez le plus nettement comme un vous unitaire, vous êtes deux tu plus séparés et plus refermés sur vous-mêmes qu'auparavant.

(C'est vrai dès maintenant, alors que vous êtes encore tout occupés chacun par la seule présence de l'autre. Imaginez ce que ce sera dans peu de temps, quand des fantasmes qui ne se rencontrent pas entre eux fréquenteront vos esprits, accompagnant les rencontres de vos corps aux habitudes éprouvées.)

Lectrice, voici que tu es lue. Ton corps est soumis à un déchiffrement systématique, à travers des canaux d'informations tactiles, visuels, olfactifs, et non sans intervention des papilles gustatives. L'ouïe a sa part aussi, attentive à tes halètements et à tes trilles. Le corps n'est pas seul, chez toi, objet de lecture : il compte comme partie d'un ensemble compliqué d'éléments, qui ne sont pas tous visibles ni tous présents, mais qui se manifestent à travers les événements, eux, visibles et immédiats : tes yeux qui s'embrument, ton rire, les mots que tu dis, ta façon de ramasser ou de répandre tes cheveux, de prendre l'initiative ou d'esquiver, et puis tous ces signes qui sont aux confins des us et coutumes, de la mémoire, de la préhistoire, de la mode ; tous les codes, tous les pauvres alphabets au moyen desquels un être humain croit à certains moments être en train de lire un autre être humain.

Et toi aussi, Lecteur, tu es un objet de lecture : tantôt la Lectrice passe ton corps en revue comme si elle parcourait une table des matières, tantôt elle le consulte comme pour obéir à une curiosité rapide et bien précise, tantôt elle l'interroge en hésitant et laisse venir une réponse muette, comme si une investigation partielle ne l'intéressait qu'en vue d'une reconnaissance de l'espace beaucoup plus large. Parfois, elle se fixe sur des détails négligeables, peut-être de petits défauts stylistiques, par exemple la forme proéminente de ta pomme d'Adam, ou ta façon d'enfoncer la tête dans le creux de son cou, et elle s'en sert pour établir une marge, une distance — réserve critique ou complicité moqueuse — ;

parfois, au contraire, un détail incidemment découvert est valorisé outre mesure, par exemple la forme de ton menton, ou une façon particulière de mordre son épaule, et elle prend élan sur ce tremplin, parcourt (vous parcourez ensemble) page après page, de haut en bas, sans sauter une virgule. Toi, cependant, au milieu des satisfactions que tu trouves à sa façon de te lire, à toutes ces citations textuelles de ton objectivité physique, un doute s'insinue : qu'elle ne te lise pas tout entier tel que tu es, mais qu'elle use de toi, qu'elle utilise des fragments de toi détachés du contexte pour se construire un partenaire fantasmatique, connu d'elle seule, dans la pénombre de sa demi-conscience ; que ce qu'elle est en train de déchiffrer soit le visiteur apocryphe de ses songes, plutôt que toi.

A la différence de la lecture des pages écrites, la lecture que les amants font de leurs corps (de ce concentré d'esprit et de corps dont les amants font usage pour aller au lit ensemble) n'est pas linéaire. Elle commence à un endroit quelconque, saute, se répète, revient en arrière, insiste, se ramifie en messages simultanés et divergents, converge de nouveau, affronte des moments d'ennui, tourne la page, retrouve le fil, se perd. On peut y reconnaître une direction, un parcours orienté dans la mesure où elle tend à un climax, et ménage en vue de cette fin des phases rythmiques, des scansions métriques, des récurrences de motifs. Mais le climax est-il véritablement son but ? La course vers la fin n'est-elle pas plutôt contrariée par une autre tendance qui s'efforce, à contre-courant, de retarder les instants, de récupérer du temps ?

Si l'on voulait représenter graphiquement l'ensemble, chaque épisode, avec son point culminant, exigerait un modèle à trois dimensions, peut-être même à quatre — il n'y a pas de modèle ; aucune expérience n'est répétable. Ce par où l'étreinte et la lecture se ressemblent le plus, c'est ceci : en elles s'ouvrent des espaces et des temps différents de l'espace et du temps mesurables.

Dans l'improvisation confuse d'une première rencontre, on peut déjà lire l'avenir d'une possible vie commune. Aujourd'hui, vous êtes chacun l'objet de la lecture de l'autre, chacun dans l'autre lit son histoire non-écrite. Demain, Lecteur et Lectrice, si vous êtes ensemble, si vous couchez dans le même lit, comme un couple rangé, chacun de vous allumera la lampe à son chevet et se plongera dans son livre ; deux lectures parallèles accompagneront l'arrivée du sommeil ; toi d'abord, puis toi ensuite, vous éteindrez la lumière ; revenus d'univers séparés, vous vous retrouverez fugacement dans le noir où toutes les distances s'effacent, avant que des songes divergents ne vous rejettent toi d'un côté et toi de l'autre. Mais ne souriez pas devant cette perspective d'harmonie conjugale : quelle image de couple plus heureuse sauriez-vous lui opposer ?

Tu parles à Ludmilla du roman que tu lisais en l'attendant : « C'est un livre comme tu les aimes : dès la première page, il vous communique un sentiment de malaise...

Un éclair interrogatif passe dans son regard. Un doute te vient : cette phrase sur le malaise, tu ne l'as peut-être pas entendue d'elle, tu l'as peut-être lue quelque part... A moins que Ludmilla ait déjà cessé de croire à l'angoisse comme condition de vérité... Quelqu'un lui a peut-être prouvé que l'angoisse opère, elle aussi, mécaniquement, qu'il n'y a rien de plus falsifiable que l'inconscient...

— Moi, dit-elle, j'aime les livres où tous les mystères et toutes les angoisses passent par un esprit exact, froid et sans ombres, comme celui d'un joueur d'échecs...

— Quoi qu'il en soit, c'est l'histoire d'un homme qui devient nerveux quand il entend sonner un téléphone. Un jour, il est en train de faire de la course à pied...

— Ne m'en raconte pas davantage. Fais-le-moi lire.

— Je ne suis pas moi-même allé beaucoup plus loin. Je te l'apporte.

Tu te lèves, tu vas le chercher dans l'autre pièce où la

brusque volte de tes rapports avec Ludmilla a interrompu le cours normal des événements.

Tu ne le retrouves pas.

(Tu le retrouveras dans une exposition : c'est la dernière sculpture d'Irnerio. La page, dont tu avais corné le coin pour la marquer, forme un des côtés d'un parallélépipède compact, collé, verni à la résine transparente. Une ombre un peu roussie, comme celle d'une flamme qui s'échapperait de l'intérieur du livre, fait onduler la surface de la page et y ouvre une série de strates comme des nœuds dans une écorce.)

« Je ne le trouve pas, mais ça ne fait rien ; j'ai vu que tu en avais un autre exemplaire. J'ai même cru que tu l'avais lu...

Sans qu'elle s'en aperçoive, tu es entré dans le cagibi où tu as pris le livre à bande rouge de Flannery :

« Voici.

Ludmilla l'ouvre sur la dédicace : « A Ludmilla... Silas Flannery. »

— Oui, c'est bien mon exemplaire...

— Mais alors, tu connais Flannery ? t'exclames-tu, comme si tu ne savais rien.

— Oui, et il m'a offert ce livre... Mais j'étais sûre qu'on me l'avait volé avant même que j'aie pu le lire...

— ... Irnerio ?

— Euh...

Il est temps de découvrir ton jeu.

— Ce n'est pas Irnerio, et tu le sais bien. Irnerio, quand il a vu le livre, il l'a jeté dans ce cabinet noir où tu conserves...

— Qui t'a donné la permission de fouiller ?

— Irnerio parle de quelqu'un qui te volait des livres et qui revient maintenant les remplacer par des livres faux.

— Irnerio n'en sait rien.

— Moi, si : Cavedagna m'a fait lire les lettres de Marana.

169

— Tout ce que raconte Hermès, c'est une pelote de mic-macs.

— Il y a au moins une chose de vraie : cet homme-là continue de penser à toi, de te voir dans toutes ses fabulations, il est obsédé par ton image — en train de lire...

— C'est ce que je n'ai jamais pu supporter.

Petit à petit, tu finiras par comprendre un peu mieux comment ont commencé les machinations du traducteur : le ressort secret qui les a déclenchées, c'est la jalousie pour ce rival invisible qui s'interposait continuellement entre Lud-milla et lui, la voix silencieuse qu'elle entend dans les livres, ce fantôme aux mille visages sans visage, d'autant plus insaisissable que pour Ludmilla les auteurs ne s'incarnent jamais dans des individus de chair et d'os, ils n'existent pour elle que dans les pages publiées, vivants ou morts, ils sont là, toujours prêts à communiquer avec elle, à la séduire, à l'étourdir, et elle est toujours prête à les suivre, avec cette légèreté volubile qu'on a dans les rapports avec des personnes incorporelles. Comment faire pour mettre en déroute, non pas les auteurs, mais la fonction de l'auteur, l'idée que derrière chaque livre il y a quelqu'un qui garantit la vérité de ce monde de fantasmes et fictions, par le seul fait qu'il y a investi sa vérité propre, qu'il s'est lui-même identifié avec cette construction de mots ? Depuis toujours, simplement parce que son goût et son talent l'y poussaient, mais plus que jamais depuis que ses relations avec Ludmilla étaient entrées en crise, Hermès Marana rêvait d'une littérature ne connais-sant qu'apocryphes, fausses attributions, imitations, contrefa-çons et pastiches. Si cette idée réussissait à s'imposer, si une incertitude systématique sur l'identité de qui écrit empêchait le lecteur de s'abandonner avec confiance — confiance non tant dans ce qui est raconté que dans la voix silencieuse qui raconte —, peut-être n'y aurait-il rien de changé, en appa-rence, dans l'édifice de la lecture... Mais en dessous, dans les fondements, là où le rapport s'établit entre lecteur et texte, quelque chose aurait changé pour toujours. Alors, Marana ne se sentirait plus abandonné par Ludmilla lorsqu'elle s'absorberait dans la lecture ; entre le livre et elle, l'ombre de la mystification chaque fois s'interposerait et, lui, qui s'identifierait avec chacune des mystifications, aurait affirmé sa présence.

Ton regard se pose sur le début du livre.

— Mais ce n'est pas le livre que j'étais en train de lire... Même titre, même couverture, tout est pareil... Seulement, c'est un autre livre ! L'un des deux est faux.

— Bien sûr, qu'il est faux, remarque Ludmilla à voix basse.

— Tu dis qu'il est faux parce qu'il est passé par les mains de Marana ? Mais celui que j'étais en train de lire, c'est lui aussi qui l'avait envoyé à Cavedagna ! Est-ce qu'ils seront faux tous les deux ?

— Il n'y a qu'une personne qui pourrait nous dire la vérité : l'auteur.

— Tu peux le lui demander, puisque tu es son amie...

— Je l'étais.

— C'était chez lui que tu allais, quand tu fuyais Marana ?

— Tu en sais des choses !

Cela dit de ce ton ironique qui te tape sur les nerfs plus que tout.

Lecteur, ta décision est prise : tu iras trouver l'écrivain. En attendant, tu tournes le dos à Ludmilla, et tu te mets à lire le nouveau roman que cache une couverture toute semblable.

(Semblable jusqu'à un certain point. La bande « Le dernier succès de Silas Flannery » recouvre le dernier mot du titre. Il suffirait que tu la soulèves légèrement pour t'apercevoir que ce volume-ci s'intitule *Dans un réseau de lignes entrecroisées* ; et non plus, comme l'autre, *entrelacées*.)

Dans un réseau de lignes entrecroisées.

Spéculer, réfléchir : toute activité de pensée me renvoie infailliblement aux miroirs. Selon Plotin, l'âme elle-même est un miroir qui crée les choses matérielles en reflétant les idées contenues dans une raison supérieure. De là, sans doute, le besoin que j'ai, moi, de miroirs pour penser : je ne peux pas me concentrer sans le secours d'images réfléchies, comme si mon âme avait besoin d'un modèle à imiter chaque fois qu'elle veut mettre en acte sa vertu spéculative. (Le vocable assume ici tous ses signifiés : je suis à la fois un homme qui pense, un homme d'affaires ; et un collectionneur d'appareils optiques, avant tout.)

A peine ai-je approché mon œil d'un kaléidoscope que mon esprit, suivant le regroupement et la composition en figures régulières des fragments hétérogènes de couleurs et de lignes, découvre la marche à suivre : ne serait-ce qu'à travers la révélation éclatante et fugace d'une construction rigoureuse qui se défait au moindre tapotement de l'ongle sur les parois du tube, pour être remplacée par une autre, où les mêmes éléments se retrouvent pour former un ensemble différent.

Depuis qu'encore adolescent je me suis aperçu que la contemplation des jardins émaillés qui tournoient au fond de ce puits de miroirs exaltait mon aptitude aux décisions pratiques et aux prévisions téméraires, je me suis mis à collectionner les kaléidoscopes. L'histoire de cet objet, relativement récente (le kaléidoscope fut breveté en 1817 par le physicien écossais Sir David Brewster, auteur, entre autres choses, d'un *Treatise on New Philosophical Instruments*), enfermait ma collection à l'intérieur de limites chronologiques étroites. Mais je n'ai pas tardé à diriger mes recherches vers une sorte d'objets anciens bien plus illustre et plus suggestive : les machines catoptriques du XVIIe siècle, petits théâtres de plusieurs types, où l'on voit une figure se multiplier selon l'angle que forment entre eux les miroirs. J'ai le projet de reconstituer le musée rassemblé par le jésuite Athanasius Kircher, auteur de l'*Ars magna lucis et umbrae* (1646), et inventeur du « théâtre polydiptyque » où la soixantaine de petits miroirs qui tapissent l'intérieur d'une grande boîte transforment une branche en forêt, un soldat de plomb en armée, en bibliothèque un calepin.

Les hommes d'affaires à qui je fais visiter ma collection, avant nos réunions, jettent à ces appareils bizarres des coups d'œil d'une curiosité superficielle. Ils ne savent pas que j'ai construit mon empire financier sur le principe même des kaléidoscopes et des machines catoptriques, multipliant comme dans un jeu de miroirs les sociétés sans capitaux, gonflant les crédits, faisant disparaître les passifs désastreux dans l'angle mort de perspectives illusoires. Mon secret, le secret de mes victoires financières ininterrompues en une époque qui a vu tant de crises, d'effondrements boursiers et de banqueroutes, a toujours été celui-ci : je ne pensais jamais directement à l'argent, aux affaires, aux profits, mais seulement aux angles de réfraction qu'on peut obtenir à l'aide de surfaces brillantes diversement inclinées.

C'est mon image que je veux multiplier. Non point par narcissisme ou mégalomanie, comme on pourrait trop facilement croire : au contraire, pour cacher, au milieu de tous ces doubles illusoires de moi-même, le vrai moi qui les fait se mouvoir. Si je ne craignais d'être mal compris, je ne serais même pas opposé à l'idée de reconstituer chez moi une chambre entièrement tapissée de miroirs, selon un projet de Kircher, où je me verrais marcher au plafond la tête en bas et m'envoler tout droit des profondeurs du plancher.

Les pages que je suis en train d'écrire devraient, à leur tour, renvoyer la froide luminosité d'une galerie de miroirs, où un nombre limité de figures se réfracte, se renverse et se multiplie. Si ma figure part dans toutes les directions et se dédouble à tous les angles, c'est pour décourager ceux qui me poursuivent. Je suis un homme qui compte nombre d'ennemis et qui doit s'en garder continuellement : ils ne rencontreront qu'une surface de verre, où apparaît et s'évanouit un reflet parmi d'autres d'une présence ubiquiste. Je suis un homme, en même temps, qui traque ses nombreux ennemis, les hante, marche sur eux en phalanges inexorables, et leur coupe la route de quelque part qu'ils se tournent. Dans un monde catoptrique, mes ennemis peuvent bien penser aussi qu'ils m'entourent de tous côtés, mais je suis seul à connaître la disposition des miroirs, et je peux me rendre insaisissable, alors que, pour finir, eux s'entre-cognent et s'empoignent réciproquement.

Je voudrais que mon récit exprime tout cela à travers un détail serré d'opérations financières, coups de théâtre en plein conseils d'administration, appels d'agents boursiers affolés au téléphone, et puis encore fragments d'un plan de ville, polices d'assurance, la bouche de Lorna quand elle a laissé tomber certaine phrase, le regard d'Elfride comme absorbé dans un calcul impitoyable, une image se superposant à l'autre, le réseau des rues constellé sur le plan de croix et de flèches, avec des motocyclettes qui s'éloignent pour disparaître dans les angles des miroirs, et d'autres motocyclettes qui convergent vers ma Mercedes.

Du jour où il m'a été clair que m'enlever constituerait le coup rêvé, non seulement pour les différentes bandes de hors-la-loi spécialisés, mais aussi pour les plus importants parmi mes associés et mes concurrents du monde de la haute finance, j'ai compris que c'est seulement en me multipliant, en multipliant ma personne, ma présence, mes sorties et mes retours, en somme les occasions de guet-apens, que je pourrais rendre improbable ma chute entre des mains ennemies. J'ai donc commandé cinq Mercedes semblables à la mienne, qui entrent et sortent par la grille blindée de ma villa à toute heure, escortées par les motocyclistes de ma garde du

175

corps, avec à leur bord une ombre emmitouflée, vêtue de noir, qui peut être la mienne ou celle de n'importe quelle doublure. Les sociétés que je préside consistent en sigles derrière lesquels il n'y a rien et leurs sièges en salons vides interchangeables ; mes réunions d'affaires peuvent donc avoir lieu à des adresses toujours différentes, que pour plus de sécurité j'ordonne de changer chaque fois au dernier moment. Les problèmes les plus délicats viennent de la relation extra-conjugale que j'entretiens avec une jeune divorcée de vingt-neuf ans, nommée Lorna, à qui je dédie deux et parfois trois rencontres hebdomadaires de deux heures trois quarts. Pour protéger Lorna, il n'y avait qu'à rendre sa localisation impossible : j'ai eu recours au système qui consistait à afficher une multitude de liaisons amoureuses simultanées, de manière qu'on ne puisse savoir quelles sont mes maîtresses fictives et quelle est la vraie. Chaque jour, aussi bien l'un de mes sosies que moi-même, nous nous rendons à des heures toujours différentes dans des pied-à-terre disséminés à travers toute la ville et occupés par des femmes d'aspect agréable. Ce réseau de fausses maîtresses me permet même de cacher mes véritables rencontres avec Lorna à ma femme, Elfride, à qui j'ai présenté l'exécution de cette mise en scène comme une mesure de sécurité. Je lui ai conseillé, à Elfride, de donner la plus grande publicité à ses déplacements, afin de déjouer d'éventuels plans criminels : mais je ne l'ai pas trouvée disposée à m'écouter. Elfride a toujours eu tendance à se cacher, c'est pourquoi aussi elle évite les miroirs de ma collection, comme si elle craignait que son image ne fût réduite en miettes et détruite à la fin : attitude dont les motivations profondes m'échappent, et qui ne me contrarie pas peu.

Je voudrais que tous les détails évoquent ici l'image à la fois d'un mécanisme de haute précision et d'une suite fuyante de lueurs qui renvoient à quelque chose qui demeure hors de portée de la vue. C'est pourquoi je ne dois pas oublier d'insérer de temps à autre, aux endroits où l'histoire se fait plus dense, quelque citation d'un texte ancien, un passage par exemple du *De magia naturale* de Giovanni Battista della Porta, là où il est dit que « le mage, ou ministre de la nature » (je cite la traduction française de Rouen, 1612) doit connaître « la faculté spéculative qui appartient aux yeux et, pour les tromper, suscite de loing des visions ès eaux et ès miroirs façonnez en rond, concavez, estendus, et diversement formés, hors desquels parfois se jette la figure d'une chose pendante en l'air, et comment on peut voir clairement les choses qui se font loing ».

Je me suis vite aperçu que l'incertitude créée par les allées et venues d'automobiles identiques ne suffirait pas à écarter le danger d'une embuscade criminelle : j'ai donc imaginé d'appliquer le pouvoir multiplicateur des mécanismes catoptriques aux bandits eux-mêmes, en organisant de faux guet-apens et de faux enlèvements aux dépens d'un des faux moi-même, suivis de fausses libérations après paiement de fausses rançons. J'ai dû pour cela m'atteler à mettre sur pied une organisation criminelle parallèle, et nouer des contacts de plus en plus étroits avec le milieu. J'en suis venu ainsi à disposer d'un grand nombre d'informations sur les véritables enlèvements en préparation : ce qui m'a permis d'intervenir à temps, soit pour me protéger, soit pour profiter du malheur de mes adversaires en affaires.

A cet endroit, le récit pourrait rappeler que, parmi les vertus des miroirs dont dissertent les livres anciens, il y a celle de montrer des choses lointaines et cachées. Les géographes arabes du Moyen Age, dans leurs descriptions du port d'Alexandrie, rappellent la colonne qui s'élevait sur l'île du Phare, et que surmontait un miroir d'acier où l'on voyait les navires se déplacer jusqu'à une énorme distance : au large de Chypre, de Constantinople, de toutes les terres des Romains. En concentrant les rayons, les miroirs courbes peuvent capter une image du Tout. « Dieu lui-même, qui ne peut être vu ni du corps ni de l'âme, se laisse, écrit Porphyre, contempler dans un miroir. » En même temps que la diffusion centrifuge qui projette mon image au long de toutes les dimensions de l'espace, je voudrais que ces pages restituent le mouvement opposé, par lequel me viennent des miroirs les images que la vue directe ne peut embrasser. De miroir en miroir — il m'arrive parfois d'y rêver —, la totalité des choses, l'univers en son entier, la sagesse divine pourraient concentrer enfin leurs rayons lumineux sur un miroir unique. Ou peut-être la connaissance du Tout est-elle ensevelie dans l'âme, et un système de miroirs qui multiplierait à l'infini mon image puis en restituerait l'essence dans une image singulière me révéle- rait-il l'âme du Tout cachée dans la mienne.

Telle devait être aussi sans doute la puissance des miroirs magiques, dont on parle tant dans les traités de sciences occultes et les anathèmes des inquisiteurs : celle de contrain- dre le dieu des ténèbres à se manifester et à superposer son image à celle qui se reflète dans le miroir. Il fallait donc que j'ouvre dans ma collection un nouveau secteur : les antiquai- res et les salles des ventes du monde entier ont été avertis de tenir à ma disposition les très rares exemplaires de miroirs de la Renaissance qui, de par leur forme ou selon la tradition écrite, peuvent être rangés dans la catégorie des miroirs magiques.

C'était une partie difficile, où chaque erreur pouvait être payée très cher. Ma première erreur au jeu a été de convaincre mes rivaux de s'associer avec moi pour fonder une compagnie d'assurances contre les enlèvements. Sûr de mon réseau d'informateurs dans le milieu, je croyais conserver le contrôle de toute espèce d'éventualité. Je ne tardai pas à apprendre que mes associés entretenaient avec les bandes de ravisseurs des rapports beaucoup plus étroits que les miens. La rançon demandée pour le prochain enlèvement devait représenter le capital entier de la compagnie d'assurances : il serait ensuite réparti entre l'organisation des hors-la-loi et les actionnaires de la compagnie, leurs complices, tout cela naturellement aux dépens de la victime. Sur son identité, il n'y avait pas le moindre doute : c'était moi.

Le plan du guet-apens prévoyait qu'entre les motos Honda de mon escorte et la voiture blindée dans laquelle je me déplaçais, se glisseraient trois motos Yamaha conduites par de faux policiers qui freineraient brusquement avant le virage. Selon mon contre-plan, trois autres motos, des Suzuki, devaient immobiliser ma Mercedes cinquante mètres avant, pour un enlèvement fictif. Quand je me vis bloqué par trois Kawasaki à un carrefour qui précédait les deux autres, je compris que mon contre-plan avait été mis en échec par un contre-contre-plan dont j'ignorais les auteurs.

C'est comme dans un kaléidoscope, que se réfractent et se séparent les hypothèses que je voudrais noter dans ces lignes : juste comme se découpait naguère sous mes yeux le plan de la ville que j'avais décomposé pièce à pièce, pour localiser le croisement où, selon mes informateurs, devait être tendu le piège, et pour déterminer l'endroit où je pourrais prendre mes ennemis de court de façon à retourner en ma faveur le plan qu'ils avaient préparé contre moi. Tout me semblait sûr désormais, le miroir magique concentrait l'ensemble des pouvoirs maléfiques et les mettait à mon service. Je n'avais pas prévu un troisième plan d'enlèvement monté par des inconnus. Mais qui ?

A ma grande surprise, au lieu de m'emmener vers une cachette secrète, mes ravisseurs m'accompagnent chez moi, m'enferment dans la chambre catoptrique reconstruite par moi avec tant de soin à partir des dessins d'Athanasius Kircher. Les parois de miroir renvoient à l'infini mon image. Aurais-je été enlevé par moi-même ? L'une de mes images projetées dans le monde aurait-elle pris ma place, en me reléguant au rôle d'image réfléchie ? Aurais-je su évoquer le Seigneur des Ténèbres, et était-ce lui qui venait se présenter à moi sous mes propres traits ?

Sur le plancher de miroirs gît, lié, un corps de femme, Lorna. Dès qu'elle fait un mouvement, sa chair nue multiplie ses reflets dans tous les miroirs. Je me jette sur elle, pour la libérer de ses liens et de son bâillon ; je veux l'embrasser ; mais elle se retourne contre moi, furieuse :

— Tu crois que tu me tiens ? Tu te trompes.

Et elle plante ses ongles dans mon visage. Est-elle prisonnière avec moi ? Ma prisonnière ? Ou ma prison ?

Entre-temps, une porte s'est ouverte. Elfride entre.

— Je savais le danger qui te menaçait, j'ai réussi à te sauver. La méthode est peut-être un peu brutale : je n'avais pas le choix. Mais, maintenant, voilà que je ne trouve plus la porte de cette cage de miroirs. Dis vite : comment fait-on pour sortir ?

Un œil et un sourcil d'Elfride, une jambe prise dans des bottes collantes, l'angle de sa bouche aux lèvres étroites, aux dents trop blanches, une main baguée qui tient un revolver, se répètent agrandis dans les miroirs ; entre ces fragments de son image éclatée, s'interposent des gros plans de la peau de Lorna, comme des paysages de chair. Déjà, je ne peux plus distinguer ce qui est l'une et ce qui est l'autre, je m'y perds, il me semble que je me suis perdu moi-même, je ne vois plus mon reflet mais seulement le leur. Dans un fragment de Novalis, un initié, qui a réussi à atteindre la demeure secrète d'Isis, soulève le voile de la déesse... Il me semble à présent que tout ce qui m'entoure n'est rien qu'une partie de moi, que j'ai réussi à devenir le tout, enfin...

VIII.

Dans une chaise longue, sur la terrasse d'un chalet, au fond de la vallée, une jeune femme est là, qui lit. Tous les jours, avant de me mettre au travail, je reste un peu de temps à la regarder à la longue-vue. Dans cet air transparent léger, il me semble cueillir sur sa forme immobile les signes de ce mouvement invisible qu'est la lecture, le parcours du regard, le rythme de la respiration, et plus encore le glissement des mots à travers sa personne, leurs flux et leurs blocages, les élans, les retards, les pauses, l'attention qui se concentre ou se disperse, les retours en arrière, ce parcours qui semble uniforme et qui est en réalité toujours changeant, toujours accidenté.

Depuis combien d'années ne puis-je me permettre une lecture désintéressée ? Depuis combien d'années ne suis-je plus capable de m'abandonner à un livre écrit par d'autres, sans aucun rapport avec ce que je dois écrire, moi ? Je me retourne, et je vois la table qui m'attend, la feuille engagée sur le chariot de la machine à écrire, le chapitre à commencer. Depuis que je suis devenu un forçat de l'écriture, le plaisir de la lecture a disparu pour moi. Tout ce que je fais a pour fin, quoi ? L'état d'âme de cette femme étendue sur une chaise longue que j'encadre dans les lentilles de ma longue-vue, et cet état d'âme là m'est refusé.

Tous les jours, avant de me mettre au travail, je regarde la femme sur la chaise longue : je me dis que le résultat de

181

l'effort contre nature auquel je m'astreins lorsque j'écris, ce doit être la respiration de cette lectrice, la transformation de la lecture en processus naturel, le courant qui conduit les phrases vers son attention comme vers un filtre, où elles s'arrêtent un instant avant d'être absorbées par les circuits nerveux, et de disparaître en se transformant dans ses fantasmes, en ce qu'il y a en elle de plus personnel, d'incommunicable.

Parfois, il me vient un désir absurde : que la phrase que je suis sur le point d'écrire soit celle que la femme est en train de lire au même moment. L'idée s'empare si fort de moi que je me convaincs que la chose est vraie : j'écris la phrase en hâte, je me lève, je vais à la fenêtre, je braque la longue-vue pour contrôler l'effet de ma phrase dans son regard, le pli de ses lèvres, la cigarette qu'elle allume, le remuement de son corps sur la chaise longue, ses jambes qui se croisent ou qu'elle étend.

Parfois, il me semble que la distance entre mon écriture et sa lecture est impossible à combler, que tout ce que je peux écrire porte la marque de l'artifice et de l'incongruité : si ce que je suis en train d'écrire apparaissait sur la surface polie de la page qu'elle lit, on entendrait comme le grincement d'un ongle sur une vitre et elle jetterait le livre loin d'elle avec horreur.

Parfois, je me convaincs qu'elle est en train de lire mon *vrai* livre, celui que je devrais écrire depuis si longtemps et que je ne réussirai jamais à écrire, que ce livre est là, mot pour mot, je le vois au bout de ma longue-vue mais je ne peux pas lire ce qui s'y trouve écrit, je ne peux pas savoir ce qu'a écrit ce moi que je n'ai jamais réussi et ne réussirai jamais à être. Inutile que je me remette à ma table, que je m'efforce de deviner, de copier ce vrai livre de moi qu'elle est en train de lire : quoi que j'écrive, ce ne sera qu'un livre faux, par rapport au vrai livre de moi que personne ne lira jamais : sauf elle.

Et si, exactement comme je la regarde pendant qu'elle lit, elle pointait une longue-vue sur moi pendant que j'écris ? Je m'assieds à ma table, tournant le dos à la fenêtre, et voilà, je sens derrière moi un œil qui aspire le flux des phrases, qui conduit le récit dans des directions qui m'échappent. Les lecteurs sont mes vampires. Je sens une foule de lecteurs qui regardent par-dessus mon épaule et s'approprient les mots au fur et à mesure qu'ils se déposent sur le papier. Je ne suis pas capable d'écrire quand quelqu'un me regarde : je sens que ce que j'écris ne m'appartient plus. Je voudrais disparaître, laisser à l'attente menaçante de leurs yeux la feuille passée dans la machine, avec tout au plus mes doigts qui frappent les touches.

Comme j'écrirais bien, si je n'étais pas là ! Si, entre la feuille blanche et le bouillonnement des mots ou des histoires qui prennent forme et s'évanouissent sans que personne les écrive, ne s'interposait l'incommode diaphragme qu'est ma personne ! Le style, le goût, la philosophie, la subjectivité, la formation culturelle, et le vécu, la psychologie, le talent, les trucs du métier : tous les éléments qui font que ce que j'écris est reconnaissable, me semblent une cage qui restreint mes possibilités. Si je n'étais qu'une main, une main coupée qui saisit une plume et se met à écrire... Mais qui ferait mouvoir cette main ? La foule anonyme ? L'esprit du temps ? L'inconscient collectif ? Je ne sais pas. Ce n'est pas pour être le porte-parole de quoi que ce soit de défini que je voudrais m'annuler moi-même. Seulement pour transmettre le scriptible qui attend d'être écrit, le racontable qui n'est raconté par personne.

Peut-être la femme que j'observe à la longue-vue *sait*-elle ce que je devrais écrire ; ou peut-être qu'elle *ne le sait pas*, parce qu'elle attend justement de moi que j'écrive ce qu'elle *ne sait pas* ; tout ce qu'elle sait avec certitude, c'est son attente, ce vide que mes paroles doivent remplir.

Parfois, je pense à la matière du livre à écrire comme à quelque chose qui existe déjà : pensées déjà pensées, dialogues déjà proférés, histoires déjà arrivées, lieux et atmosphères déjà vus ; le livre ne devrait être rien d'autre qu'un équivalent du monde non écrit traduit en écriture. D'autres fois, en revanche, je crois comprendre qu'entre le livre à écrire et les choses qui existent déjà, il ne peut y avoir qu'une espèce de complémentarité : le livre devrait être la contrepartie écrite du monde non écrit ; sa matière, ce qui n'est pas et ne pourra pas être sans avoir été écrit, et dont ce qui existe éprouve obscurément le manque dans sa propre incomplétude.

Je vois que, d'une façon ou d'une autre, je ne cesse de tourner autour de l'idée d'une interdépendance entre le monde non écrit et le livre que je devrais écrire. De là que l'écriture représente pour moi une opération d'un poids tel que j'en suis écrasé. Je mets l'œil à la longue-vue et je la braque sur la lectrice. Entre ses yeux et la page, volette un papillon blanc. Quoi qu'elle soit en train de lire, c'est sûrement le papillon qui a retenu son attention. Le monde non écrit a sa pointe dans ce papillon. Le résultat auquel je dois tendre est quelque chose de précis, de ténu, de léger.

En la regardant, sur sa chaise longue, je ressentais la nécessité d'écrire « d'après nature », je veux dire d'écrire non pas elle, mais sa lecture, d'écrire peu importe quoi pourvu que ce soit en pensant que cela doit passer par sa lecture.

Et maintenant, en regardant le papillon qui vient se poser sur mon livre, je voudrais écrire « d'après nature » en me fixant sur le papillon. Parler par exemple d'un crime atroce mais qui, d'une certaine manière, *ressemble* au papillon, qui soit léger et subtil comme un papillon.

Je pourrais aussi décrire le papillon mais en me fixant sur le crime, de façon que le papillon devienne une scène atroce, quelque chose de terrifiant.

Projet de récit. Deux écrivains, habitant deux chalets sur les versants opposés d'une vallée, s'observent à tour de rôle. L'un des deux a l'habitude d'écrire le matin, l'autre l'après-midi. Le matin et l'après-midi, celui des écrivains qui n'écrit pas braque sa longue-vue sur celui qui écrit.

L'un des deux est un écrivain productif, l'autre un écrivain tourmenté. L'écrivain tourmenté regarde l'écrivain productif remplir des pages de lignes uniformes, et le manuscrit monter en pile de feuillets bien rangés. D'ici peu, le livre sera terminé : sans nul doute un nouveau roman à succès — c'est ce que pense l'écrivain tourmenté avec une pointe de dédain mais avec envie. Il considère que l'écrivain productif n'est rien qu'un habile artisan, capable de confectionner en série des romans qui répondent au goût du public ; mais il ne peut réprimer un fort sentiment d'envie pour un homme qui s'exprime avec tant de méthodique sûreté. Ce n'est pas seulement de l'envie, c'est aussi de l'admiration, oui, une admiration sincère : dans la façon dont cet homme donne toute son énergie à l'écriture, il y a une vraie générosité, une confiance dans l'acte de communiquer, de donner aux autres ce qu'ils attendent de vous, sans se poser de problèmes de conscience. L'écrivain tourmenté donnerait cher pour ressembler à l'écrivain productif ; il voudrait bien le prendre pour modèle ; son plus grand désir est désormais de devenir semblable à lui.

L'écrivain productif observe l'écrivain tourmenté tandis que celui-ci s'assied à sa table, se ronge les ongles, se gratte, déchire une feuille, se lève pour aller à la cuisine et s'y prépare un café, puis un thé, puis une camomille, lit un poème de Hölderlin (bien qu'il soit clair que Hölderlin n'a aucun rapport avec ce qu'il est en train d'écrire), recopie une page déjà écrite et puis la barre ligne après ligne, téléphone à la teinturerie (alors qu'on lui avait bien dit que son pantalon bleu ne serait pas prêt avant jeudi), prend quelques notes qui ne lui serviront pas maintenant mais peut-être plus tard, va consulter une encyclopédie à l'article Tasmanie (alors qu'il est clair qu'il n'y a pas dans ce qu'il écrit la moindre allusion à la Tasmanie), déchire deux pages, met un disque de Ravel. L'écrivain productif n'a jamais aimé les œuvres de l'écrivain tourmenté : à les lire, il a toujours l'impression d'être au bord de saisir un point décisif et puis voilà que celui-ci lui échappe et tout ce qu'il lui reste est un sentiment de malaise. Mais à présent qu'il le regarde écrire, il sent que cet homme se bat avec quelque chose d'obscur, de noué, cherche à se frayer une route dont on ne sait où elle conduit ; parfois, il a l'impression de le voir marcher sur une corde tendue au-dessus du vide et il se sent pris d'un sentiment d'admiration. Pas seulement d'admiration : aussi d'envie ; parce qu'il sent bien que son propre travail est limité et superficiel par rapport à ce que l'écrivain tourmenté recherche.

Sur la terrasse d'un chalet, au fond de la vallée, une jeune femme prend le soleil en lisant un livre. Les deux écrivains l'observent à la longue-vue. « Comme elle est absorbée, comme elle retient son souffle ! Avec quelle fébrilité elle tourne les pages ! pense l'écrivain tourmenté. Elle lit sûrement un livre à sensation, comme ceux de l'écrivain productif ! » « Comme elle est absorbée, presque transfigurée par la méditation, on dirait qu'elle assiste à la révélation d'un mystère ! pense l'écrivain productif. Elle lit sûrement un livre riche de sens cachés, comme ceux de l'écrivain tourmenté ! »

Le plus grand désir de l'écrivain tourmenté serait d'être lu comme lit la jeune femme. Il se met à écrire un roman écrit comme il pense que l'écrirait l'écrivain productif. Cependant, le plus grand désir de l'écrivain productif serait d'être lu comme lit la jeune femme ; il se met à écrire un roman écrit comme il pense que l'écrirait l'écrivain tourmenté.

L'un des deux écrivains, puis l'autre, entre en rapport avec la jeune femme. Chacun lui dit qu'il voudrait lui faire lire le roman qu'il vient juste de terminer.

La jeune femme reçoit les deux manuscrits. Quelques jours plus tard, elle invite les deux auteurs chez elle, ensemble, à leur grande surprise.

— Mais qu'est-ce que c'est que cette plaisanterie ? dit-elle, vous m'avez donné deux exemplaires du même roman !

Ou bien :

La jeune femme confond les deux manuscrits. Elle rend au productif le roman que le tourmenté a écrit à la manière du productif et au tourmenté le roman que le productif a écrit à la manière du tourmenté. Tous deux, en se voyant plagiés, ont une violente réaction et retrouvent leur manière propre.

Ou bien :

Un coup de vent mélange les pages des deux manuscrits. La lectrice essaie de les remettre en ordre. Il en sort un roman unique, très beau, que les critiques ne savent à qui attribuer. C'est le roman que l'écrivain productif aussi bien que l'écrivain tourmenté ont depuis toujours rêvé d'écrire.

Ou bien :

La jeune femme avait toujours été une lectrice passionnée de l'écrivain productif et détestait l'écrivain tourmenté. En lisant le nouveau roman de l'écrivain productif, elle constate qu'il sonne faux, et du coup comprend que tout ce qu'il a écrit était aussi faux ; se souvenant alors des œuvres de l'écrivain tourmenté, elle les trouve à présent très belles, elle a hâte de lire son nouveau roman. Mais ce qu'elle découvre est complètement différent de ce qu'elle attendait, et elle l'envoie au diable à son tour.

Ou bien :

Idem, en remplaçant « productif » par « tourmenté » et « tourmenté » par « productif ».

Ou bien :

La jeune femme avait toujours, etc., du productif et détestait le tourmenté. En lisant le nouveau roman du productif, elle ne s'aperçoit pas qu'il y a là quelque chose de changé : il lui plaît, mais sans plus. Quant au manuscrit du tourmenté, elle le trouve insipide comme tout ce qui vient de cet auteur. Elle répond aux deux écrivains par quelques phrases vagues. Tous les deux en concluent qu'elle n'est décidément pas une lectrice très attentive, et ils ne s'intéressent plus à elle.

Ou bien :

Idem, en remplaçant, etc.

J'ai lu dans un livre qu'on peut marquer l'objectivité de la pensée par l'utilisation du verbe penser à la troisième personne impersonnelle : on dira non pas « je pense » mais « ça pense » comme on dit « il pleut ». Il y a de la pensée dans l'univers, telle est la constatation dont nous devons à chaque fois partir.

Pourrai-je jamais dire « aujourd'hui ça écrit » comme je dis « aujourd'hui il pleut » ou « il vente » ? Ce n'est que quand il me sera naturel d'utiliser le verbe écrire à l'impersonnel que je pourrai espérer qu'à travers moi s'exprime quelque chose de moins limité que l'individualité d'un homme au singulier.

Et le verbe lire ? Pourrait-on dire « aujourd'hui ça lit » comme on dit « aujourd'hui il pleut » ? A y bien penser, la lecture est un acte nécessairement individuel, beaucoup plus que l'écriture. En admettant que l'écriture arrive à dépasser les limitations de l'auteur, elle continuera à n'avoir de sens que si elle est lue par une personne singulière et traverse ses circuits mentaux. Seule la possibilité d'être lu par un individu déterminé prouve que ce qui a été écrit participe des pouvoirs de l'écriture, pouvoirs fondés sur quelque chose qui dépasse l'individu. L'univers s'exprimera lui-même dans l'exacte mesure où quelqu'un pourra dire : « Je lis, donc *ça* écrit. »

C'est là la source de la béatitude particulière que je vois monter au visage de la lectrice, et qui à moi m'est refusée.

Sur le mur, en face de ma table, est accroché un poster qu'on m'a offert. Le petit chien Snoopy est assis devant une machine à écrire et on lit dans la bulle : « C'était par une nuit sombre, orageuse... » Chaque fois que je m'assieds ici, je lis :

« C'était par une nuit sombre, orageuse... » et l'impersonnalité de cet *incipit* semble m'ouvrir le passage d'un monde à l'autre, le passage du temps et de l'espace de l'ici et maintenant, au temps et à l'espace de la page écrite ; je suis saisi par l'exaltation d'un début auquel pourront succéder des développements multiples, inépuisables ; je me convaincs qu'il n'y a rien de mieux qu'une ouverture conventionnelle, qu'une entrée en matière dont on peut tout attendre — ou rien — ; mais je sais bien aussi que ce chien mythomane ne pourra jamais ajouter à ces sept premiers mots, sept autres mots, ou douze, sans briser l'enchantement. La facilité d'accès à un autre monde, quelle illusion : on se jette dans l'écriture parce qu'on devance le bonheur de la lecture à venir, et puis sur la page blanche c'est le vide qui s'ouvre.

Depuis que j'ai ce poster sous les yeux, je n'arrive plus à terminer une page. Il faut que j'enlève au plus vite ce maudit Snoopy du mur, mais je ne m'y décide pas, ce bonhomme de chien est devenu pour moi l'emblème de ma condition ; un avertissement, un défi.

La fascination romanesque, telle qu'elle se donne à l'état pur aux premières phrases du premier chapitre de tant de romans, ne tarde pas à se perdre avec la suite de la narration : promesse d'un temps de lecture qui s'ouvre devant nous et qui reste apte à recueillir toutes les possibilités de développements. Je voudrais pouvoir écrire un livre qui ne serait qu'un *incipit*, qui garderait pendant toute sa durée les potentialités du début, une attente encore sans objet. Mais comment un pareil livre pourrait-il bien être construit ? Devrait-il s'interrompre après le premier aliéna ? Ou prolonger indéfiniment les préliminaires ? Ou encore emboîter un début de narration dans l'autre, comme font *les Mille et Une Nuits* ?

Aujourd'hui je vais tenter de recopier les premières phrases d'un roman célèbre, pour voir si la charge d'énergie contenue dans ce début se communique à ma main ; après avoir reçu la

189

juste poussée, elle devrait être capable d'avancer pour son compte.

Par une soirée extrêmement chaude du début de juillet, un jeune homme sortit de la toute petite chambre qu'il louait dans la ruelle S... et se dirigea d'un pas indécis et lent vers le pont K... [1].

Je recopie encore le deuxième alinéa ; il est indispensable pour qu'on soit emporté par le flux de la narration :

Il eut la chance de ne pas rencontrer sa propriétaire dans l'escalier. Sa mansarde se trouvait sous le toit d'une grande maison à cinq étages et ressemblait plutôt à un placard qu'à une pièce. Et ainsi de suite jusqu'à : *Il était terriblement endetté auprès de sa logeuse et il redoutait de la rencontrer.*

A ce point, la phrase suivante m'entraîne tellement que je ne peux me retenir de la copier à son tour : *Ce n'était point qu'il fût lâche ou abattu par la vie ; au contraire, il se trouvait depuis quelque temps dans un état d'irritation et de tension perpétuelle, voisin de l'hypocondrie.* Pendant que nous y sommes, je pourrais continuer pendant tout le paragraphe, et même pendant quelques pages ; jusqu'a ce que le protagoniste se présente chez la vieille usurière : — *Raskolnikov, étudiant. Je suis venu chez vous il y a un mois, marmonna-t-il rapidement, en s'inclinant à demi (il s'était dit qu'il devait se montrer plus aimable).*

Je m'arrête avant d'être submergé par la tentation de recopier *Crime et Châtiment* en entier. Pendant un instant, je crois comprendre ce qui a dû être le sens et l'attrait d'une vocation désormais inconcevable : celle de copiste. Le copiste vivait dans deux dimensions temporelles en même temps, celle de la lecture et celle de l'écriture ; il pouvait écrire sans l'angoisse du vide qui s'ouvre devant la plume ; lire sans l'angoisse que son acte propre manque de se concrétiser en rien de matériel.

1. Traduction de D. Ergaz, Bibliothèque de la Pléiade, Ed. Gallimard, Paris, 1950. (*N.d.T.*)

Un homme qui se disait un de mes traducteurs est venu me voir : il voulait m'avertir d'une supercherie commise à mes dépens et aux siens : la publication de traductions non autorisées de mes livres. Il m'a montré un volume que j'ai feuilleté sans en conclure grand-chose : il était écrit en japonais, et les seuls mots en alphabet latin étaient mon nom et mon prénom sur la page de garde.

— Je ne peux même pas comprendre duquel de mes livres il s'agit, ai-je répondu en lui rendant le volume. Je ne connais malheureusement pas le japonais.

— Même si vous connaissiez la langue, vous ne reconnaîtriez pas le livre, m'a assuré mon visiteur. C'est un livre que vous n'avez jamais écrit.

Il m'a expliqué que l'habileté des Japonais, pour imiter à la perfection la production occidentale, s'est étendue à la littérature. Une entreprise d'Osaka est arrivée à mettre la main sur la formule des romans de Silas Flannery et parvient à produire des textes absolument inédits, de tout premier ordre, capables d'envahir le marché mondial. Une fois qu'ils ont été retraduits en anglais (ou mieux : traduits dans l'anglais dont ils feignent d'être traduits), aucun critique ne pourrait les distinguer des vrais Flannery.

La nouvelle de cette diabolique escroquerie m'a bouleversé ; ce n'est pas seulement le dépit, bien compréhensible, de subir une perte économique et morale : j'éprouve aussi une attirance inquiète pour ces faux, pour ces greffes de moi qui ont poussé sur le terreau d'une autre culture. J'imagine un vieux Japonais en kimono, qui passe sur un pont en cintre : c'est mon moi nippon, en train d'imaginer un de mes récits, en passe de s'identifier à moi au terme d'un itinéraire spirituel qui m'est complètement étranger. Moyennant quoi, les faux Flannery produits en série par une entreprise frauduleuse d'Osaka ne peuvent être que de vulgaires contrefaçons, et peuvent en même temps receler une sagesse raffinée, secrète, dont les Flannery authentiques sont totalement dépourvus.

Me trouvant devant un étranger, j'ai naturellement dû

191

cacher l'ambiguïté de mes réactions, et ne me suis montré occupé que de recueillir les données nécessaires pour intenter à ces gens un procès.

— Je porterai plainte contre ces faussaires et contre tous ceux qui coopèrent à la diffusion de leurs livres falsifiés ! ai-je dit en fixant avec intention le traducteur dans les yeux.

En fait, le soupçon m'était venu que ce jeune homme n'était peut-être pas étranger à l'entreprise. Il m'a dit s'appeler Hermès Marana, un nom que je n'avais jamais entendu. Il a une tête oblongue, dans le sens de la largeur, genre dirigeable, et semble cacher beaucoup de choses derrière la convexité de son front.

Je lui ai demandé où il habitait.

— Pour le moment, au Japon, a-t-il répondu.

Il se dit indigné que quelqu'un puisse faire un usage indu de mon nom, et prêt à m'aider pour mettre un terme à l'escroquerie, mais il ajoute qu'en fin de compte il n'y a pas de quoi se scandaliser, vu que, d'après lui, la littérature ne vaut que par son pouvoir de mystification, et ne trouve que dans la mystification sa vérité : un faux, en tant que mystification d'une mystification, est en somme une vérité à la puissance deux.

Il a continué de m'exposer ses théories, selon lesquelles l'auteur d'un livre n'est jamais qu'un personnage fictif que l'auteur réel invente pour en faire l'auteur de ses fictions. Je ne me suis pas senti loin de partager nombre de ses affirmations, mais je me suis bien gardé de le lui faire entendre. Il dit qu'il a deux raisons pour s'intéresser à moi : la première, c'est que je suis un auteur falsifiable ; la seconde, c'est qu'il pense que j'ai moi-même les dons nécessaires pour être un grand falsificateur, pour créer des apocryphes parfaits. Je pourrais donc incarner ce qui est pour lui l'auteur idéal : à savoir, l'auteur qui se dissout dans le nuage de fictions qui, de son voile épais, recouvre le monde. Et, du moment que l'artifice est pour lui la véritable substance du Tout, un auteur qui saurait construire un système parfait d'artifices serait ainsi capable de s'identifier avec le Tout.

Je ne cesse de penser à ma conversation d'hier avec Marana. Moi aussi, je voudrais m'effacer moi-même et inventer pour chaque livre un autre moi, une autre voix, un autre nom, renaître ; mais mon but serait de capturer dans le livre le monde illisible, sans centre, sans moi.

A y bien penser, cet écrivain total pourrait être une personne tout à fait modeste : ce qu'en Amérique on appelle un *ghost-writer,* un écrivain fantôme, profession d'une utilité reconnue, mais sans grand prestige : le rédacteur anonyme qui donne forme de livre à ce que d'autres ont à raconter, qui ne savent pas, ou n'ont pas le temps d'écrire : une main écrivante qui donne la parole à des existences trop occupées à exister. Peut-être ma véritable vocation était-elle celle-là, et je l'ai manquée. J'aurais pu multiplier mes moi, m'annexer le moi d'autrui, simuler toute sorte de moi opposés aussi bien entre eux qu'à moi-même.

Mais si une vérité individuelle est la seule qu'un livre puisse renfermer, autant accepter d'écrire la mienne. Le livre de ma mémoire ? Non : si la mémoire est vraie, c'est tant qu'on ne la fixe pas, tant qu'on ne l'enferme pas dans une forme. Le livre de mes désirs ? Eux aussi ne sont vrais que quand leur impulsion opère indépendamment de toute volonté consciente. La seule vérité que je puisse transcrire est celle de l'instant que je vis. Peut-être le vrai livre est-il ce journal où je cherche à consigner l'image de la femme sur sa chaise longue, aux différentes heures du jour, telle que je l'observe dans la lumière changeante.

Pourquoi ne pas admettre que mon insatisfaction révèle une ambition démesurée, un délire mégalomaniaque peut-être ? A l'écrivain qui souhaité s'annuler lui-même pour donner la parole à ce qui est hors de lui, deux voies se proposent : ou bien écrire un livre qui pourrait être le livre unique, capable de résumer le Tout dans ses pages ; ou bien écrire tous les livres, et poursuivre le Tout à travers des images partielles. Le livre unique qui contient le Tout ne pourrait être que le texte sacré, la parole totale révélée. Mais je ne crois pas que la totalité puisse être contenue dans le langage ; la question est pour moi ce qui reste en dehors, le non-écrit, le non-scriptible. Il ne me reste d'autre voie que celle d'écrire tous les livres, les livres de tous les auteurs possibles.

Si je me dis que je dois écrire un livre, je me demande alors comment ce livre doit être fait, comment il ne doit pas être fait : et ces questions me paralysent, m'empêchent d'aller de l'avant. Si je me dis en revanche que je suis en train d'écrire une bibliothèque en entier, je me sens allégé d'un coup : quoi que je puisse écrire, je sais que cela sera intégré, contredit, balancé, amplifié, enseveli dans la centaine de volumes qu'il me reste à écrire.

Le texte sacré dont on connaît le mieux dans quelles conditions il a été écrit, c'est le Coran. Entre la totalité et le livre, les intermédiaires étaient au moins deux : Mahomet écoutait la parole d'Allah et la dictait à son tour à ses scribes. Un jour qu'il dictait à Abdullah, à ce que rapportent ses biographes, Mahomet s'arrêta au milieu d'une phrase. Le scribe, instinctivement, lui suggéra la conclusion. Distrait, le Prophète accepta comme parole divine ce que lui avait dit Abdullah. Ce fait scandalisa le scribe, qui abandonna le Prophète et perdit la foi.

Il se trompait. L'organisation de la phrase, c'était, en définitive, une responsabilité qui lui incombait ; c'était à lui de tenir compte de la cohérence interne de la langue écrite, de la grammaire et de la syntaxe, pour y accueillir la fluidité d'une pensée qui s'écoule en dehors de toute langue avant de se faire parole, et celle d'une parole particulièrement fluide comme est celle d'un prophète. Du moment qu'il avait décidé de s'exprimer dans un texte écrit, Allah avait besoin, absolument, de la collaboration du scribe. Mahomet le savait, et laissait au scribe le privilège de terminer ses phrases ; mais Abdullah n'avait pas conscience des pouvoirs dont il était investi. Il perdit la foi en Allah parce que lui manquait la foi en l'écriture, et la foi en lui-même comme opérateur de l'écriture.

S'il était permis à un infidèle d'imaginer des variantes aux légendes concernant le Prophète, je proposerais celle-ci : si Abdullah perd la foi, c'est parce qu'une erreur lui échappe tandis qu'il écrit sous la dictée de Mahomet, et que Mahomet, bien qu'il l'ait remarquée, décide de ne pas corriger : préférant la version erronée. Même dans ce cas, Abdullah aurait tort de se scandaliser. C'est sur la page, et non avant, que la parole — fût-ce celle du raptus prophétique — devient définitive, en devenant écriture. C'est dans les limites de l'acte d'écriture que l'immensité du non-écrit devient lisible, je veux dire : à travers les incertitudes de l'orthographe, les bévues, les lapsus, les écarts incontrôlables de la parole et de la plume. Autrement, que ce qui est hors de nous ne prétende pas à communiquer par la parole, parlée ou écrite : qu'il envoie ses messages par d'autres voies.

Voici que le papillon blanc a traversé la vallée, et s'est envolé du livre de la lectrice pour venir se poser ici, sur la page que je suis en train d'écrire.

Des gens étranges circulent dans la vallée : des agents littéraires qui attendent mon nouveau roman, pour lequel ils ont déjà touché une avance des éditeurs du monde entier ; des agents de publicité qui veulent que mes personnages portent certains vêtements et boivent certains jus de fruits ; des programmateurs qui prétendent terminer à l'aide d'un ordinateur mes romans inachevés. J'essaie de sortir le moins possible ; j'évite le village ; si je veux faire une promenade, je prends par les sentiers de montagne.

J'ai rencontré aujourd'hui un groupe de garçons à l'allure de boy-scouts, à la fois exaltés et méticuleux. Ils disposaient des toiles sur un pré selon un schéma géométrique.

— Des signaux pour les avions ? leur ai-je demandé.

— Pour les soucoupes volantes. Nous sommes des observateurs d'objets-non-identifiés. L'endroit est un lieu de passage, une espèce de canal aérien très fréquenté ces derniers temps. On pense que c'est parce qu'un écrivain habite dans les parages, et que les habitants des autres planètes veulent se servir de lui pour communiquer.

— Qu'est-ce qui vous fait croire ça ?

— Le fait que depuis quelque temps l'écrivain est en crise et n'arrive plus à écrire. Les journaux se demandent pour quelle raison. D'après nos calculs, ce pourraient bien être les habitants des autres mondes qui le maintiennent inactif : pour qu'il se vide des conditionnements terrestres et devienne réceptif.

— Mais pourquoi justement lui ?

— Les extra-terrestres ne peuvent pas dire les choses directement. Ils doivent s'exprimer sur un mode indirect, figuré ; par exemple, à travers des histoires qui provoquent des émotions insolites. A ce qu'il paraît, cet écrivain-là a une bonne technique et de l'élasticité dans les idées.

— Mais, ses livres, vous les avez lus ?

— Ce qu'il a écrit jusqu'ici ne compte pas. C'est dans le livre qu'il écrira quand il sera sorti de sa crise, qu'il pourrait y avoir une communication cosmique.

— Transmise comment ?

— Par voie mentale. Lui, ne devrait même pas s'en apercevoir. Il croirait qu'il écrit en suivant son inspiration : et au contraire ce serait un message venu de l'espace sur les ondes captées par son cerveau qui s'infiltrerait dans ce qu'il écrit.

— Et vous, vous réussirez à décoder le message ?

Ils ne m'ont pas répondu.

196

En pensant que l'attente interplanétaire de ces jeunes gens sera déçue, j'éprouve un certain regret. Au fond, je pourrais très bien glisser dans mon livre quelque chose qui leur apparaîtrait envelopper la révélation d'une vérité cosmique. Pour l'heure, je n'ai pas idée de ce que je pourrais inventer, mais si je me mets à écrire, une idée me viendra.

Et si c'était bien comme ils disent ? Et si je croyais être en train de faire semblant, alors que ce que j'écris me serait véritablement dicté d'outre-terre ?

J'ai beau attendre une révélation des espaces sidéraux : mon roman n'avance pas. Si, d'un moment à l'autre, je me remettais à remplir page sur page, ce serait le signe que la galaxie achemine vers moi ses messages.

Mais la seule chose que j'arrive à écrire, c'est ce journal : la contemplation d'une jeune femme qui lit un livre que je ne connais pas. Le message extra-terrestre serait-il contenu, alors, dans mon journal ? Ou dans son livre ?

J'ai reçu la visite d'une jeune fille qui fait une thèse sur mes romans, pour un séminaire d'études universitaires très important. Je vois que mon œuvre lui est parfaitement utile pour appuyer ses théories, et c'est certainement un fait positif : pour mes romans ou pour ses théories, je ne sais. A travers ses propos circonstanciés, je me suis fait l'idée d'un travail sérieusement mené : mais vus par ses yeux, mes romans me deviennent méconnaissables. Je ne mets pas en doute que cette Lotaria (c'est son nom) les ait lus consciencieusement, mais je crois qu'elle ne les a lus que pour y trouver ce dont elle était convaincue avant de les lire.

J'ai essayé de le lui dire. Elle a répliqué avec un peu d'irritation :

— Et alors ? Vous voudriez que je ne lise dans vos livres que ce dont, vous, vous êtes convaincu ?

J'ai répondu :

— Ce n'est pas cela. J'attends des lecteurs qu'ils lisent dans mes livres quelque chose que je ne savais pas ; mais je ne peux l'attendre que de ceux qui attendent de lire quelque chose qu'eux, à leur tour, ne savaient pas.

(Par bonheur, je peux regarder à l'aide de ma longue-vue l'autre femme, celle qui lit, et me convaincre que tous les lecteurs ne font pas comme cette Lotaria.)

— Ce que vous voulez, c'est une façon de lire passive : pure évasion et régression, m'a lancé Lotaria. Ma sœur lit comme cela. C'est en la voyant dévorer les romans de Silas Flannery l'un après l'autre sans se poser de problèmes, que l'idée m'est venue de les prendre comme sujet de thèse. C'est pour cette raison que j'ai lu vos œuvres, monsieur Flannery, si vous voulez savoir : pour montrer à ma sœur comment on lit un auteur. Même Silas Flannery.

— Merci pour le « même Silas Flannery ». Mais pourquoi n'êtes-vous pas venue avec votre sœur ?

— Ludmilla soutient que les auteurs, il vaut mieux ne pas les connaître, parce que leur personne réelle ne correspond jamais à l'image qu'on se fait en les lisant.

Je crois que ce pourrait bien être ma lectrice idéale, cette Ludmilla.

Hier soir, en entrant dans mon bureau, j'ai vu l'ombre d'un inconnu s'enfuir par la fenêtre. Je me suis lancé à sa poursuite, mais j'ai perdu sa trace. Il me semble souvent sentir que des gens sont cachés dans les buissons autour de chez moi, la nuit surtout.

Bien que je sorte le moins possible de chez moi, j'ai l'impression que quelqu'un touche à mes papiers. Plus d'une fois, j'ai découvert que des pages avaient disparu de mes manuscrits. Quelques jours plus tard, je retrouvais les feuilles à leur place. Mais il m'arrive souvent de ne plus reconnaître mes manuscrits, comme si j'avais oublié ce que j'ai écrit, ou comme si d'un jour à l'autre j'avais moi-même changé au point de ne plus me reconnaître dans mon moi de la veille.

J'ai demandé à Lotaria si elle avait déjà lu quelques-uns des livres de moi que je lui avais prêtés. Elle m'a répondu que non ; et pourquoi ? parce qu'ici elle n'a pas d'ordinateur à sa disposition.

Elle m'a expliqué qu'un ordinateur dûment programmé peut lire un roman en quelques minutes et dresser la liste de tous les vocables contenus dans le texte, par ordre de fréquence.

« Je dispose ainsi tout de suite d'une lecture complètement achevée, m'a-t-elle dit, c'est une économie de temps inestimable. Qu'est-ce en effet que la lecture d'un texte, sinon l'enregistrement de certaines récurrences thématiques, de certaines insistances dans les formes et les significations ? La lecture électronique me fournit une liste des fréquences qu'il me suffit de parcourir pour me faire une idée des problèmes que le livre pose à une étude critique. Naturellement, dans les fréquences les plus élevées, il y a des listes d'articles, de pronoms, de particules ; mais ce n'est pas là-dessus que mon attention s'attarde. Je vais directement aux mots les plus riches de sens, à ceux qui peuvent me donner du livre une image précise, au moins relativement.

Lotaria m'a apporté quelques romans transcrits électroniquement sous forme de listes de vocables rangées par ordre de fréquence.

« Dans un roman qui comporte entre cinquante mille et cent mille mots, expliquait-elle, je vous conseille de vous arrêter d'abord aux vocables qui reviennent une vingtaine de fois. Regardez ici. Mots qui reviennent dix-neuf fois :
> araignée, aussitôt, ceinturon, commandant, dents, ensemble, fais, répond, sang, sentinelle, ta, tire, t', vie, vu...

« Mots qui reviennent dix-huit fois :
> assez, beau, béret, ces, français, garçons, jusqu'à ce que, manger, mort, nouveau, passe, pommes de terre, point, soir, vais, vient...

« Est-ce que vous ne voyez pas déjà clairement ce dont il s'agit ? Il n'est pas douteux que c'est un roman de guerre, tout en action, à l'écriture sèche, avec une certaine charge de violence. Une narration toute en surface à ce qu'il apparaît ; mais pour s'en assurer, il est toujours bon de faire un sondage dans la liste des mots qui ne reviennent qu'une fois, et ne sont pas pour cela moins importants. Cette séquence, par exemple :

> soumettre, soupente, sous-bois, sous-main, sous-vête-
> ments, sous-sol, soustraire, souterrain, souterrains,
> soutane...

« Eh bien non, ce n'est pas un livre tout en surface, comme il semblait d'abord. Il doit y avoir là quelque chose de caché ; je pourrai donc orienter mes recherches dans ce sens.

Lotaria me montre une autre série de listes.

« Là, c'est un roman très différent. Cela se voit tout de suite. Regardez les mots qui reviennent une cinquantaine de fois :

> eu, mari, peu, Richard, son (51), a, chose, devant,
> été, gare, répond (48), à peine, chambre, fois, Mario,
> quelque, tous (47), alla, dont, matin, paraissait (46),
> devait (45), écoute, eût, fin, main (43), années,
> Cecina, Delia, es, fille, main, soir (42), fenêtre,
> homme, pouvait, presque, revint seule (41), moi,
> voulait (40), vie (39)...

« Qu'est-ce que vous en pensez ? Une narration intimiste, des sentiments subtils, à peine dessinés, un cadre modeste, la vie de tous les jours, en province... Comme contre-épreuve, prélevons un échantillon des mots qui ne reviennent qu'une fois :

> influence, informe, infortune, inhumain, ingénu, ingé-
> nieur, ingénieux, ingérence, ingestion, ingratitude,
> injure, injustice, injection...

« Et ainsi de suite. Nous avons déjà compris l'atmosphère, les états d'âme, le cadre social... Nous pouvons passer à un troisième livre :

> allai, argent, chapeau, compte, corps, Dieu, fois,

selon, surtout (39), être, farine, pluie, prévues, quelqu'un, raison, soir, vin, Vincenzo (38), doux, donc,
œuf, jambes, mort, siennes, vert (36), nous aurons,
bah, blanc, chef, est, étoffes, font, journée, même,
noirs, poitrine, restas (35)...

« Ici, je dirais que nous sommes devant une histoire
concrète de chair et de sang, un peu brutale, avec une
sensualité directe, sans raffinements, un érotisme populaire.
Passons alors à la liste des mots de fréquence 1 :

faussaire, fausse, faussement, fausseté, faute, fauter,
fauteur, fautif, fautivement, faux, faux-fuyant, faux-
semblant [1]...

« Vous avez vu ? Il y a là bel et bien un sentiment de
culpabilité ! Un indice précieux : l'enquête critique peut partir
de là, proposer ses hypothèses de travail... Qu'est-ce que je
vous disais ! Ce n'est pas une méthode rapide et efficace ?

L'idée que Lotaria lit mes livres de cette manière me pose
des problèmes. Maintenant, chaque fois que j'écris un mot, je
le vois aussitôt soumis à la centrifugeuse du cerveau électronique, rangé ensuite dans le classement par fréquence à côté
d'autres mots — lesquels ? je n'en ai pas idée —, je me
demande combien de fois je l'ai utilisé, je sens la responsabilité de l'écriture peser de tout son poids sur ces syllabes
isolées, j'essaie de m'imaginer les conclusions qu'on pourra
tirer du fait que j'ai utilisé ce mot-ci une fois ou cinquante.
Peut-être vaudrait-il mieux l'effacer... Mais quel que soit le
mot que je cherche à lui substituer, il ne me semble pas
résister à l'épreuve... Peut-être qu'au lieu d'écrire un livre, je
pourrais dresser des listes de mots par ordre alphabétique,
une cascade de mots isolés où s'exprimerait la vérité que je ne

1. D'après les listes de *Spogli elettronici dell'italiano letterario contempora-
neo*, par Mario Alinei, ed, Il Mulino, Bologne, 1973 — trois volumes
consacrés à trois romans de trois auteurs.

connais pas encore, et à partir desquels l'ordinateur, en retournant son programme, obtiendrait un livre : mon livre.

La sœur de cette fameuse Lotaria qui fait une thèse sur moi est venue me voir sans même annoncer sa visite, comme si elle passait ici par hasard.

— Je suis Ludmilla. J'ai lu tous vos romans.

Sachant qu'elle ne veut pas connaître les auteurs en personne, j'étais étonné de la voir. Elle dit que sa sœur a toujours une vision partielle des choses ; et c'est en particulier pour cela que, Lotaria lui ayant parlé de nos rencontres, elle a voulu se livrer à une vérification *de visu,* comme pour s'assurer de mon existence ; d'autant que je corresponds à ce qui est pour elle le modèle de l'écrivain.

Ce modèle idéal est — pour employer ses propres termes — celui d'un auteur qui fait des livres « comme un pommier fait des pommes ». Elle a usé d'autres métaphores encore, toutes de processus naturels qui suivent imperturbablement leur cours : le vent qui remodèle les montagnes, les sédiments des marées, les cercles annuels dans le bois ; mais c'étaient là des métaphores de la création littéraire en général, tandis que l'image du pommier se référait directement à moi.

— C'est à votre sœur que vous en avez ? lui ai-je demandé, en percevant dans sa voix l'intonation polémique de quelqu'un qui a l'habitude de soutenir contre autrui ses opinions.

— Non, contre quelqu'un d'autre que vous connaissez aussi, a-t-elle répondu.

Je n'ai pas eu beaucoup de mal à faire apparaître les dessous de cette visite. Ludmilla est l'amie ou l'ex-amie de Marana, le traducteur, pour qui la littérature a d'autant plus de valeur qu'elle consiste en dispositifs ingénieux, tout un ensemble d'engrenages, trucs et attrapes.

— Et moi, selon vous, je n'en fais pas autant ?

— J'ai toujours pensé que vous écriviez comme ces animaux qui creusent des tanières, construisent des fourmilières ou des ruches.

202

— Je ne suis pas sûr, ai-je répliqué, que ce que vous dites soit très flatteur pour moi. Enfin, voilà, vous me voyez, j'espère que vous ne serez pas trop déçue. Est-ce que je corresponds à l'image que vous vous étiez faite de Silas Flannery ?

— Je ne suis pas déçue, au contraire. Mais ce n'est pas parce que vous correspondez à une image : vous êtes une personne absolument quelconque, ainsi que je m'y attendais, justement.

— Mes romans vous donnent l'idée d'une personne quelconque ?

— Non, voyez-vous... Les romans de Silas Flannery sont quelque chose de si caractérisé... on a l'impression qu'ils étaient déjà là avant, avant que vous ne les écriviez, dans tous leurs détails... On a l'impression qu'ils passent à travers vous, qu'ils se servent de vous qui savez écrire, parce que, pour les écrire, il faut bien qu'il y ait quelqu'un... Je voudrais pouvoir vous observer pendant que vous écrivez : pour vérifier si c'est bien ça...

Je ressens un élancement douloureux. Pour cette femme, je ne suis rien d'autre qu'une énergie graphique impersonnelle, toujours prête à faire passer de l'inexprimé à l'écriture un monde imaginaire qui existe indépendamment de moi. Pourvu qu'elle ne vienne pas à apprendre qu'il ne me reste plus rien de ce qu'elle croyait : ni l'énergie expressive ni quoi que ce soit à exprimer.

— Qu'est-ce que vous croyez pouvoir observer ? Je n'arrive plus à écrire dès que quelqu'un me regarde...

Et elle de m'expliquer qu'elle croit avoir compris que la vérité de la littérature consiste dans la seule matérialité de l'acte, l'acte physique d'écrire.

« L'acte physique... », ces mots se mettent à me tourner dans la tête, ils s'associent à des images que j'essaie vainement d'écarter.

Je bafouille :

« L'existence physique... eh oui, voilà, je suis ici, je suis un homme qui existe, un homme qui est là en face de vous, de votre présence physique...

Là-dessus, une violente jalousie m'envahit : jaloux non pas des autres, mais de ce moi d'encre, de points et de virgules, qui a écrit les romans que je n'écrirai plus, de l'auteur qui continue à pénétrer dans l'intimité de cette jeune femme, alors que moi, le moi d'ici et de maintenant, avec mon énergie physique que je sens tellement plus assurée que mon élan créateur, je suis séparé d'elle par la distance immense d'un clavier de machine à écrire et d'une feuille blanche sur le chariot.

« La communication peut s'établir à différents niveaux...

C'est ce que j'essaie de lui expliquer en approchant d'elle avec des mouvements, j'en conviens, un peu précipités ; le fait est que dans mon esprit les images visuelles et tactiles tourbillonnent et me poussent à rejeter toute distance comme tous délais.

Ludmilla se débat, se libère :

— Mais qu'est-ce que vous faites, Mister Flannery ? Il ne s'agit pas de cela ! Vous vous trompez !

J'aurais sans doute pu m'y prendre avec un peu plus de style, mais il est trop tard maintenant pour y remédier, il ne me reste plus qu'à jouer le tout pour le tout ; je continue à la poursuivre autour de la table, en proférant des phrases dont je reconnais l'ineptie, dans le genre :

— Vous me trouvez peut-être trop vieux, mais...

— Nous sommes en pleine équivoque, Mister Flannery.

Ludmilla s'est arrêtée, interposant entre elle et moi la masse du dictionnaire universel Webster.

« Je pourrais très bien faire l'amour avec vous ; vous êtes un monsieur gentil et d'aspect agréable. Mais qu'est-ce que cela viendrait faire dans le problème dont nous étions en train de discuter ? Qu'est-ce que cela aurait à voir avec Silas Flannery l'auteur, celui dont je lis les romans ?... Comme je vous l'expliquais, vous êtes deux personnes distinctes et qui ne peuvent interférer... Je ne doute pas que vous ne soyez concrètement Silas Flannery et non un autre, quoique je vous trouve très semblable à beaucoup d'hommes que j'ai connus ; mais celui qui m'intéressait, c'était l'autre, le Silas Flannery qui existe dans les œuvres de Silas Flannery, indépendamment de vous qui vous trouvez ici...

J'essuie mon front en sueur. Je m'assieds. Quelque chose en moi vacille : peut-être le moi ; peut-être le contenu du moi. N'est-ce pas pourtant ce que je voulais ? N'est-ce pas justement la dépersonnalisation que je cherchais ?

Peut-être Marana et Ludmilla sont-ils venus me dire la même chose : mais je ne comprends pas s'il s'agit d'une libération ou d'une condamnation. Et pourquoi est-ce justement moi qu'ils viennent trouver, au moment où je me sens le plus enchaîné à moi-même, comme enfermé dans ma prison ?

A peine Ludmilla est-elle sortie que je me suis précipité sur ma longue-vue, pour trouver un réconfort dans la contemplation de la femme à la chaise longue. Elle n'était pas là. Un soupçon m'est venu : et si c'était elle qui me quittait à l'instant ? Peut-être est-ce elle, et rien qu'elle, qu'on trouverait à l'origine de tous mes problèmes. Ou peut-être y a-t-il un complot pour m'empêcher d'écrire, dont ils font tous partie, Ludmilla, sa sœur et le traducteur.

« Les romans qui m'attirent le plus, m'a dit Ludmilla, ce sont ceux qui créent une illusion de transparence autour d'un nœud de rapports humains qui en lui-même est ce qu'on peut rencontrer de plus obscur, cruel et pervers.

Je ne sais pas si elle l'a dit pour m'expliquer ce qui l'attire dans mes romans, ou ce qu'elle voudrait y trouver et n'y trouve pas.

L'insatisfaction me paraît la caractéristique de Ludmilla : il me semble que, d'un jour à l'autre, ses préférences changent, et que celles d'aujourd'hui répondent à sa seule inquiétude. (Mais en revenant me voir, elle semblait avoir oublié tout ce qui était arrivé hier.)

— Je peux observer à la longue-vue une femme qui lit sur une terrasse, au fond de la vallée, lui ai-je alors raconté. Je me demande si les livres qu'elle lit sont tranquillisants ou inquiétants.

— Comment la femme semble-t-elle ? Tranquille ou inquiète ?

— Tranquille.

— Alors, c'est qu'elle lit des livres inquiétants.

J'ai raconté à Ludmilla les idées étranges qui me viennent au sujet de mes manuscrits : qu'ils disparaissent, reparaissent, ne sont plus les mêmes. Elle m'a recommandé de faire attention : il existe un complot d'apocryphes qui étend des ramifications partout. J'ai demandé si son ex-ami, par hasard, ne serait pas à la tête de l'entreprise.

« Les complots échappent toujours à leurs chefs, a-t-elle répondu, évasivement.

Apocryphe (du grec *apokryphos* : caché, secret) : 1) se disait à l'origne des « livres secrets » des sectes religieuses ; s'est dit ensuite des textes non reconnus comme canoniques par les religions qui ont établi un canon de leurs écritures révélées ; 2) se dit d'un texte faussement attribué à une époque ou à un auteur.

Voilà ce qu'on trouve dans les dictionnaires. Peut-être ma véritable vocation était-elle celle d'un auteur d'apocryphes, dans tous les sens du terme : parce qu'écrire, c'est toujours cacher quelque chose de façon qu'ensuite on le découvre ; parce que la vérité qui peut sortir de ma plume est comme un éclat arraché à une pierre par un choc violent, et projeté loin ; parce qu'il n'y a pas de certitude hors de la falsification.

Je voudrais retrouver Hermès Marana pour lui proposer de nous associer et d'inonder le monde d'apocryphes. Mais où se trouve Marana, aujourd'hui ? Est-il retourné au Japon ? Je cherche à faire parler de lui Ludmilla, en espérant qu'elle me fournira quelque renseignement précis. Selon elle, le faussaire a besoin de se cacher, pour exercer son activité, dans une de ces contrées où les romanciers sont nombreux et féconds : comment mieux camoufler ses manipulations qu'en les mêlant à une production exubérante de matière authentique ?

— Alors il est retourné au Japon ?

Mais Ludmilla semble ignorer toute espèce de connexion entre le Japon et notre homme. C'est dans une autre partie du globe qu'elle situe la base secrète des machinations du traducteur véreux. Si l'on s'en tient à ses derniers messages, les traces d'Hermès se perdraient du côté de la cordillère des Andes. Du reste, une seule chose préoccupe Ludmilla : qu'il demeure loin d'elle. C'est pour lui échapper qu'elle s'était réfugiée dans ces montagnes ; maintenant qu'elle est sûre de ne pas le rencontrer, elle peut rentrer en ville.

« Tu veux dire que tu es sur le point de partir ?

— Demain matin, annonce-t-elle.

La nouvelle me plonge dans une grande tristesse. Tout d'un coup, je me sens seul.

J'ai de nouveau parlé avec les observateurs de soucoupes volantes. Cette fois, c'est eux qui sont venus me trouver, histoire de savoir si par hasard j'avais enfin écrit le livre que devaient me dicter les extra-terrestres.

— Non, mais je sais où on peut le trouver, leur ai-je répondu en m'approchant de la longue-vue.

Depuis quelque temps, l'idée m'était venue que le livre interplanétaire pourrait bien être celui que la femme à la chaise longue lisait.

Elle n'était pas sur sa terrasse habituelle. Déçu, je promenais ma longue-vue sur la vallée, tout alentour, lorsque j'ai aperçu, assis sur un rocher, un homme en habits de ville, plongé dans la lecture. La coïncidence était si grande que je ne fus pas loin de songer à une intervention extra-terrestre.

« Et voici le livre que vous cherchez, ai-je annoncé aux jeunes gens, en leur présentant ma longue-vue pointée sur l'inconnu.

L'un après l'autre, ils ont approché l'œil de la lunette ; puis ils se sont regardés entre eux, m'ont remercié, et sont sortis.

Un Lecteur est venu me voir, pour me soumettre un problème qui le préoccupe : il a trouvé deux exemplaires d'un de mes livres, *Dans un réseau de lignes* etc., extérieurement identiques mais contenant deux romans différents. L'un est l'histoire d'un professeur qui ne supporte pas la sonnerie du téléphone, l'autre celle d'un milliardaire qui fait collection de kaléidoscopes. Il ne pouvait malheureusement pas m'en dire davantage, ni me montrer les volumes, parce qu'ils lui avaient été volés tous les deux avant qu'il n'ait pu les finir : le second, à moins d'un kilomètre d'ici.

Il était encore tout bouleversé par cet étrange épisode. A ce qu'il m'a raconté, il voulait, avant de se présenter à mon domicile, s'assurer que j'étais bien chez moi, et en même temps aller un peu plus loin dans la lecture du roman, pour pouvoir m'en parler en connaissance de cause ; il s'était donc assis avec son livre sur un rocher d'où il pouvait garder un œil sur mon chalet. A un moment donné, il s'était vu entouré d'une troupe de déments qui s'étaient jetés sur sa lecture. Les forcenés avaient improvisé autour du livre une espèce de rite, l'un des leurs le tenant en l'air tandis que les autres le contemplaient avec une profonde dévotion. Sans écouter ses protestations, ils s'étaient éloignés en courant dans le bois, emportant avec eux le volume.

« Ces vallées regorgent de types étranges, ai-je dit pour essayer de le tranquilliser. Ne pensez plus à ce livre, monsieur ; vous n'avez rien perdu d'important : c'était un faux, *made in Japan*. Pour exploiter frauduleusement le succès que mes romans remportent de par le monde, une entreprise japonaise diffuse sans scrupules des livres dont la couverture porte mon nom, mais qui sont en réalité des plagiats de romans nippons peu connus ; des romans qui, n'ayant pas eu de succès, ont fini au pilon. Après beaucoup de recherches, j'ai fini par découvrir l'escroquerie dont sont victimes les auteurs plagiés aussi bien que moi.

— A vrai dire, le roman que j'étais en train de lire ne me déplaisait pas du tout, confesse le Lecteur, et je regrette de n'avoir pas pu suivre l'histoire jusqu'à sa fin.

— Si ce n'est que cela, je peux vous en révéler la source : il s'agit d'un roman japonais, sommairement adapté par l'attribution de noms occidentaux aux personnages et aux lieux : *Sur le tapis de feuilles éclairées par la lune,* de Takakumi Ikoka, un auteur du reste des plus respectables. Je puis vous en donner une traduction anglaise : cela vous dédommagera de la perte subie.

J'ai pris le volume, qui se trouvait sur ma table, et je le lui ai donné, après l'avoir placé dans une enveloppe pour qu'il ne soit pas tenté de le feuilleter et qu'il ne se rende pas tout de suite compte qu'il n'a en réalité rien de commun avec *Dans un réseau de lignes entrecroisées* ni avec aucun autre de mes romans, tant apocryphes qu'authentiques.

— Qu'il y eût de faux Flannery en circulation, je le savais, m'a dit le Lecteur, et j'étais déjà sûr que, de ces deux-là, un était faux. Mais qu'est-ce que vous savez de l'autre ?

Il n'était peut-être pas prudent de continuer à mettre cet homme au courant de mes problèmes ; j'essayai de m'en tirer par une boutade.

— Les seuls livres que je reconnaisse comme miens sont ceux qui me restent à écrire.

Le lecteur m'a gratifié d'un petit sourire condescendant, puis il est redevenu sérieux :

— Mister Flannery, je sais ce qu'il y a derrière toute cette histoire : ce ne sont pas les Japonais ; c'est un dénommé Hermès Marana qui a monté l'affaire par jalousie : parce qu'il était jaloux d'une jeune femme que vous connaissez bien, Ludmilla Vipiteno.

— Pourquoi êtes-vous venu me voir, alors ? Allez donc trouver ce monsieur, et demandez-lui ce qu'il en est.

Le soupçon m'était venu qu'il existe un lien entre le Lecteur et Ludmilla et cela avait suffi pour que ma voix se teinte d'hostilité.

— Il ne me reste rien d'autre à faire, a reconnu le Lecteur. J'ai justement l'occasion d'entreprendre un voyage de travail dans les régions où il se trouve : en Amérique du Sud ; j'en profiterai pour me mettre à sa recherche.

Je ne tenais pas à lui faire savoir qu'Hermès Marana, autant que je sache, travaille pour les Japonais et qu'il a au Japon la centrale de ses apocryphes. L'important est, pour moi, que cet importun se tienne le plus loin possible de Ludmilla : je l'ai donc encouragé à faire ce voyage et à entreprendre les recherches les plus minutieuses jusqu'à ce qu'il ait mis la main sur le traducteur fantôme.

Le Lecteur est hanté par des coïncidences mystérieuses. Il m'a raconté qu'il lui arrive depuis quelque temps, pour les raisons les plus variées, de devoir interrompre au bout de quelques pages la lecture des romans.

— Peut-être vous ennuient-ils, ai-je dit, porté comme d'ordinaire au pessimisme.

— Au contraire : je me vois contraint d'interrompre ma lecture juste au moment où elle devenait passionnante. J'ai hâte de la reprendre, et puis quand je veux rouvrir le livre commencé, je me retrouve devant un livre complètement différent.

— ... qui est très ennuyeux, lui..., insinué-je.

— Mais non, encore plus passionnant. Seulement celui-là non plus, je n'arrive pas à le terminer. Et ainsi de suite.

— Votre cas me donne encore de l'espoir, ai-je remarqué. Il m'arrive de plus en plus souvent, à moi, d'ouvrir un livre qui vient de paraître et de me retrouver en train de lire un livre que j'ai déjà lu une centaine de fois.

J'ai réfléchi à ma dernière conversation avec ce Lecteur. Peut-être est-ce l'intensité de sa lecture qui aspire toute la substance du roman dès son début, si bien qu'il ne reste rien pour la suite. C'est ce qui m'arrive, à moi, quand j'écris : depuis quelque temps, chacun des romans que je me mets à écrire s'épuise un peu après son début : comme si j'avais déjà dit tout ce que j'avais à dire.

L'idée m'est venue d'écrire un roman tout entier fait de débuts de romans. Le protagoniste pourrait en être un Lecteur qui se trouve sans cesse interrompu. Le Lecteur achète le nouveau roman A de l'auteur Z. Mais l'exemplaire est défectueux, et ne contient que le début... Le Lecteur retourne à la librairie pour échanger son exemplaire...

Je pourrais l'écrire tout entier à la seconde personne : toi, Lecteur... Je pourrais aussi faire intervenir une Lectrice, un traducteur faussaire, un vieil écrivain qui tient un journal comme celui-ci...

Mais je ne voudrais pas que, pour échapper au Faussaire, la Lectrice finisse entre les bras du Lecteur. Je ferai en sorte que le Lecteur parte sur les traces du Faussaire, lequel se cache en un pays très éloigné ; de la sorte, l'Écrivain pourra rester seul avec la Lectrice.

Seulement, privé d'un personnage féminin, le voyage du Lecteur perdrait de son charme : il faudra qu'il rencontre sur sa route une autre femme. La Lectrice pourrait avoir une sœur...

Il semble bien qu'effectivement le Lecteur soit sur le point de partir. Il emportera avec lui *Sur le tapis de feuilles éclairées par la lune* de Takakumi Ikoka : pour lire en voyage.

Sur le tapis de feuilles éclairées par la lune.

Les feuilles du ginkgo tombaient des branches comme pluie menue, et mouchetaient de jaune le pré. Je marchais en compagnie de M. Okeda sur le sentier de pierres lisses. Je lui expliquai que j'aurais voulu isoler la perception de chaque feuille de ginkgo de la perception de toutes les autres, mais me demandais si c'était seulement possible. C'était possible, répondit M. Okeda. Voici les prémisses dont je partais, et que M. Okeda trouvait fondées. S'il tombe de l'arbre de ginkgo une seule petite feuille jaune, qui vient se poser sur le pré, la sensation qu'on éprouve à la regarder est celle que donne une seule et unique petite feuille jaune. Si ce sont deux petites feuilles qui se détachent de l'arbre, l'œil les suit et voit les deux petites feuilles voltiger dans l'air, se rapprocher, s'éloigner comme deux papillons qui se poursuivent, pour se poser enfin doucement sur l'herbe, l'une ici, l'autre là. Même chose avec trois, quatre et jusqu'à cinq feuilles ; si le nombre des feuilles voltigeant dans l'air augmente encore, les sensations correspondant à chacune s'ajoutent entre elles et donnent lieu à une sensation complexe : quelque chose comme celle d'une pluie silencieuse, et — pour peu qu'un léger souffle de vent ralentisse leur descente — d'un vol d'ailes suspendu dans l'air, et puis un semis de petites taches lumineuses, quand le regard s'abaisse sur le pré. Or, moi, j'aurais voulu, sans rien perdre de ces agréables sensations complexes, maintenir distincte, sans la confondre avec les autres, l'image singulière de chaque feuille, depuis le moment où elle entre dans notre champ visuel, et la suivre tandis qu'elle danse dans l'air puis se pose

213

sur les brins d'herbe. L'approbation de M. Okeda m'encourageait à persévérer dans cette expérience. Peut-être — ajoutai-je, en contemplant la forme des feuilles de ginkgo : un petit éventail jaune aux bords festonnés —, peut-être pourrais-je même arriver à conserver distincte, dans la sensation de chaque feuille, la sensation de chaque lobe de feuille. Sur ce point, M. Okeda ne se prononça pas ; d'autres fois déjà, son silence m'avait averti de ne pas me laisser aller à des conjectures précipitées et de ne pas franchir les étapes sans les soumettre à vérification. Faisant mon profit de la leçon, je commençai à concentrer mon attention afin de saisir les sensations les plus menues au moment même où elles se dessinent, quand leur netteté ne s'est pas encore fondue dans un faisceau diffus d'impressions.

Makiko, la plus jeune fille de M. Okeda, vint nous servir le thé, avec des mouvements réservés et une grâce encore un peu infantile. Comme elle s'inclinait, je vis sur sa nuque, restée à découvert en dessous des cheveux relevés, un fin duvet noir qui semblait se poursuivre le long de l'échine. Je concentrais mon attention dans ce regard, lorsque je sentis sur moi la pupille immobile de M. Okeda qui m'observait. Il avait sûrement compris que j'étais en train d'exercer sur la nuque de sa fille ma capacité à isoler des sensations. Je ne détournai pas le regard, soit que l'impression causée par la vue de ce duvet tendre sur la peau claire se fût emparée de moi de façon impérieuse, soit parce que M. Okeda, à qui il eût été facile d'attirer ailleurs mon attention par une phrase quelconque, ne le fit pas. Au reste, Makiko eut rapidement fait de servir le thé et se releva. Je fixai un grain de beauté qu'elle avait au-dessus de la lèvre, à gauche, et qui me restitua quelque chose de la sensation précédente, mais en plus faible. Makiko me regarda, légèrement troublée, puis baissa les yeux.

Durant l'après-midi, il y eut un moment que je n'oublierai pas facilement, bien que je sois conscient qu'à le raconter, il semble fort peu de chose. Nous nous promenions sur la rive de la pièce d'eau du nord, en compagnie de Mme Miyagi et de Mikako. M. Okeda marchait seul, en avant, s'appuyant sur un long bâton d'érable blanc. Au milieu du bassin s'ouvraient deux fleurs charnues de nénuphar d'automne, et Mlle Miyagi exprima le désir de les cueillir : une pour elle, l'autre pour sa fille. Mme Miyagi avait son éternel air sombre et las, mais avec ce fond d'obstination sévère qui me faisait soupçonner que, dans la longue histoire de ses mauvais rapports avec son mari, qui faisait beaucoup jaser, son rôle n'était pas toujours celui de la victime : en vérité, entre le détachement glacé de M. Okeda et la détermination obstinée de son épouse, je ne sais qui finissait par l'emporter. Quant à Makiko, elle avait toujours cet air à la fois distrait et moqueur que les enfants qui ont grandi au milieu d'âpres conflits familiaux opposent au climat régnant comme une défense, un air qu'elle avait gardé en grandissant et opposait à présent au monde des étrangers, comme réfugiée derrière l'écran d'une gaieté acerbe et fuyante.

M'agenouillant sur une pierre de la rive, je me penchai jusqu'à atteindre le rameau le plus proche du nénuphar flottant, et je le tirai vers moi délicatement, en prenant bien garde de ne pas le casser, pour faire glisser toute la plante vers la rive. Mme Miyagi et sa fille s'agenouillèrent à leur tour et tendirent leurs mains vers l'eau, prêtes à saisir les fleurs quand elles seraient arrivées à la bonne distance. Le bord du bassin était bas et en pente ; pour se pencher sans trop d'imprudence, les deux femmes se tenaient derrière mon dos, tendant le bras, l'une d'un côté, l'autre de l'autre. A un moment, je perçus un contact en un point précis, entre bras et dos, à hauteur des premières côtes ; et même, deux contacts différents : l'un à gauche et l'autre à droite. Du côté de Mlle Makiko, c'était une pointe tendue et comme palpitante ; du côté de Mme Miyagi, une pression insinuante, qui glissait sur moi. Je compris que, par un hasard rare et charmant, j'étais effleuré dans le même instant par le mamelon gauche de la fille et par le mamelon droit de la mère, et que je devais rassembler toutes mes forces pour ne rien perdre de ce bienheureux contact : apprécier les deux sensations simultanées sans les confondre, en confrontant ce qu'elles me suggéraient.

— Ecartez les feuilles, conseilla M. Okeda, et la tige des fleurs se pliera vers vos mains.

Il était debout au-dessus de notre groupe penché vers les nénuphars. Il tenait dans sa main son long bâton avec lequel il lui eût été facile d'amener à la rive la plante aquatique ; or il se borna à conseiller aux deux femmes le mouvement qui prolongeait la pression de leurs corps sur le mien.

Les deux nénuphars avaient presque atteint les mains de Miyagi et de Makiko. Je calculai en hâte qu'au moment de l'ultime secousse, je pourrais, en soulevant le coude droit et en le ramenant brusquement contre moi, serrer tout entière sous mon aisselle la mamelle si petite et si dure de Makiko. Mais le triomphe qui suivit la capture des nénuphars dérangea l'ordre de nos mouvements : mon bras droit se referma sur le vide, tandis que ma main gauche, revenant en arrière après avoir lâché le rameau, rencontra le giron de Mme Miyagi qui semblait tout disposé à l'accueillir et même à la retenir avec un frémissement docile qui se communiqua à toute ma personne. En cet instant, se joua quelque chose qui devait avoir par la suite des conséquences incalculables, comme je le dirai plus tard.

En passant de nouveau sous le ginkgo, je fis remarquer à M. Okeda que, dans la contemplation de la pluie de feuilles, le fait fondamental n'était pas tant la perception de chaque feuille que la distance entre une feuille et l'autre, l'air vide qui les séparait. Ce que je croyais avoir compris, c'était cela : l'absence de sensations dans une grande partie du champ perceptif est la condition nécessaire pour que la sensibilité se concentre, spatialement et temporellement ; tout de même qu'en musique, le silence de fond est nécessaire pour que les notes puissent se détacher sur lui.

M. Okeda remarqua que cela, sans nul doute, était vrai dans le domaine des sensations tactiles : réponse dont je restai tout étonné ; n'était-ce pas effectivement au double contact des corps de sa fille et de sa femme que j'étais en train de penser, en lui communiquant mes observations sur les feuilles ? M. Okeda continua de parler des sensations tactiles avec le plus grand naturel, comme s'il avait été entendu que mon discours n'avait pas d'autre sujet.

Pour placer la conversation sur un autre terrain, j'essayai une comparaison avec la lecture d'un roman, où une allure de narration très calme, toujours sur le même ton retenu, permet de faire ressortir certaines sensations plus subtiles et précises sur lesquelles on veut attirer l'attention ; mais, dans le cas du roman, il faut tenir compte du fait que, de par la succession des phrases, ne passe qu'une sensation à la fois, simple ou complexe, alors que l'ampleur du champ visuel ou du champ auditif permet d'enregistrer simultanément un ensemble beaucoup plus riche et avec beaucoup plus de complexité. La réceptivité du lecteur, par rapport à l'ensemble de sensations que le roman prétend porter, se trouve être très réduite : en premier lieu, du fait que sa lecture, souvent hâtive et distraite, ne recueille pas, ou néglige, un certain nombre de signaux et d'intentions effectivement contenus dans le texte ; en second lieu, parce qu'il y a toujours quelque chose d'essentiel qui reste en dehors des phrases écrites et, qui plus est, parce que les choses que le roman ne dit pas sont nécessairement plus nombreuses que celles qu'il dit, et que seule la présence d'une sorte de reflet indirect dans ce qui est écrit peut donner l'illusion qu'on lit ce qui n'est en réalité pas écrit. A toutes mes remarques, M. Okeda a opposé le silence, comme il fait toujours quand il m'arrive de trop parler et de ne plus savoir comment me tirer d'un raisonnement trop embrouillé.

Les jours suivants, il m'est arrivé très souvent de me retrouver seul à la maison avec les deux femmes, attendu que M. Okeda avait décidé de faire personnellement les recherches en bibliothèque qui avaient constitué jusque-là ma tâche principale ; il préférait me voir rester dans son bureau, pour mettre en ordre son fichier monumental. J'éprouvais la crainte justifiée que M. Okeda ait eu vent de mes conversations avec le professeur Kawasaki et qu'il ait deviné mon intention de me détacher de son école pour me rapprocher des

217

cercles académiques, plus susceptibles de m'offrir une perspective d'avenir. A coup sûr, rester trop longtemps sous la tutelle intellectuelle de M. Okeda me causait du tort : je le comprenais aux sarcasmes que m'adressaient les assistants du professeur Kawasaki, alors même que ceux-ci n'étaient pas fermés à tout rapport avec les autres tendances, comme mes compagnons de cours. Il n'était pas douteux que M. Okeda voulût me garder chez lui toute la journée pour m'empêcher de prendre mon vol, et freiner l'indépendance de ma pensée, comme il avait fait avec ses autres élèves, lesquels en étaient aujourd'hui réduits à se surveiller mutuellement et à se dénoncer dès qu'ils s'écartaient si peu que ce fût d'une soumission absolue à l'autorité du maître. Il fallait que je me décide au plus vite à prendre congé de M. Okeda ; si je restais, c'était parce que ces matinées passées chez lui en son absence provoquaient chez moi un état d'exaltation mentale fort plaisant, quoique peu profitable au travail.

Le fait est que j'étais souvent distrait de ma tâche ; je cherchais tous les prétextes pour me rendre dans les autres pièces, où j'aurais pu rencontrer Makiko, la surprendre en son intimité dans les différentes situations de sa journée. Mais, le plus souvent, c'est Mme Miyagi que je trouvais sur mon chemin, et je m'entretenais avec elle : d'autant qu'avec la mère les occasions de conversation — et même de plaisanteries malicieuses, encore que teintées souvent d'amertume — se présentaient plus facilement qu'avec la fille.

Le soir, à table, autour d'un sukiyaki bouillant, M. Okeda scrutait nos visages, comme si y avaient été inscrits les secrets de la journée, ce réseau de désirs distincts mais liés entre eux où je me sentais pris et dont je n'aurais pas voulu me libérer sans les avoir satisfaits l'un après l'autre. Je remettais ainsi de semaine en semaine la décision de me séparer de lui et d'un travail peu rémunérateur, sans perspective de carrière ; et je comprenais que le filet qui me retenait, c'était lui, M. Okeda, qui le resserrait autour de moi, maille après maille.

C'était par un automne serein ; comme la pleine lune de novembre approchait, je me trouvai un après-midi à discuter avec Makiko du lieu le plus commode pour observer la lune entre les branches. Je soutenais que, dans la pelouse sous le ginkgo, le reflet renvoyé par le tapis de feuilles mortes doterait la clarté lunaire d'une aura diffuse. Il y avait à ce que je disais une intention bien précise : proposer à Mlle Makiko un rendez-vous sous le ginkgo pour la nuit. La jeune fille répliqua que la pièce d'eau serait plus indiquée : la lune d'automne, quand la saison est froide et sèche, a dans l'eau des contours plus nets que ceux de la lune d'été, toujours entourée de vapeurs.

— D'accord, m'empressai-je de dire ; j'ai hâte de me retrouver avec toi sur la rive au lever de la lune. D'autant, ajoutai-je, que la pièce d'eau réveille dans mon souvenir des sensations bien délicates.

Peut-être qu'en prononçant cette phrase, le contact du sein de Makiko s'était fait présent à ma mémoire avec trop de vivacité : ma voix trahit une excitation qui l'alarma. Le fait est que Makiko fronça les sourcils et resta une minute en silence. Pour dissiper un embarras que je ne voulais pas voir interrompre la rêverie amoureuse à laquelle je m'abandonnais, il m'échappa un mouvement involontaire de la bouche : je desserrais et je serrais les dents comme pour mordre. Instinctivement, Makiko se jeta en arrière avec une expression de douleur soudaine, comme si vraiment elle avait été mordue, et à un endroit sensible. Elle se ressaisit aussitôt et sortit de la pièce. Je m'apprêtai à la suivre.

Mme Miyagi se trouvait dans la pièce voisine, assise par terre sur une natte, occupée à disposer des fleurs et des branches d'automne dans un vase. Avançant comme un somnambule, je la trouvai pelotonnée à mes pieds sans m'en rendre compte et m'arrêtai juste à temps pour ne pas la heurter et renverser ses branches avec mes jambes. Le sursaut de Makiko avait éveillé en moi une soudaine excitation, état qui n'échappa peut-être pas à Mme Miyagi quand mes pas distraits me jetèrent contre elle de la façon que j'ai dite. Quoi qu'il en soit, la dame, sans lever les yeux, agita dans ma direction la fleur de camélia qu'elle disposait dans le vase, comme si elle avait voulu me battre, ou repousser cette partie de moi qui se tendait au-dessus d'elle, ou encore jouer avec elle, la provoquer, l'inciter d'un petit coup de fouet caressant. J'abaissai les mains pour essayer de sauver du désordre la composition de feuilles et de fleurs ; pendant ce temps, penchée en avant, elle faisait aller ses mains entre les rameaux ; et il arriva qu'au même instant, l'une de mes mains s'étant glissée par hasard entre le kimono et la peau nue de la dame Miyagi, se trouva serrer un sein tiède et doux de forme allongée, cependant qu'une des mains de la dame, entre deux branches de keiaki (appelé en Europe : orme du Caucase ; *N.d.T.*), s'était posée sur mon membre qu'elle tenait d'une prise franche et solide, l'ayant sorti de mes vêtements comme pour procéder à l'effeuillage d'un rameau.

Ce qui, dans le sein de Mme Miyagi, suscitait mon intérêt, c'était la couronne de papilles en relief, d'un grain fin et serré, répandues sur la surface d'une aréole d'extension considérable, plus serrées sur les bords mais avec des avant-postes jusque sur la pointe. On pouvait supposer que ces papilles commandaient, chacune, des messages plus ou moins vifs dans la sensibilité de Mme Miyagi : phénomène que je pus aisément vérifier en les soumettant à de légères pressions, les plus localisées possibles, à intervalles d'une seconde environ, et en comparant les réactions directes du sein avec les réactions indirectes affectant le comportement général de la dame, ainsi d'ailleurs que mes propres réactions, attendu qu'il s'était, évidemment, établi une certaine réciprocité entre sa sensibilité et la mienne. Cette délicate reconnaissance tactile, je la menai non seulement par l'intermédiaire de la pointe de mes doigts, mais aussi en conduisant, de la façon la plus opportune, mon membre tout autour de ce sein, en une caresse à la fois rasante et tournante, profitant de ce que la position où nous nous étions rencontrés favorisait le contact de ces zones diversement érogènes de nos corps, et de ce qu'elle semblait apprécier, seconder, et même guider autoritairement les trajets. Il se trouve que ma peau présente elle aussi, le long du membre et spécialement dans la partie protubérante de son extrémité, des points et des passages spécialement sensibles, qui vont de l'extrêmement agréable, à l'agréable, à l'irritant, au douloureux, ainsi que des points et passages atones ou muets. La rencontre fortuite de ces différentes terminaisons sensibles ou hypersensibles de mon côté comme du sien produisait une gamme de réactions variablement assorties, dont l'inventaire promettait d'être passablement laborieux pour tous les deux.

Nous étions absorbés dans ces exercices, quand apparut soudain, dans l'ouverture de la porte coulissante, la figure de Makiko. La jeune fille était manifestement restée à attendre que je la suive, et venait maintenant voir quel obstacle m'avait retenu. Elle le comprit tout de suite et disparut, pas assez vite toutefois pour ne pas me laisser le temps d'apercevoir que quelque chose avait changé dans son habillement : elle avait remplacé son chandail collant par un peignoir de soie qui semblait fait pour ne pas tenir fermé, pour s'ouvrir sous la pression intérieure de ce qui s'y épanouissait, pour glisser sur sa peau au premier assaut d'une avidité de contact qu'un corps si lisse ne pouvait justement manquer de provoquer.

« Makiko ! criai-je.

Voulant lui expliquer (mais je ne savais vraiment par où commencer) que la position où elle m'avait surpris avec sa mère n'était due qu'à un concours fortuit de circonstances qui avait fait dévier sur des chemins de traverse mon désir tourné sans équivoque vers elle, Makiko. Désir que maintenant ce peignoir de soie dérangé, ou en attente de l'être, ravivait et comblait comme une offre explicite, au point qu'entre l'apparition de Makiko devant mes yeux, et le contact de la dame Miyagi sur ma peau, j'étais près de succomber à la volupté.

Mme Miyagi devait bien s'en être aperçue, car s'attachant à mes épaules, elle m'entraîna avec elle sur la natte, et, par quelques rapides secousses de toute sa personne, glissa un sexe humide et préhensile sous le mien qui y fut sans embardée aspiré comme par une ventouse, tandis que ses maigres jambes nues m'enserraient les flancs. Elle était agile et précise, la dame Miyagi : ses pieds chaussés de bas de coton blanc, croisés derrière mon sacrum, me tenaient comme dans un étau.

Le cri que j'avais jeté à Makiko n'était pas resté sans réponse. Derrière le panneau de papier coulissant, se dessina la silhouette de la jeune fille qui s'agenouillait sur la natte, avançait la tête, tendait enfin dans l'encadrement de la porte son visage contracté par une expression haletante, ouvrait la bouche, écarquillait les yeux, pour suivre les mouvements de sa mère et les miens, avec attirance et dégoût. Et elle n'était pas seule : à l'autre bout du corridor, dans l'ouverture d'une autre porte, une figure d'homme se tenait immobile, debout. Je ne sais pas depuis combien de temps M. Okeda était là. Il regardait fixement, non pas sa femme et moi, mais sa fille qui nous regardait. Dans sa pupille froide, dans le pli ferme de ses lèvres, se reflétaient les spasmes de M\ Miyagi reflétés dans le regard de sa fille.

Il vit que je le voyais. Il ne bougea pas. Je compris en cet instant qu'il ne m'interromprait pas, qu'il ne me chasserait pas de chez lui, qu'il ne ferait jamais aucune allusion à cet événement ni à tous ceux qui pourraient encore avoir lieu et se répéter ; je compris aussi que cette connivence ne me donnerait aucun pouvoir sur lui et ne rendrait pas ma soumission moins pesante. C'était un secret qui me liait à lui, mais ne le liait pas à moi : je ne pourrais jamais révéler à personne ce qu'il était en train de contempler sans avouer de ma part une complicité honteuse.

Que pouvais-je faire, désormais ? J'étais destiné à m'enfoncer toujours davantage dans un lacis de malentendus, parce que désormais Makiko me considérait comme un des nombreux amants de sa mère, parce que Miyagi savait que je ne pensais qu'à sa fille, et que toutes les deux me le feraient cruellement payer, tandis que les ragots des cercles universitaires, si rapides à se propager, alimentés par la malignité de mes condisciples toujours prêts à servir, même de cette façon, les calculs du maître, jetteraient une lumière calomnieuse sur mes assiduités chez M. Okeda, me discréditant aux yeux des enseignants sur lesquels je comptais le plus pour changer de situation.

Si tourmenté que je fusse par ces circonstances, je réussissais cependant à me concentrer, et à subdiviser la sensation générale, celle de mon sexe enserré dans le sexe de Mme Miyagi, en sensations parcellaires, fournies par des points particuliers d'elle et de moi, soumis progressivement à la pression qui résultait de mon mouvement coulissant et de ses contractions convulsives. Cette application m'aidait, de surcroît, à prolonger l'état nécessaire à l'observation elle-même, retardant l'accélération finale de la crise par la mise en évidence de moments d'insensibilité ou de sensibilité partielle, lesquels à leur tour ne faisaient que mettre en valeur outre mesure la naissance soudaine de sollicitations voluptueuses, distribuées de manière imprévue dans l'espace comme dans le temps. « Makiko ! Makiko ! » gémissais-je dans l'oreille de Mme Miyagi, associant spasmodiquement ces instants d'hypersensibilité à l'image de sa fille et à la gamme de sensations incomparablement différentes que j'imaginais qu'elle pourrait susciter en moi. Mieux : pour garder le contrôle de mes réactions, je pensais à la description que j'en ferais le soir même à M. Okeda : la pluie des petites feuilles du ginkgo, ce qui la caractérise, c'est le fait qu'à chaque instant chaque feuille qui tombe se trouve à hauteur différente de toutes les autres, de sorte que l'espace vide et insensible où se rangent les sensations visuelles peut être subdivisé en une succession de niveaux à chacun desquels voltige une petite feuille : une et une seule.

IX

Tu attaches ta ceinture. L'avion va atterrir. Voler est tout le contraire d'un voyage : ce que tu franchis est une discontinuité, un espace rompu, tu disparais dans le vide, tu acceptes de n'être en aucun lieu, pour une durée qui forme elle aussi une espèce de vide dans le temps ; puis tu reparais, dans un lieu et en un moment sans rapport avec ceux où et quand tu avais disparu. Pendant ce temps, qu'est-ce que tu fais? Comment occupes-tu ton absence au monde et l'absence du monde à toi ? Tu lis ; d'un aéroport à l'autre, tu ne détaches pas tes yeux d'un livre ; parce qu'au-delà de la page, c'est le vide, l'anonymat des escales aériennes, de cet utérus de métal qui te contient et te nourrit, de la foule passagère toujours différente et toujours égale. Il vaut mieux t'en tenir à cette abstraction d'un parcours qui s'accomplit à travers l'uniformité impersonnelle des caractères typographiques : n'est-ce pas le pouvoir d'évocation des noms qui, ici encore, réussit à te convaincre que tu survoles quelque chose plutôt que rien ? Tu sais qu'il te faut une bonne dose d'inconscience pour te confier à des engins peu sûrs, approximativement conduits ; ou peut-être pareil abandon relève-t-il d'une tendance irrésistible à la passivité, à la régression, à la dépendance infantile. (Au fait, à quoi es-tu en train de penser ? au voyage aérien ou à la lecture ?)

L'appareil atterrit : tu n'as pas réussi à terminer *Sur un tapis de feuilles éclairées par la lune,* le roman de Takakumi Ikoka. Tu continues de lire en descendant la passerelle, dans le bus qui traverse les pistes, dans la queue au contrôle des passeports, à la douane. Tu avances en tenant le livre ouvert devant tes yeux, lorsque quelqu'un te l'enlève prestement des mains : comme au lever d'un rideau de théâtre, tu vois s'aligner devant toi une rangée de policiers bardés de bandoulières de cuir, hérissés d'armes automatiques, piqués d'aigles et d'épaulettes d'or.

— Mon livre ! protestes-tu faiblement, en tendant d'un geste d'enfant une main sans force vers cette impressionnante barrière de boutons brillants et de bouches à feu.

— Saisi, monsieur. Ce volume est confisqué à l'entrée en Atagui ania. C'est un livre interdit.

— Comment cela est-il possible ? Un livre sur les feuilles d'automne ! Mais de quel droit... ?

— Il est sur la liste des livres à saisir. C'est la loi. Vous voulez nous l'apprendre ?

Très vite, entre un mot et l'autre, entre une syllabe et l'autre, le ton change : il passe du sec au brusque ; du brusque à l'intimidation ; de l'intimidation à la menace.

— Mais je... Je n'avais pas tout à fait fini...

— Laisse tomber, souffle une voix derrière toi. Tu n'arriveras à rien, avec ceux-là. Quant au livre, ne te fais pas de souci, j'en ai un exemplaire, nous parlerons tout à l'heure...

C'est une voyageuse à l'air assuré, une grande perche en pantalon, avec des lunettes et croulant sous les paquets, qui passe le contrôle en habituée. Tu la connais ? Même si tu crois, oui, la connaître, n'en montre rien : elle ne veut certainement pas se faire remarquer en train de parler avec toi. Elle t'a fait signe de la suivre : ne la perds pas de vue. Une fois sortie de l'aéroport, elle monte dans un taxi et te fait, cette fois, signe de prendre le suivant. En rase campagne, son taxi s'arrête, elle en descend, avec tous ses paquets, monte dans le tien. N'étaient ces cheveux très courts et ces énormes lunettes, tu dirais qu'elle ressemble à Lotaria.

Tu essaies :

— Mais tu es... ?

— Corinne ; appelle-moi Corinne.

Après avoir fouillé dans son sac, Corinne — donc — en tire un livre, qu'elle te donne.

— Mais ce n'est pas celui-là, dis-tu, en voyant sur la couverture un titre et un nom d'auteur inconnus : *Autour d'une fosse,* par Calixto Bandera. C'est un livre d'Ikoka, qu'ils m'ont confisqué !

— C'est bien celui que je te donne. En Ataguitania, ce n'est que sous de fausses couvertures que les livres peuvent circuler.

Tandis que le taxi s'engage à toute vitesse dans une banlieue poussiéreuse, tu ne peux résister à la tentation d'ouvrir le livre pour vérifier si Corinne a bien dit vrai. Mais non. C'est un livre que tu vois pour la première fois, et qui n'a pas du tout l'air d'un roman nippon : au commencement, un homme chevauche sur un haut plateau parmi les agaves et regarde voler des rapaces dits *zopilotes.*

— Si la couverture est fausse, observes-tu, le texte l'est aussi.

Et Corinne :

— Qu'est-ce que tu croyais ? Une fois mis en route, le processus de falsification ne s'arrête plus. Nous sommes dans un pays où tout ce qui est falsifiable est effectivement falsifié : les tableaux des musées, les lingots d'or, les billets d'autobus. La contre-révolution et la révolution se combattent à coups de falsifications ; le résultat, c'est que personne ne peut être sûr du vrai et du faux : la police politique monte des actions révolutionnaires et les révolutionnaires se travestissent en policiers.

— Et qui gagne, à la fin ?

— C'est trop tôt pour le dire. Il faut voir qui saura tirer le meilleur parti des falsifications, les siennes commes celles des autres : la police ou notre organisation.

Le conducteur de taxi tend l'oreille. Tu fais un signe à Corinne, comme pour la retenir de prononcer des phrases imprudentes.

Mais elle :

227

« N'aie pas peur. C'est un faux taxi. Ce qui m'inquiète, c'est plutôt qu'il y a un autre taxi qui nous suit.

— Vrai ou faux ?

— Certainement faux, mais je ne sais pas s'il est de la police ou des nôtres.

Tu jettes un coup d'œil à la route, en arrière.

— Il y a même un troisième taxi qui suit le second...

— Savoir qui c'est : les nôtres qui contrôlent les mouvements de la police, ou la police sur les traces des nôtres...

Le second taxi vous dépasse, s'arrête, des hommes armés en sautent, qui vous font descendre du vôtre :

— Police ! Vous êtes en état d'arrestation.

On vous passe à tous trois les menottes, et on vous fait monter dans le second taxi : Corinne, toi et votre chauffeur.

Corinne, tranquille, tout sourire, salue les agents :

— Je suis Gertrude. Et lui, un ami. Emmenez-nous au PC.

Tu restes bouche bée. Corinne-Gertrude chuchote à ton intention, dans ta langue :

« N'aie pas peur. Ce sont de faux policiers ; en réalité, ils sont des nôtres.

Vous êtes à peine repartis : le troisième taxi bloque le second. Il en sort d'autres hommes armés, au visage masqué ; ceux-là désarment les policiers, vous ôtent les menottes, à Gertrude-Corinne et toi, les passent aux policiers : tout le monde s'écrase dans leur taxi.

Corinne-Gertrude semble indifférente :

« Merci, camarades. Je suis Ingrid et lui est des nôtres. Vous nous emmenez au QG ?

— Toi, ferme ton bec ! jette celui qui semble le chef. N'essayez pas de faire les malins ! Nous allons devoir vous bander les yeux. Vous êtes désormais nos otages.

Tu ne sais plus que penser, d'autant que Corinne-Gertrude a été emmenée dans l'autre taxi. Quand il t'est permis de récupérer l'usage de tes membres et de tes yeux, tu te trouves dans le bureau d'un commissariat de police ou d'une caserne. Des gradés en uniforme te photographient, face et profil, prennent tes empreintes digitales. Un officier appelle :

— Alfonsina !

Qui entre ? Gertrude-Ingrid-Corinne, elle aussi en uniforme ; elle tend à l'officier une chemise de papiers à signer.

Toi, pendant ce temps, de bureau en bureau, tu es livré à la routine : un agent prend tes papiers ; un autre, ton argent ; un troisième, tes vêtements ; en échange, on te donne un uniforme de détenu.

— Mais qu'est-ce que c'est que ce piège ? parviens-tu à demander à Ingrid-Gertrude-Alfonsina qui s'est approchée de toi à un moment où les plantons tournaient le dos.

— Des contre-révolutionnaires se sont infiltrés parmi les révolutionnaires : ce sont eux qui nous ont fait tomber dans l'embuscade des policiers. Mais, par bonheur, il y a aussi beaucoup de révolutionnaires infiltrés dans la police : ils ont fait semblant de me prendre pour une fonctionnaire du PC. Toi, ils vont t'envoyer dans une fausse prison, enfin une vraie prison d'Etat, mais contrôlée par nous, et non par eux.

Tu ne peux plus ne pas penser à Marana. Qui d'autre que lui peut avoir inventé pareille machination ?

— J'ai l'impression de reconnaître le style de votre chef, fais-tu remarquer à Alfonsina.

— Peu importe qui est notre chef. C'est peut-être un faux chef, qui fait semblant de travailler pour la révolution avec le seul dessein de servir la contre-révolution ; ou qui travaille ouvertement pour la contre-révolution, parce qu'il est convaincu d'ouvrir ainsi la voie à la révolution.

— Et toi, tu collabores avec lui ?

— Moi, mon cas est différent. Je suis une infiltrée : une vraie révolutionnaire qui s'est infiltrée dans le camp des faux. Pour ne pas être découverte, je dois faire semblant d'être une contre-révolutionnaire qui s'est infiltrée dans les rangs des vrais. Et c'est ce que je suis, en fait : dans la mesure où je suis aux ordres de la police ; mais pas de la vraie : parce que je dépends de révolutionnaires qui se sont infiltrés parmi les contre-révolutionnaires qui s'infiltraient.

— Si je comprends bien, ici tout le monde est infiltré : dans

229

la police ou dans la révolution. Mais comment faites-vous pour vous distinguer les uns des autres ?

— Il faut voir pour chaque sujet quels sont les infiltrateurs qui lui ont dit de s'infiltrer. Et encore plus haut, qui a fait s'infiltrer les infiltrateurs.

— Et vous pouvez continuer à vous battre jusqu'à la dernière goutte de sang, tout en sachant qu'aucun n'est celui qu'il dit être ?

— Quelle importance ? L'essentiel est que chacun joue son rôle jusqu'au bout.

— Mais moi, quel est le mien ?

— Rester tranquille, attendre. Continuer à lire ton livre.

— Et zut ! Je l'ai perdu quand on m'a libéré, non, arrêté.

— Ça ne fait rien. La prison où tu vas est une prison modèle, on trouve dans sa bibliothèque toutes les dernières nouveautés.

— Même les livres interdits ?

— Et où voudrais-tu qu'ils se trouvent, les livres interdits, si ce n'est en prison ?

(Donc, tu es venu jusqu'en Ataguitania pour donner la chasse à un fabricant de faux en romans et tu te retrouves prisonnier d'un système où c'est chaque acte, chaque événement qui est un faux. Ou bien : tu avais décidé de t'enfoncer à travers forêts prairies hauts plateaux cordillères sur les traces de l'explorateur Marana, qui s'était perdu en cherchant les sources du roman-fleuve, et voilà que tu te heurtes aux grilles d'une société carcérale qui balisent toute la planète et ne laissent plus à l'aventure que des couloirs étroits, toujours pareils... Est-ce bien encore ton histoire, tout cela, Lecteur ? La pérégrination que tu as entreprise pour l'amour de Ludmilla t'a conduit si loin d'elle que la voici perdue de vue : puisqu'elle n'est plus là pour te guider, il ne te reste qu'à t'en remettre à son image spéculairement inversée : Lotaria...

Mais est-ce bien Lotaria ?

« Je ne sais pas de qui tu parles. Tu dis des noms que je ne connais pas.

Voilà ce qu'elle a répondu chaque fois que tu as essayé de faire référence à des épisodes passés. Est-ce une règle que la clandestinité lui impose ? A vrai dire, tu n'es pas tout à fait sûr de l'avoir reconnue... Est-ce une fausse Corinne ou une fausse Lotaria ? La seule chose dont tu sois sûr, c'est que sa fonction dans ton histoire est bien celle de Lotaria ; c'est donc aussi le nom qui lui correspond et tu ne pourrais l'appeler autrement.

— Nierais-tu que tu as une sœur ?

— J'ai une sœur, mais je ne vois pas le rapport.

— Une sœur qui aime les romans aux développements psychologiques inquiétants et complexes.

— Ma sœur dit toujours qu'elle aime les romans à travers lesquels on sent une force élémentaire, primordiale : tellurique : c'est son mot.)

— Vous avez présenté une réclamation à la bibliothèque contre l'état d'un volume incomplet, expose un grand officier, assis derrière une grande table.

Tu pousses un soupir de soulagement. Depuis qu'un gardien est venu t'appeler dans ta cellule, et t'a fait suivre des couloirs, descendre des escaliers, parcourir des vestibules souterrains, remonter des marches, traverser des antichambres et des bureaux, l'appréhension te faisait passer dans le dos frissons et bouffées de fièvre. Mais non : ils voulaient simplement répondre à ta réclamation pour *Autour d'une fosse vide*, de Calixto Bandera ! L'angoisse dissipée, tu sens se réveiller en toi le désappointement qui t'a saisi quand tu t'es retrouvé avec entre les mains une couverture décollée, faisant tenir ensemble quelques malheureux cahiers effilochés et usés.

— Bien sûr, j'ai présenté une réclamation ! Vous vous vantez de posséder la bibliothèque modèle d'une prison modèle, et puis quand on vous demande un volume régulièrement inscrit au catalogue, on reçoit un tas de feuilles décollées ! Je me demande comment vous pouvez vous proposer de faire la rééducation des détenus avec de pareilles méthodes !

L'homme assis à la table retire lentement ses lunettes. Il secoue la tête avec tristesse.

— Je n'entrerai pas au fond de votre réclamation. Ce n'est pas de ma compétence. Notre service, bien qu'il entretienne des rapports étroits tant avec les prisons qu'avec les bibliothèques, s'occupe de problèmes plus vastes. Nous vous avons fait appeler, vous sachant lecteur de romans, parce que nous avions besoin d'un avis. Les forces de l'ordre — armée, police, magistrature — ont toujours eu des difficultés pour juger s'il y a lieu de tolérer un roman ou de l'interdire : manque de temps pour des lectures plus étendues, incertitude quant aux critères esthétiques et philosophiques sur lesquels fonder un jugement... Non, ne craignez pas que nous voulions vous obliger à nous assister dans notre travail de censure. La technologie la plus moderne nous mettra bientôt en mesure de nous acquitter de ces tâches avec rapidité et efficience. Nous avons des machines capables de lire, d'analyser, de juger n'importe quel texte écrit. Mais c'est précisément sur la fiabilité de ces instruments que nous devons entreprendre des contrôles. Vous figurez sur nos fichiers comme un lecteur moyen, et il apparaît que vous avez lu, du moins en partie, *Autour d'une fosse vide* de Calixto Bandera. Il nous a semblé opportun de confronter vos impressions de lecture avec les réponses de la machine.

Il te fait passer dans la salle des appareils.

« Je vous présente Sheila, notre programmatrice.

Devant toi, blouse blanche boutonnée jusqu'au col, Corinne-Gertrude-Alfonsina s'affaire autour d'une batterie de meubles lisses, métalliques, semblables à des machines à laver.

« Ce sont les unités de mémoire qui ont emmagasiné tout le texte d'*Autour d'une fosse vide*. Le terminal est une unité imprimante qui peut, comme vous voyez, reproduire le roman mot pour mot du début à la fin.

Une longue feuille sort d'une espèce de machine à écrire qui, avec une rapidité de mitraillette, la couvre de froids caractères majuscules.

— Alors, si vous permettez, j'en profiterai pour prendre les chapitres qui me restent à lire, dis-tu, en effleurant d'une caresse tremblante l'épais fleuve d'écriture où tu reconnais la prose qui a accompagné tes heures de réclusion.

Et l'officier :

— Je vous en prie, faites. Je vous laisse avec Sheila, elle doit introduire le programme qu'il nous faut.

Lecteur, tu as retrouvé le livre que tu cherchais ; tu vas pouvoir en reprendre le fil interrompu ; le sourire revient sur tes lèvres. Mais crois-tu sérieusement que cette histoire peut continuer comme cela ? Non, pas celle du roman : la tienne ! Jusqu'à quand te laisseras-tu entraîner passivement par le cours des choses ? Tu t'étais jeté dans l'action avec un grand désir d'aventure : qu'est-ce qui a suivi ? Ta fonction a vite été celle de qui se borne à prendre acte de situations que d'autres ont décidées, de qui en subit l'arbitraire, se trouve mêlé à des événements qui échappent à son contrôle. Dans ces conditions, ton rôle de protagoniste, à quoi te sert-il ? Si tu continues à te prêter à pareil jeu, il faudra dire que tu es, toi aussi, complice de la mystification générale, à ta façon.

Tu saisis la jeune fille par un poignet :

— Assez de déguisements, Lotaria ! Jusqu'à quand vas-tu te laisser manœuvrer par un régime policier ?

Cette fois, Sheila-Ingrid-Corinne ne parvient pas à cacher un certain trouble. Elle libère son poignet :

—Je ne sais pas qui tu accuses, je ne comprends rien à tes histoires. Je suis une stratégie très claire. Pour pouvoir renverser le pouvoir, le contre-pouvoir doit s'infiltrer dans les mécanismes du pouvoir.

— Et le reproduire ensuite tel quel ! Inutile de te camoufler, Lotaria ! Chaque fois que tu déboutonnes un uniforme, il y en a un autre dessous !

Sheila t'a lancé un regard de défi :

— Déboutonner ? Essaie un peu...

Cette fois, tu es décidé à lui livrer bataille, tu ne peux plus faire machine arrière. D'un geste spasmodique, tu déboutonnes la blouse blanche de la programmatrice Sheila et découvres l'uniforme de l'agent de police Alfonsina, arraches les boutons dorés d'Alfonsina et trouves l'anorak de Corinne, fais glisser la fermeture éclair de Corinne et tombes sur les insignes d'Ingrid...

C'est elle-même qui arrache les vêtements qui lui restent, offrant au regard deux seins bien fermes en forme de melon, un estomac légèrement concave, un nombril renfoncé, deux flancs pleins, de fausse maigre, un pubis farouche, deux longues cuisses solides.

« Et ça ? s'exclama-t-elle, c'est un uniforme, ça ?

Te voilà troublé. Tu murmures :

— Non, cela, non...

— Eh bien si ! crie Sheila. Le corps est uniforme ! Le corps est milice armée ! Le corps est action violente ! Le corps est revendication de pouvoir ! Le corps est en guerre ! Le corps s'affirme comme sujet ! Le corps est fin et non moyen ! Le corps signifie ! Communique ! Crie ! Conteste ! Subvertit !

En parlant, Sheila-Alfonsina-Gertrude s'est jetée sur toi, t'a arraché tes vêtements de détenu : vos membres nus se mêlent au pied des grandes mémoires électroniques.

Lecteur, que fais-tu ? Tu ne résistes pas ? Tu ne t'enfuis pas ? Ah bon, tu participes !... Ah, tu t'y mets, toi aussi !... Tu es le protagoniste absolu de ce livre, d'accord ; est-ce que tu crois que cela te donne le droit d'avoir des rapports charnels avec tous les personnages féminins ? Comme ça, sans préparation ?... Ton histoire avec Ludmilla ne suffisait pas pour donner à l'intrigue la chaleur et la grâce d'un roman d'amour ? Quel besoin as-tu d'engager une affaire avec sa sœur (ou celle que tu identifies comme sa sœur), avec cette Lotaria-Corinne-Sheila qui, à y bien réfléchir, ne t'est même pas sympathique ? Il est naturel que tu veuilles prendre ta revanche après avoir suivi les événements pendant des pages, avec une passive résignation ; mais crois-tu que ce soit là la bonne façon ? Ou tu vas encore nous dire que tu t'es trouvé placé dans cette situation sans l'avoir voulu ? Tu sais très bien que cette fille-là n'en fait qu'à sa tête, qu'elle met en pratique ce qu'elle pense en théorie, jusqu'aux ultimes conséquences. C'est une démonstration idéologique qu'elle voulait te donner, rien de plus... Comment t'es-tu laissé convaincre cette fois par ses arguments ? Fais attention, Lecteur, ici rien n'est comme il semble, tout a double face ..

L'éclair d'un flash et le clic répété d'un appareil dévorent la blancheur de vos nudités convulsives superposées.

— Une fois encore, capitaine Alexandra, on te trouve nue entre les bras d'un détenu ! lance l'invisible photographe, sur un ton réprobateur. Ces instantanés iront enrichir ton dossier !

La voix s'éloigne en ricanant.

Alfonsina-Sheila-Alexandra se relève et se couvre, d'un air ennuyé.

— Ils ne me laissent pas un instant tranquille, souffle-t-elle. L'inconvénient de travailler en même temps pour deux services secrets rivaux, c'est qu'ils cherchent continuellement à me faire chanter, tous les deux.

Quand tu essaies à ton tour de te relever, tu te trouves pris dans les bandes de papier échappées de l'imprimante : le début du roman s'allonge sur le sol comme un chat qui offre de jouer. A présent, ce sont les histoires que tu vis qui s'interrompent au moment culminant : peut-être que du coup il te sera permis de suivre les romans que tu lis jusqu'à la fin...

Alexandra-Sheila-Corinne, distraite, s'est remise à appuyer sur des touches. Elle a repris son air sérieux de fille qui se met tout entière dans ce qu'elle fait.

« Il y a quelque chose qui ne marche pas, murmure-t-elle ; tout devrait être sorti depuis longtemps... Qu'est-ce qui ne va pas ?

Tu t'en étais déjà aperçu : elle est un peu nerveuse, aujourd'hui, Gertrude-Alfonsina : à un moment ou à un autre, elle doit avoir appuyé sur une mauvaise touche. L'ordre des mots dans le texte de Calixto Bandera, que la mémoire électronique conservait pour pouvoir le restituer à tout moment, s'est trouvé effacé par une démagnétisation instantanée des circuits. Les fils multicolores broient désormais une poussière de mots dispersés : le le le le, de de de de, du du du du, que que que que, rangés selon leur fréquence respective en colonnes. Le livre est en miettes, dissous, impossible à recomposer : comme une dune de sable emportée par le vent.

Autour d'une fosse vide.

Quand les vautours s'envolent, m'avait dit mon père, c'est signe que la nuit va finir. J'entendais leur pesant battement d'ailes dans le ciel noir et je voyais leur ombre obscurcir les étoiles vertes. Un élan pénible, qui tardait à s'arracher au sol, aux ombres des buissons, comme si les plumes avaient besoin du vol pour se convaincre qu'elles étaient bien des plumes et non des feuilles épineuses. Les rapaces se dispersèrent, les étoiles réapparurent, grises, et le ciel vert. C'était l'aube. Je chevauchais par les routes désertes dans la direction du village d'Oquedal.

— Nacho, m'avait dit mon père, dès que je serai mort, prends mon cheval, ma carabine, des vivres pour trois jours, et remonte le lit à sec du torrent, en amont de San Ireneo, jusqu'à ce que tu voies la fumée monter des terrasses d'Oquedal.

— Pourquoi Oquedal ? avais-je demandé. Qui y a-t-il à Oquedal ? Qui est-ce que je devrai y chercher ?

La voix de mon père se faisait de plus en plus faible et lente, son visage devenait toujours plus violet.

— Je dois te révéler un secret que j'ai gardé durant toutes ces années... C'est une longue histoire...

Mon père faisait passer dans ces mots les derniers souffles de son agonie, et moi qui connaissais sa tendance à s'égarer, à entrecouper toutes ses phrases de digressions, parenthèses et retours en arrière, je craignais qu'il n'arrivât jamais à me communiquer l'essentiel.

237

— Vite, père, dis-moi le nom de la personne que je dois demander, en arrivant à Oquedal...

— Ta mère... Ta mère que tu ne connais pas habite Oquedal... Ta mère qui ne t'a pas revu depuis que tu étais dans les langes...

Je savais qu'avant de mourir il me parlerait de ma mère. Il me le devait, après m'avoir fait vivre toute mon enfance et mon adolescence sans savoir quels étaient le visage et le nom de celle qui m'avait donné le jour, ni pourquoi il m'avait arraché à son sein quand j'en suçais encore le lait, pour m'entraîner à sa suite dans une vie de vagabond et de fugitif.

— Qui est ma mère ? Dis-moi son nom !

Sur ma mère, il m'avait raconté bien des histoires, au temps où je ne me lassais pas de lui en demander ; mais ce n'étaient que des histoires, des inventions, qui se contredisaient les unes les autres : tantôt c'était une pauvre mendiante et tantôt une dame étrangère qui voyageait dans une automobile rouge, tantôt c'était une nonne cloîtrée et tantôt une écuyère de cirque, tantôt elle était morte en me donnant le jour et tantôt elle avait disparu lors d'un tremblement de terre. Si bien qu'un jour je décidai de ne plus lui poser de questions et d'attendre que ce soit lui qui parle. Je venais d'avoir seize ans quand mon père avait été atteint de la fièvre jaune. Il haletait :

— Laisse-moi remonter au commencement. Quand tu seras arrivé à Oquedal, et que tu auras dit : « Je suis Nacho, fils de Don Anastasio Zamora », tu en entendras de toutes sortes sur mon compte ; des histoires mensongères, des médisances, des calomnies. Je veux que tu saches...

— Le nom, le nom de ma mère, vite !

— Oui. Le moment est venu que tu saches...

Le moment ne vint pas. Après s'être attardé en vains préambules, le bavardage de mon père s'était perdu en un râle et s'était éteint pour toujours. Le garçon qui chevauchait maintenant dans l'obscurité sur des pentes raides, en amont de San Ireneo, continuait à ignorer quelle famille il allait rejoindre.

J'avais pris la route qui longe le torrent à sec en surplombant une gorge profonde. L'aube qui était restée suspendue aux contours et découpes de la forêt semblait m'ouvrir non pas un nouveau jour mais un jour d'avant les autres jours ; nouveau au sens où avait existé un temps où tous les jours étaient des jours nouveaux : comme ce premier jour où les hommes avaient compris ce que c'était qu'un jour.

Quand il fit assez clair pour qu'on voie l'autre rive, je m'aperçus qu'il y avait de ce côté-là aussi une route et qu'un homme à cheval s'avançait, parallèlement à moi, dans la même direction, un fusil de guerre à canon long accroché à l'épaule.

— Eh ! criai-je. A combien sommes-nous d'Oquedal ?

Il ne se retourna même pas ; ou plutôt ce fut pire ; car pendant un instant ma voix lui fit tourner la tête (autrement, j'aurais pu le croire sourd) mais il reporta aussitôt son regard devant lui et continua d'avancer sans me juger digne d'une réponse ni d'un salut.

« Eh ! Je te parle ! Tu es sourd ? ou muet ? criai-je tandis qu'il continuait à se balancer sur sa selle, au pas de son cheval noir.

Dieu sait depuis combien de temps nous avancions ainsi de conserve dans la nuit, séparés par la gorge escarpée du torrent. Ce que j'avais pris pour un écho irrégulier des sabots de ma jument répercuté par la roche calcaire de l'autre rive, c'était en réalité le bruit de ferraille des pas qui m'accompagnaient.

Le cavalier était jeune, tout en échine et en cou, avec un chapeau de paille effrangée. Blessé par son attitude inamicale, j'éperonnai ma jument pour le laisser en arrière et ne plus l'avoir sous les yeux. A peine l'avais-je dépassé que je ne sais quelle inspiration me fit tourner vers lui la tête. Il avait fait glisser son fusil et le levait lentement comme pour me mettre en joue. J'abaissai aussitôt la main vers la crosse de ma carabine, passée dans les fontes de ma selle. Il remit à son épaule la bretelle de son fusil, comme s'il ne s'était rien passé. A partir de ce moment-là, nous allâmes du même pas, sur les deux rives opposées, nous surveillant mutuellement, veillant à ne jamais nous tourner le dos. Ma jument réglait son pas sur celui du cheval noir, comme si elle avait compris.

Le récit lui-même règle son pas sur la marche lente des sabots ferrés le long des sentes en montée, vers un lieu qui contient le secret du passé, du futur, et le temps lové sur lui-même comme un lasso accroché au pommeau d'une selle. Je sais déjà que le chemin qui me conduit à Oquedal sera moins long que celui qui me restera à faire une fois atteint cet ultime village aux confins du monde habité, aux confins du temps de ma vie.

« Je suis Nacho, le fils de Don Antonio Zamora, ai-je dit à un vieil Indien blotti contre le mur de l'église. Où est la maison ?

Je pensais : « Il sait peut-être. »

Le vieux a soulevé des paupières rouges gonflées comme celles d'un dindon. Un doigt — un doigt sec comme ces brindilles qui servent à allumer le feu — est sorti de sous son poncho et s'est tendu vers le palais des Alvarado, l'unique palais au milieu de ce tas de boue séchée qu'est le village d'Oquedal : sa façade baroque semble tombée là par hasard, comme un fragment de décor abandonné. Des siècles plus tôt, quelqu'un devait s'être imaginé que c'était là le pays de l'or ; et quand il s'était aperçu de son erreur, pour le palais à peine achevé avait commencé le lent destin des ruines.

Suivant les pas d'un serviteur à qui j'ai confié mon cheval, je parcours une série de lieux qui devraient s'enfoncer toujours à l'intérieur, alors que je me trouve toujours davantage à l'extérieur, passant d'une cour à une autre, comme si dans ce palais les portes ne servaient que pour sortir et jamais pour entrer. Le récit devrait donner la sensation qu'il s'agit de lieux dépaysants, que je vois pour la première fois et qui pourtant ont laissé dans ma mémoire, à défaut de souvenir, une place vide. Les images tentent maintenant de remplir ces vides, mais ne parviennent qu'à prendre, elles aussi, la couleur de songes oubliés dans l'instant qu'ils apparaissent.

A une cour, où sont étendus des tapis à battre (je cherche dans ma mémoire le souvenir d'un berceau dans une demeure fastueuse), succède une seconde cour, encombrée de sacs d'alfa (je cherche à réveiller les souvenirs d'une exploitation agricole, datant de ma petite enfance), puis une troisième, où s'ouvrent des écuries (suis-je né dans une étable ?). Il devrait faire grand jour, mais l'ombre qui enveloppe le récit ne semble pas vouloir s'éclaircir, elle ne laisse pas passer des messages que l'imagination pourrait compléter en figures bien définies, elle ne rapporte pas les paroles prononcées : seulement des voix confuses, des chants étouffés.

C'est dans la troisième cour que les sensations commencent à prendre forme. D'abord les odeurs, les saveurs, puis l'éclat d'une flamme qui illumine les visages sans âge des *Indios* rassemblés dans la vaste cuisine d'Anacleta Higueras, leur peau glabre qu'on pourrait dire celle de vieillards comme d'adolescents, peut-être étaient ils déjà des vieillards à l'époque où mon père séjournait ici, peut-être sont-ce les fils de ses compagnons qui regardent maintenant son fils, comme leurs pères le regardaient, lui, l'étranger arrivé un matin avec son cheval et sa carabine.

Sur le fond que forment foyer noir et flamme, se détache la haute silhouette d'une femme enroulée dans une couverture rayée d'ocre et de rose. Anacleta Higueras me prépare un plat de croquettes piquantes.

— Mange, mon fils, toi qui as marché seize ans pour retrouver le chemin de la maison.

Elle dit, et moi je me demande si ce nom de « fils » est celui qu'utilise toute femme âgée pour s'adresser à un jeune homme, ou s'il veut dire ce que le mot veut dire. Et les lèvres me brûlent à cause des épices dont Anacleta a garni son plat comme si cette saveur devait contenir toutes les saveurs portées à leur comble, des saveurs que je ne sais ni distinguer ni nommer, et qui se mélangent sur mon palais comme en vagues de feu. Je reparcours toutes les saveurs que j'ai goûtées dans ma vie pour retrouver cette saveur multiple, et j'arrive à une sensation opposée mais peut-être équivalente, celle du lait pour le nouveau-né : la première saveur qui, comme telle, contient toutes les autres.

Je regarde le visage d'Anacleta, son beau visage indien que l'âge a légèrement épaissi sans le marquer d'une seule ride, je regarde le vaste corps enveloppé dans la couverture, et je me demande si c'est à la haute terrasse de son sein maintenant affaissé que je me suis accroché, enfant.

— Alors, Anacleta, tu as connu mon père ?

— J'aurais voulu ne jamais le connaître, Nacho. Ce ne fut pas un bon jour, celui où il mit le pied à Oquedal.

— Pourquoi donc ?

— Il n'est rien venu de bon avec lui, pour les *Indios*... et rien de bon non plus pour les Blancs... Ensuite, il a disparu. Mais même le jour où il quitta Oquedal ne fut pas un bon jour...

Les yeux de tous les *Indios* sont fixés sur moi, des yeux qui comme ceux des enfants regardent un présent éternel, sans pardon.

La fille d'Anacleta Higueras s'appelle Amaranta. Elle a des yeux fendus longuement en oblique, un nez effilé aux narines minces, des lèvres fines au dessin sinueux. J'ai des yeux pareils aux siens, un nez semblable, des lèvres identiques.

— C'est vrai que nous nous ressemblons, Amaranta et moi ?

— Tous les enfants d'Oquedal se ressemblent. *Indios* et Blancs, tous les visages se confondent. Nous sommes un village de peu de familles, isolé dans la montagne. Depuis des siècles, nous nous marions entre nous.

— Mon père, lui, venait de l'extérieur...

— Justement. Si nous n'aimons pas les étrangers, nous avons nos raisons.

Les bouches des *Indios* s'ouvrent pour un lent soupir,

242

bouches aux dents rares, sans gencives, rongées de vieillesse ; bouches de squelettes.

J'ai vu un portrait en passant dans la seconde cour, la photographie jaunie d'un jeune homme entourée d'une couronne de fleurs et éclairée par une petite lampe à huile.

— Le mort du portrait, lui aussi, a un air de famille..., ai-je dit à Anacleta.

— Celui-là, c'est Faustino Higueras, que Dieu le garde dans la gloire rayonnante de ses archanges !

Un murmure de prière s'élève parmi les *Indios*.

— C'était ton mari, Anacleta ?

— Mon frère, c'était l'épée et le bouclier de notre maison, de notre race, jusqu'à ce que l'ennemi vienne traverser son chemin !

— Nous avons les mêmes yeux, dis-je à Amaranta, que j'ai rejointe parmi les sacs de la seconde cour.

— Non, les miens sont plus grands, répond-elle.

— Il n'y a qu'à les mesurer.

J'approche mon visage du sien, de façon que les arcs de nos sourcils se rejoignent, puis, tout en gardant l'un de mes sourcils appuyé contre le sien, je tourne le visage de façon que nos tempes, nos joues et nos pommettes se touchent.

« Tu vois : l'angle de nos yeux s'arrête au même endroit.

— Moi, je ne vois rien, proteste Amaranta.

Mais elle n'écarte pas son visage.

— Et nos nez, dis-je, en mettant mon nez contre le sien, un peu de biais, en cherchant à faire coïncider nos profils.

« Et nos lèvres...

Je chuchote à bouche fermée, parce que nos lèvres se trouvent maintenant jointes : plus exactement, la moitié de ma bouche et la moitié de la sienne.

— Tu me fais mal ! proteste Amaranta comme je la pousse de tout mon corps contre les sacs.

Je sens le bouton de ses seins qui pointe et son ventre qui frissonne.

243

— Canaille ! Animal ! C'est pour cela que tu es venu à Oquedal ! Tu es bien le fils de ton père !

La voix d'Anacleta tonne à mes oreilles et ses doigts, qui m'ont saisi par les cheveux, me cognent contre les piliers, tandis qu'Amaranta, frappée d'un revers de main, gémit renversée sur les sacs.

« Ma fille, tu n'y touches pas, tu ne la toucheras jamais de sa vie !

Moi, je me défends :

— Jamais de la vie, pourquoi ? Qu'est-ce qui pourrait nous en empêcher ? Elle est femme et je suis homme... Si le destin voulait que nous nous plaisions, plus tard, un jour, qui sait, pourquoi ne pourrais-je pas la demander en mariage ?

— Malédiction ! hurle Anacleta. Ce n'est pas possible ! Il ne faut même pas y penser, entends-tu ?

« Donc, ce serait ma sœur ? me dis-je. Mais alors, qu'attend-elle pour reconnaître qu'elle est ma mère ? » Et je lui demande :

— Pourquoi crier si fort, Anacleta ? Est-ce qu'il y aurait un lien de sang entre nous ?

— De sang ?

Anacleta se ressaisit, les pans de sa couverture lui remontent presque sur les yeux.

« Ton père venait de loin... Quel lien de sang peux-tu avoir avec nous ?

— Mais je suis né à Oquedal. D'une femme d'ici...

— Tes liens de sang, va les chercher ailleurs, pas chez nous autres, pauvres *Indios*... Il ne te l'a pas dit, ton père ?

— Il ne m'a rien dit du tout, je te jure. Et moi, je ne sais pas qui est ma mère.

Anacleta lève une main et la tend dans la direction de la première cour.

— Pourquoi la maîtresse n'a-t-elle pas voulu te recevoir ? Pourquoi t'a-t-elle fait loger ici avec les serviteurs ? C'est à elle que ton père t'a envoyé, pas à nous. Va te présenter à Doña Jazmina, dis-lui : « Je suis Nacho Zamora y Alvarado, mon père m'a envoyé me jeter à tes pieds. »

244

Le récit devrait ici montrer mon âme secouée comme par un ouragan, à la révélation que la moitié de mon nom, qui m'était restée cachée, est celle des seigneurs d'Oquedal et qu'à ma famille appartiennent des *estancias* vastes comme des provinces. Mais c'est comme si mon voyage à reculons dans le temps ne faisait que m'enfoncer dans un gouffre obscur, au sein duquel les cours successives du palais Alvarado s'emboîtent l'une dans l'autre, également familières, également étrangères à ma mémoire déserte. La première pensée qui me vient est celle que je jette à Anacleta, en saisissant sa fille par une tresse :

— Alors, je suis votre maître, le maître de ta fille, et je la prendrai quand je voudrai !

— Non, crie Anacleta. Avant que tu touches Amaranta, je vous aurai tués tous deux !

Amaranta se retire avec une grimace qui lui découvre les dents ; gémissement ou sourire, je ne sais.

La salle à manger des Alvarado est mal éclairée par des chandeliers encroûtés de cire ancienne, peut-être pour qu'on ne distingue pas les stucs décrépis et la dentelle en lambeaux des rideaux. Je suis invité à dîner par la Señora. Le visage de Doña Jazmina est recouvert d'une couche de poudre qui semble prête à se détacher et à tomber dans son assiette. C'est une Indienne, elle aussi, sous ses cheveux teints couleur cuivre et frisés au petit fer. Ses bracelets pesants scintillent à chaque cuillerée. Sa fille Jacinta a été élevée au collège et porte un pull-over blanc de tennis, mais ressemble à toutes les petites Indiennes par ses regards et par ses gestes.

— A l'époque, dans ce salon, il y avait les tables de jeu, raconte Doña Jazmina. Les parties commençaient à cette heure-ci et duraient toute la nuit. Il y en a qui ont perdu des *estancias* entières. Don Anastasio Zamora s'était installé ici pour le jeu, pas pour autre chose. Il gagnait toujours, et parmi nous le bruit avait commencé de courir que c'était un tricheur.

Je me sens le devoir de préciser :

— Pourtant, il n'a jamais gagné aucune *estancia*.

— Ton père était un homme qui perdait à l'aube ce qu'il avait gagné dans la nuit. Et puis avec toutes ses histoires de femmes, il ne lui fallait pas longtemps pour manger le peu qui lui restait.

Je me hasarde :

— Il a eu des histoires dans cette maison, des histoires de femmes ?

— Là-bas, là-bas, dans l'autre cour, c'est là qu'il allait les chercher, la nuit.

Doña Jazmina a tendu la main vers le logement des *Indios*.

Jacinta se met à rire, en couvrant sa bouche de sa main. Je m'aperçois à cet instant qu'elle est comme une copie d'Amaranta, même si elle est habillée et coiffée de tout autre façon.

— Tout le monde se ressemble à Oquedal, dis-je. Il y a dans la seconde cour un portrait qui pourrait être celui de tout le monde...

Elles me regardent, un peu troublées. La mère :

— C'était Faustino Higueras... De sang, il n'était qu'à demi Indien, l'autre moitié était blanche. D'âme, en revanche, il était complètement Indien. Il vivait avec eux, prenait leur parti... et c'est comme cela qu'il a fini.

— Blanc du côté de son père ou du côté de sa mère ?

— Que de choses tu veux savoir...

Et moi :

— Elles sont toutes comme ça, les histoires d'Oquedal ? Des Blancs qui vont avec les Indiennes... Des Indiens qui vont avec les Blanches...

— A Oquedal, Blancs et *Indios* se ressemblent. Le sang n'a cessé de se mêler depuis la conquête. Mais les maîtres ne doivent pas aller avec les serviteurs. Nous pouvons faire tout ce que nous voulons, nous autres, avec n'importe qui d'entre nous, mais cela, non, jamais... Don Anastasio était né dans une famille de propriétaires, même s'il était plus fauché qu'un gueux...

— Qu'est-ce que mon père a à voir, là-dedans ?

— Fais-toi expliquer la chanson que les *Indios* chantent :

246

... Où Zamora est passé... le compte est équilibré... Un enfant dans le berceau... et un mort dans le tombeau.

— Tu as entendu ce qu'a expliqué ta mère ? dis-je à Jacinta, dès que nous nous trouvons seule à seul. Toi et moi, nous pouvons faire tout ce que nous voulons.

— Si nous le voulons. Mais nous ne le voulons pas.

— Moi, je pourrais vouloir quelque chose.

— Quoi ?

— Te mordre.

— Pour ça, moi je peux te ronger comme un os.

Et elle me montre les dents.

Il y a dans la chambre un lit aux draps blancs, défait ou préparé pour la nuit, on ne sait, entouré d'une moustiquaire au grain serré qui pend d'un baldaquin. Je pousse Jacinta entre les plis du voile, et si elle me résiste ou si elle m'entraîne, on ne sait ; je cherche à remonter ses vêtements ; mais elle se défend en m'arrachant boucles et boutons.

— Oh, tu as un grain de beauté ici ! Au même endroit que moi ! Regarde !

A ce moment, un grêle de coups de poings s'abat sur ma tête et sur mon dos. Doña Jazmina nous tombe dessus comme une furie :

— Séparez-vous, pour l'amour de Dieu ! Ne faites pas cela, Il ne faut pas ! Séparez-vous ! Vous ne savez pas ce que vous faites ! Tu n'es qu'un misérable, comme ton père !

Je me reprends du mieux que je peux.

— Pourquoi, Doña Jazmina ? Que voulez-vous dire ? Avec qui a-t-il fait cela, mon père ? Avec vous ?

— Mécréant ! Va chez les serviteurs ! Retire-toi de notre vue ! Avec les servantes, comme ton père ! Retourne chez ta mère, va !

— Mais, à la fin, qui est ma mère ?

— Anacleta Higueras, même si elle ne veut pas le reconnaître depuis que Faustino est mort.

De nuit, les maisons d'Oquedal se blottissent contre la terre, comme si elles sentaient peser sur elles le poids d'une lune basse entourée de vapeurs malsaines.

— Qu'est-ce que c'est que cette chanson qu'on chante sur mon père, Anacleta ?

J'interroge la femme, droite dans l'ouverture de sa porte, comme une statue dans une niche d'église.

« Elle parle d'un mort, d'un tombeau…

Anacleta décroche sa lanterne. Nous traversons ensemble des champs de maïs.

— Dans ce champ, ton père et Faustino Higueras eurent une querelle, décidèrent que l'un des deux était de trop en ce monde, et creusèrent ensemble une fosse. A partir du moment où ils eurent décidé qu'ils devaient se battre à mort, ce fut comme si la haine entre eux s'était éteinte, et ils travaillèrent en parfait accord à creuser. Puis ils se placèrent de part et d'autre de la fosse, chacun tenant un couteau dans la main droite, et le bras gauche enveloppé dans son poncho. A tour de rôle, chacun des deux franchissait d'un saut la fosse et attaquait à coups de couteau l'autre, qui se défendait à l'aide de son poncho et cherchait à faire tomber son ennemi dans la fosse. Ils combattirent ainsi jusqu'à l'aube et la terre autour d'eux ne se levait plus en poussière tant elle était imbibée de sang. Tous les *Indios* d'Oquedal faisaient cercle autour de la fosse vide et des deux garçons hors d'haleine, ensanglantés : ils se tenaient immobiles et silencieux pour ne pas troubler le jugement de Dieu dont dépendait leur sort à tous, pas seulement celui de Faustino Higueras et de Nacho Zamora.

— Mais… Nacho Zamora, c'est moi !

— Ton père aussi, à cette époque-là, on l'appelait Nacho.

— Et qui l'a emporté, Anacleta ?

— Comment peux-tu me demander cela, mon garçon ? C'est Zamora qui a vaincu : personne ne peut juger les desseins du Seigneur. Faustino a été enseveli ici même, dans

248

cette terre. Mais pour ton père ce fut une victoire amère, car, la même nuit, il dut partir et ne reparut plus jamais à Oquedal.

— Qu'est-ce que tu me racontes, Anacleta ? La fosse est vide !

— Les jours suivants, les *Indios* des villages voisins et ceux des villages lointains vinrent en procession à la tombe de Faustino Higueras. Ils partaient pour la révolution et me demandaient des reliques pour les porter dans une boîte d'or à la tête de leurs régiments au combat : une mèche de cheveux, un pan de poncho, le caillot de sang d'une blessure. Alors nous avons décidé de rouvrir la fosse, de déterrer le cadavre. Mais Faustino n'y était pas, la tombe était vide. De ce jour sont nées bien des légendes : certains disent qu'ils l'ont vu la nuit courir par les montagnes sur son cheval noir et qu'il veille sur le sommeil des *Indios* ; d'autres, qu'on le reverra le jour où les *Indios* descendront dans la plaine, et qu'il chevauchera à la tête de leurs colonnes...

« C'était donc lui ! Je l'ai vu ! » Voilà ce que je voudrais dire. Mais je suis trop bouleversé pour pouvoir articuler un mot.

Les *Indios* se sont approchés avec des torches, en silence, et font maintenant cercle autour de la fosse ouverte.

Et voici que se fraie un chemin parmi eux un jeune homme au long cou, la tête couverte d'un chapeau de paille effrangée, les traits semblables à ceux de beaucoup de gens d'ici ; je veux dire que, par la fente des yeux, la ligne du nez, le dessin des lèvres, il me ressemble.

— De quel droit, Nacho Zamora, as-tu posé les mains sur ma sœur ? demande-t-il.

Dans sa main droite un couteau brille. Son poncho, dont un pan retombe jusqu'à terre, est enroulé autour de son avant-bras gauche.

De la bouche des *Indios*, un son s'échappe, moins un murmure qu'un soupir brisé.

— Qui es-tu ?

— Faustino Higueras. Défends-toi.

Je m'arrête au bord de la fosse, j'enroule mon poncho autour de mon bras gauche, j'empoigne mon couteau.

X.

Te voici en train de prendre le thé en compagnie d'Arkadian Porphyritch, l'une des intelligences les plus fines d'Ircanie : c'est à juste titre qu'il occupe les fonctions de Directeur Général des Archives de la Police d'Etat. C'est aussi la première personne que tu avais ordre de contacter à ton arrivée en Ircanie, dans le cadre de la mission que t'a confiée le Haut Commandement ataguitanien. Porphyritch t'a reçu dans les pièces accueillantes de la bibliothèque de son service, « la plus complète d'Ircanie et la mieux tenue à jour, ainsi qu'il te l'a tout de suite dit, tous les livres saisis y sont classés, catalogués, microfilmés et conservés, qu'il s'agisse d'œuvres imprimées, polycopiées, dactylographiées ou manuscrites ».

Quand les autorités ataguitaniennes qui te retenaient prisonnier t'ont promis la liberté à condition que tu acceptes de remplir une mission dans un pays lointain (« mission officielle comportant des aspects secrets et mission secrète comportant des aspects officiels »), tu as d'abord été tenté de refuser. Ton peu de goût pour les services d'Etat, ton manque de vocation pour la profession d'agent secret, la façon obscure et tortueuse dont on t'exposait les tâches que tu devrais remplir, étaient autant de raisons suffisantes pour te faire préférer ta cellule de prison modèle aux incertitudes d'un voyage dans les toundras boréales de l'Ircanie. Mais la pensée que, si tu restais entre leurs mains, tu pouvais t'attendre au pire, la curiosité pour une tâche « qui, à ce que nous croyons, peut vous intéresser en tant que lecteur », la possibilité de t'engager en apparence pour en définitive faire échouer leur plan, tout cela t'a convaincu d'accepter.

Arkadian Porphyritch, le Directeur Général, qui semble parfaitement au courant de ta situation jusque sur le plan psychologique, te parle sur un ton encourageant et didactique :

— La première chose que nous ne devons jamais perdre de vue, c'est celle-ci : la police est la grande force unifiante d'un monde voué sans cela à la désagrégation. Il est naturel que les polices des différents régimes, même ennemis, se reconnaissent des intérêts communs qui justifient une collaboration. Dans le domaine de la circulation des livres...

— Est-ce que les différents régimes en arriveront à uniformiser leurs méthodes de censure ?

— Pas à les uniformiser, non, mais à mettre sur pied un système où elles s'équilibreront et se soutiendront mutuellement...

Le Directeur Général t'invite à considérer le planisphère accroché au mur. Des couleurs différentes indiquent :

les pays où les livres sont systématiquement saisis ;

les pays où ne peuvent circuler que les livres publiés ou approuvés par l'Etat ;

les pays où il existe une censure rudimentaire, approximative et imprévisible ;

les pays où la censure est subtile, savante, attentive aux implications et aux allusions, gérée par des intellectuels méticuleux et perspicaces ;

les pays où les réseaux de diffusion sont doubles : un légal et un clandestin ;

les pays où il n'y a pas de censure parce qu'il n'y a pas de livres, mais beaucoup de lecteurs potentiels ;

les pays où il n'y a pas de livres mais où personne n'en déplore l'absence ;

les pays, enfin, où l'on produit tous les jours des livres pour tous les goûts et toutes les idées, mais dans l'indifférence générale.

« Personne n'attache aujourd'hui autant de valeur à l'écriture que les régimes policiers, remarque Arkadian Porphyritch. Qu'est-ce qui peut mieux permettre de distinguer les nations où la littérature jouit d'une véritable considération, que la masse des sommes affectées à son contrôle et à sa répression ? Là où elle fait l'objet de telles attentions, la littérature acquiert une autorité extraordinaire, qu'on ne peut pas imaginer dans les pays où on la laisse végéter comme un passe-temps inoffensif et sans danger. Assurément, la répression doit elle aussi laisser des moments de répit, fermer les yeux de temps en temps, faire alterner l'indulgence et l'arbitraire, garder un certain degré d'imprévisibilité dans ses décisions, car s'il n'existe plus rien à réprimer, le système entier s'émousse et se rouille. Disons-le franchement : tout régime, fût-ce le plus autoritaire, ne survit que s'il est dans un état d'équilibre instable, qui l'oblige à justifier continuellement l'existence de son appareil répressif, par conséquent il a besoin de quelque chose à réprimer. La volonté d'écrire ce qui déplaît aux autorités constitue l'un des éléments nécessaires au maintien de cet équilibre. Pour cette raison, sur la base d'un traité secret passé avec les pays dont le régime social est opposé au nôtre, nous avons créé l'organisation commune à laquelle vous avez vous-même judicieusement accepté de collaborer : pour que soient exportés les livres interdits ici, et importés les livres interdits là-bas.

— Ce qui impliquerait que les livres interdits ici sont tolérés là-bas ; et vice versa.

— Jamais de la vie. Les livres interdits ici sont encore plus interdits là-bas, et les livres interdits là-bas sont ultra-interdits ici. Mais chaque régime tire au moins deux avantages importants de l'exportation chez l'adversaire des livres qu'il a lui-même interdits et de l'importation chez lui des livres interdits par l'adversaire : il encourage les opposants chez l'autre et établit entre les services de police d'utiles échanges d'expériences.

— La tâche qui m'a été confiée, tu t'empresses de le préciser, est limitée : prendre contact avec les fonctionnaires de la police ircanienne, parce que c'est seulement par votre canal que les écrits d'opposants peuvent tomber entre nos mains.

(Je me garde bien de lui dire que dans les objectifs de ma mission entre aussi la recherche de rapports directs avec l'opposition, et que je peux, selon les cas, décider de jouer avec les uns contre les autres ou vice versa.)

— Nos archives sont à votre disposition, continue le Directeur Général. Je peux vous faire voir des manuscrits très rares, la version originale d'œuvres qui ne sont parvenues au public qu'après être passées par le filtre de quatre ou cinq commissions, après avoir été chaque fois coupées, modifiées, diluées, pour se trouver finalement publiées dans une version mutilée, édulcorée : méconnaissable. Pour lire vraiment, c'est ici qu'il faut venir, cher monsieur.

— Et vous, vous lisez ?

— Vous voulez dire, si je lis autrement que par devoir professionnel ? Oui, je dirai que chaque livre, chaque document, chaque corps de délit de ces archives, je le lis deux fois, en deux lectures complètement différentes. La première, rapide, en diagonale, pour savoir dans quel placard je dois conserver le microfilm, dans quelle rubrique le cataloguer. Puis, le soir (je passe mes soirées ici, après les heures de bureau : l'atmosphère est tranquille, détendue, comme vous voyez), je m'étends sur ce divan, j'introduis dans le microlecteur le film d'un manuscrit rare, d'un fascicule secret, et je m'offre le luxe de le déguster pour mon plaisir exclusif.

Arkadian Porphyritch croise ses jambes chaussées de bottes, passe un doigt entre son cou et le col de son uniforme chargé de décorations. Il ajoute :

« Je ne sais pas si vous croyez à l'Esprit, monsieur. Moi, j'y crois. Je crois au dialogue que l'Esprit mène sans interruption avec lui-même. Et je sens que c'est ce dialogue-là qui s'accomplit à travers mon regard quand je scrute les pages interdites. La Police elle-même est Esprit, la Police et l'Etat que je sers, et la Censure : tout comme les textes sur lesquels s'exerce notre autorité. Le souffle de l'Esprit n'a pas besoin du grand public pour se manifester, il prospère dans l'ombre, dans le rapport obscur qui se poursuit entre le secret des conspirateurs et le secret des policiers. Pour le faire vivre, il suffit de ma lecture désintéressée encore que toujours attentive aux implications tant licites qu'illicites, dans la lumière de cette lampe que voici, au sein de ce grand immeuble de bureaux déserts passé l'instant où je peux déboutonner la veste de mon uniforme et me laisser envahir par les fantômes de l'interdit qu'aux heures diurnes je dois tenir à distance inflexiblement...

Tu dois reconnaître que les paroles du Directeur Général te procurent une sensation de réconfort. Si cet homme-là continue à éprouver du désir et de la curiosité pour la lecture, cela veut dire que, dans tout le papier écrit mis en circulation, demeure encore quelque chose qui n'a pas été fabriqué et manipulé par les bureaucraties omnipotentes ; qu'en dehors de ces bureaux il existe encore un dehors...

— Et le complot des apocryphes, demandes-tu d'une voix qui essaie de rester froidement professionnelle, vous êtes au courant ?

— Bien sûr. J'ai reçu quelques rapports sur la question. Pendant un certain temps, nous nous sommes flattés de conserver le contrôle de toute l'affaire. Les services secrets des grandes puissances n'épargnaient rien pour s'emparer de cette organisation qui semblait avoir des ramifications partout. Mais le cerveau du complot, le Cagliostro des falsifications, celui-là nous échappait toujours. Ce n'est pas qu'il nous fût inconnu : nous possédions tous les renseignements nécessaires sur lui dans nos fichiers, il avait été identifié depuis longtemps en la personne d'un traducteur intrigant et manigancier ; mais les véritables raisons de son activité restaient obscures. Il semblait ne plus avoir de rapports avec les différentes sectes issues de la conspiration qu'il avait fondée, et pourtant il exerçait encore une influence indirecte sur leurs intrigues. Et lorsque nous sommes arrivés à mettre la main sur lui, nous nous sommes aperçus qu'il n'était pas facile de le plier à nos fins... Son ressort n'était pas l'argent, ni le pouvoir, ni l'ambition. Il paraît qu'il faisait tout cela pour une femme !

Pour la reconquérir, ou peut-être seulement pour prendre sa revanche, pour gagner contre elle un pari. C'est cette femme que nous devions comprendre, si nous voulions parvenir à suivre les parties d'échecs de notre Cagliostro. Mais elle, nous n'avons pas réussi à savoir qui elle était. Ce n'est que par déduction que nous sommes arrivés à connaître beaucoup de choses à son sujet, des choses que je ne pourrais exposer dans aucun rapport officiel : nos organes directeurs ne sont pas en mesure de saisir certaines finesses...

Arkadian Porphyritch a vu avec quelle attention tu bois ses paroles. Il continue donc :

« Pour cette femme, lire veut dire se dépouiller de toute intention et parti pris, afin d'être prêt à accueillir une voix qui se fait entendre au moment où on s'y attend le moins, une voix qui vient d'on ne sait où, d'au-delà du livre, de l'auteur, et des conventions de l'écriture : qui vient du non-dit, de ce que le monde n'a pas encore pu dire et pour quoi il n'a pas encore de mots à sa disposition. Lui, au contraire, il voulait montrer à la femme que, derrière la page écrite, il y a le néant, que le monde n'existe que comme artifice, fiction, malentendu, mensonge. S'il ne s'agissait que de cela, nous pouvions bien lui donner les moyens de démontrer tout ce qu'il voulait ; nous, c'est-à-dire nous et nos collègues des différents pays et régimes, car nous étions nombreux à lui offrir notre collaboration. Et il ne la refusait pas, bien au contraire... Mais sans que nous arrivions à comprendre si c'était en définitive lui qui acceptait notre jeu ou nous qui devenions des pions dans le sien... Et s'il s'était agi tout bonnement d'un fou ? J'étais le seul à pouvoir venir à bout de son secret : je le fis enlever par nos agents, transporter ici, garder une semaine dans nos cellules d'isolement, puis je l'interrogeai moi-même. Non, ce n'était pas de la folie : peut-être seulement du désespoir ; car le pari avec la femme, il l'avait perdu depuis longtemps ; c'est elle qui avait gagné : sa lecture toujours curieuse et jamais contentée réussissait à découvrir des vérités cachées jusque dans le faux le plus outré, et des faussetés sans excuses dans les mots prétendument les plus véridiques. Que restait-il dès lors à notre illusionniste ? Afin de ne pas rompre le dernier fil qui le reliait à la dame, il continuait à semer la confusion parmi les titres, les noms d'auteurs, les pseudonymes, les langues, les traductions, les éditions, les pages de titre, les chapitres, les commencements, les conclusions : autant de moyens pour l'obliger, elle, à reconnaître là des signes de sa présence, un salut sans espoir de réponse qu'il lui adressait. " J'ai compris mes limites, m'a-t-il avoué. Il advient dans la lecture quelque chose sur quoi je n'ai pas de pouvoir. " J'aurais pu lui dire que c'est une limite que la plus omniprésente des polices ne parvient pas davantage à franchir. Nous savons empêcher de lire : mais dans le décret même qui interdit la lecture, se laisse lire quelque chose de cette vérité dont nous ne voudrions pas qu'elle soit lue...

— Et qu'est-il advenu de lui ?

Ta sollicitude peut être, pour cette fois, moins de rivalité que de compréhension et solidarité.

— C'était un homme fini, nous pouvions en faire ce que nous voulions : l'envoyer aux travaux forcés ou le charger d'une tâche de routine dans nos services secrets spéciaux. En fait...

— En fait...

— Je l'ai laissé s'échapper. Une fausse évasion, un faux passage clandestin, ce qu'il fallait pour qu'à nouveau on perde sa trace. Je crois de temps en temps reconnaître sa main dans du matériel qui me tombe sous les yeux... Sa qualité s'est améliorée. Maintenant, il pratique la mystification pour la mystification. Nous sommes désormais sans pouvoir sur lui. Par bonheur...

— Par bonheur ?

— Il faut que subsiste toujours quelque chose qui nous échappe. Pour que le pouvoir ait un objet sur quoi s'exercer, un espace où étendre les bras... Tant que je sais qu'il y a au monde quelqu'un qui fait des tours de prestidigitation simplement pour l'amour du jeu, tant que je sais qu'il y a une femme qui aime la lecture pour la lecture, je peux tenir pour sûr que le monde continue... Et m'abandonner chaque soir à la lecture, moi, comme la lointaine lectrice inconnue...

Un instant, l'image du Directeur Général et celle de Ludmilla se sont superposées, incongruité que tu chasses rapidement de ton esprit, pour jouir de l'apothéose de la Lectrice, vision radieuse qui monte des paroles désenchantées d'Arkadian Porphyritch, et goûter la certitude, confirmée par le Directeur omniscient, qu'entre elle et toi n'existent plus obstacles ni mystères : tandis que du Cagliostro, ton rival, il ne reste plus qu'une ombre pathétique, toujours plus incertaine...

Mais ta satisfaction ne sera pas complète tant que ne sera pas rompu l'enchantement des lectures interrompues. Tu essaies d'aborder ce sujet aussi avec Arakadian Porphyritch :

— Comme modeste apport à votre collection, nous aurions voulu vous offrir un des livres interdits les plus demandés en Ataguitania, *Autour d'une fosse vide*, un roman de Calixto Bandera ; mais notre police, par excès de zèle, a envoyé le tirage complet au pilon. Il semble pourtant qu'une traduction en langue ircanienne circule de main et main dans votre pays, en édition clandestine ronéotypée. En avez-vous entendu parler ?

Arakadian Porphyritch se lève pour consulter un fichier :

— De Calixto Bandera, avez-vous dit ? Voici : il ne semble pas disponible pour le moment. Mais si vous avez la patience d'attendre une semaine, au maximum deux, je vous promets une surprise de premier ordre. L'un des plus importants parmi nos auteurs interdits, Anatoly Anatoline, selon les renseignements fournis par nos informateurs, travaille depuis quelque temps à une transposition du récit de Bandera dans un cadre ircanien. Par d'autres sources, nous savons qu'Anatoline est sur le point de terminer un nouveau roman, intitulé *Quelle histoire attend là-bas sa fin ?* Roman dont nous avons déjà préparé la saisie : une opération surprise de la police empêchera son entrée dans le circuit de diffusion du livre clandestin. Dès qu'il sera entre nos mains, je m'empresserai de vous en faire tenir un exemplaire : vous pourrez juger s'il s'agit ou non du livre que vous cherchez.

En un éclair, ton plan est fait. Anatoly Anatoline, tu as le moyen d'établir un contact direct avec lui ; il faut prendre de court les agents d'Arkadian Porphyritch, entrer avant eux en possession du manuscrit, le sauver de la saisie, le mettre à l'abri, te mettre à l'abri avec : à l'abri des deux polices, l'ataguitanienne comme l'ircanienne…

Cette nuit, tu fais un rêve. Tu es dans un train, un long train qui traverse l'Ircanie. Tous les voyageurs lisent de gros volumes reliés, chose qui se produit plus facilement qu'ailleurs dans les pays où les journaux et périodiques ne présentent que peu d'attrait. L'idée te vient que l'un ou l'autre des voyageurs — ou peut-être tous — est (ou sont) en train de lire l'un des romans que tu as dû interrompre, et même que tous ces romans se trouvent là, dans ce compartiment, traduits dans une langue qui t'est inconnue. Tu t'efforces de lire ce qui est écrit au dos des couvertures, bien que tu saches que c'est inutile puisqu'il s'agit d'une écriture que tu ne sais pas déchiffrer.

Un voyageur sort dans le couloir et laisse là son volume pour marquer sa place, avec entre les pages un signet. A peine est-il sorti que tu tends la main vers le livre, le feuillettes, te convaincs que c'est celui que tu cherchais. Tu t'aperçois à ce moment que les autres voyageurs se sont tournés vers toi et te jettent tous des regards chargés de menace pour réprouver l'indiscrétion de ton comportement.

Afin de cacher ta confusion, tu te lèves, tu te penches à la fenêtre, le livre toujours à la main. Le train s'est arrêté au milieu des voies et des signaux, peut-être avant un aiguillage proche d'une gare perdue. Sur la voie d'à côté, un autre train est arrêté, qui va dans la direction opposée, ses vitres sont tout embuées. Le mouvement circulaire d'une main gantée rend à la vitre d'en face un peu de sa transparence : une figure de femme dans un nuage de fourrure apparaît.

— Ludmilla, cries-tu, Ludmilla, le livre (tu tentes de le lui dire par des gestes plus qu'avec la voix), le livre que tu cherches, je l'ai trouvé, il est ici...

Et tu t'efforces de baisser la vitre pour le lui passer à travers les aiguilles de glace qui recouvrent d'une croûte épaisse le train.

— Le livre que je cherche, répond la silhouette estompée qui te tend un volume semblable au tien, c'est celui qui donne le sens du monde après la fin du monde, au sens où le monde n'est rien que la fin de tout ce qui existe au monde, où la seule chose qui existe au monde c'est sa fin.

— Ce n'est pas vrai ! cries-tu.

Et tu cherches dans le livre incompréhensible une phrase qui pourrait contredire les paroles de Ludmilla. Mais les deux trains repartent et s'éloignent dans des directions opposées.

Un vent glacé balaie le jardin public de la capitale d'Ircanie. Tu es là, assis sur un banc, tu attends Anatoly Anatoline qui doit te remettre le manuscrit de son nouveau roman *Quelle histoire attend là-bas sa fin ?* Un jeune homme à longue barbe blonde, portant pardessus noir et casquette de toile cirée, s'assied à côté de toi.

— Ne dites rien. Ces jardins sont très surveillés.

Une haie vous protège des regards étrangers. Une petite liasse de feuillets passe de la poche intérieure du pardessus d'Anatoly à la poche intérieure de ton blouson. Anatoly Anatoline sort d'autres feuilles d'une poche de sa veste :

« J'ai dû répartir les feuilles entre mes différentes poches ; pour éviter que le renflement n'attire l'œil.

Il a sorti un rouleau de pages d'une des poches intérieures de son gilet. Le vent lui arrache des doigts une feuille ; il se précipite pour la ramasser. Il s'apprête à tirer un autre paquet de la poche de derrière de son pantalon lorsqu'il est arrêté par trois agents en civil, surgis de la haie.

Quelle histoire attend là-bas sa fin ?

En me promenant le long de la grande Perspective de notre ville, j'efface mentalement les éléments que j'ai décidé de ne pas prendre en considération. Je passe devant le siège d'un ministère, un palais à la façade surchargée de cariatides, colonnes, balustrades, moulures, corniches et métopes, et je ressens le besoin de la réduire à une surface lisse verticale, une lame de verre opaque, un diaphragme qui découpe l'espace sans faire obstacle à la vue. Même ainsi simplifié, le palais continue de me peser dessus, de m'oppresser : je décide de l'abolir complètement ; à sa place, un ciel couleur de lait plane sur la terre nue. J'efface de la même façon cinq ministères, trois banques et deux gratte-ciel, sièges de grandes sociétés. Le monde est si complexe, si embrouillé, si surchargé que pour y voir un peu clair il est nécessaire d'élaguer, d'élaguer.

Dans mes va-et-vient sur la Perspective, je rencontre continuellement des personnes dont la vue, pour des raisons différentes, m'est désagréable : mes supérieurs hiérarchiques, parce qu'ils me rappellent ma condition de subordonné, mes subordonnés parce que je déteste me sentir investi d'une autorité que je juge mesquine, comme sont mesquines l'envie, la servilité et la rancœur qu'elle suscite. J'efface les uns et les autres, sans hésiter ; du coin de l'œil, je les vois s'amenuiser et s'évanouir dans une traînée de brouillard.

Au cours de cette opération, je dois prendre garde d'épargner les passants, les étrangers, les inconnus qui ne m'ont jamais gêné : si j'observe sans parti pris les visages de certains d'entre eux, je les trouve même sincèrement dignes d'intérêt. Mais s'il ne reste du monde qui m'entoure qu'une foule d'étrangers, je ne vais pas tarder à éprouver un sentiment de solitude et de dépaysement : mieux vaut donc que je les efface eux aussi, en bloc, et que je n'y pense plus.

Dans un monde simplifié, j'ai davantage de chances de rencontrer les rares personnes que j'ai plaisir à rencontrer : Franziska par exemple. Franziska est une amie dont la rencontre me procure toujours une grande joie. Nous nous disons des choses spirituelles, nous rions, nous nous racontons de petits faits sans importance, que nous ne raconterions peut-être pas à d'autres, mais qui se révèlent pleins d'intérêt pour nous deux dès lors que nous en parlons ensemble ; et avant de prendre congé, nous nous disons qu'il faut absolument que nous nous revoyions au plus vite. Puis les mois passent, jusqu'à ce qu'il nous arrive une nouvelle fois de nous croiser dans la rue par hasard ; ce sont des exclamations joyeuses, des éclats de rires, des promesses de se revoir, mais ni elle ni moi ne faisons jamais rien pour provoquer une rencontre ; peut-être parce que nous savons que ce ne serait plus la même chose. Or, dans un monde simplifié et réduit — où le champ aurait été débarrassé de toutes ces situations préétablies qui font que des rencontres plus fréquentes impliqueraient entre nous une relation inévitablement mieux définie, peut-être la perspective d'un mariage ou du moins la conviction de former un couple, ce qui supposerait des liens pouvant s'étendre aux familles respectives, avec parentèles ascendantes et descendantes, frères, sœurs et cousins, des liens allant jusqu'au cadre de vie, avec conséquences dans la sphère des revenus et biens patrimoniaux —, une fois disparues, donc, toutes ces implications qui pèsent silencieusement sur nos conversations et font qu'elles ne durent jamais plus de quelques minutes, la rencontre avec Franziska devrait être encore plus belle et plus agréable. Il est dès lors naturel que je cherche à créer les conditions les plus favorables à la coïncidence de nos parcours, sans en exclure l'abolition de toutes les jeunes femmes qui portent une fourrure claire comme celle qu'elle portait la dernière fois, pour être bien sûr, si je la vois de loin, que c'est elle, et éviter de m'exposer à des équivoques ou à des désillusions ; et la suppression de tous les jeunes gens qui, à leur air, pourraient bien être des amis de Franziska, dont il n'est pas exclu qu'ils cherchent très intentionnellement à la rencontrer pour la retenir par une agréable conversation, au moment même où ce devrait être moi qui la rencontre par hasard.

Je me suis attardé à des détails d'ordre personnel, mais cela ne doit pas faire croire que dans mes annulations je n'obéis qu'à mes intérêts individuels immédiats, quand je cherche au contraire à agir dans l'intérêt de tout ensemble (et donc aussi dans le mien, mais indirectement). Si pour commencer j'ai fait disparaître tous les services publics qui me tombaient sous la main, et pas seulement leurs sièges, avec leurs escaliers, leurs entrées à colonnades, leurs couloirs et leurs antichambres, leurs fichiers, circulaires et dossiers, mais aussi les chefs de service, directeurs généraux, inspecteurs adjoints, substituts, employés titulaires et surnuméraires, je l'ai fait parce que je pensais que leur existence était nocive, ou qu'au moins elle n'ajoutait rien à l'harmonie de l'ensemble.

C'est l'heure où la foule des employés quitte les bureaux surchauffés, boutonne ses manteaux à col de fourrure synthétique et s'entasse dans les autobus. Je bats des paupières, et les voilà disparus : on n'aperçoit plus que de rares passants, au loin, dans des rues dépeuplées dont j'ai déjà eu soin d'éliminer voitures, camions et autobus. J'aime voir le sol des rues vide et lisse comme une piste de bowling.

J'abolis ensuite casernes, corps de garde et commissariats ; toutes les personnes en uniforme s'évanouissent comme si elles n'avaient jamais existé. Peut-être ai-je eu la main un peu lourde ; je m'aperçois que j'ai fait subir le même sort aux pompiers, postiers, balayeurs municipaux, et autres catégories qui pouvaient à juste titre prétendre à un traitement différent ; mais ce qui est fait est fait : on ne peut pas y regarder toujours de trop près. Pour éviter tout inconvénient, je m'empresse d'abolir incendies, ordures et même courrier ; tout compte fait, il ne crée que des ennuis.

Je vérifie qu'il n'est resté sur pied ni hôpitaux, ni cliniques, ni hospices : effacer médecins, infirmières et malades me paraît l'unique solution possible. Puis les tribunaux au complet, avec magistrats, avocats, accusés et parties lésées ; et les prisons, avec leurs détenus et leurs gardiens. J'efface l'université avec tout le corps enseignant, l'académie des sciences, des lettres et des beaux-arts, le musée, la bibliothèque, les monuments et leurs directions respectives, le théâtre, le cinéma, la télévision, les journaux. S'ils croient que le respect de la culture va m'arrêter, ils se trompent.

C'est ensuite le tour des structures économiques : elles nous imposent depuis trop longtemps leur prétention immodérée à déterminer notre vie. Qu'est-ce qu'elles croient ? Je dissous les magasins l'un après l'autre, en commençant par les commerces de première nécessité pour finir par les produits somptuaires et superflus : je dégarnis d'abord les vitrines de leurs marchandises, puis j'efface les comptoirs, les rayons, les vendeuses, les caissières, les chefs de rayon. La foule des clients reste un moment interdite, les mains tendues dans le vide, tandis que se volatilisent les chariots à roulettes ; puis elle est à son tour engloutie dans le néant. De la consommation, je remonte à la production : j'abolis l'industrie, légère et lourde, je taris les matières premières, les sources d'énergie. Et l'agriculture ? Même chose. Et pour qu'on ne dise pas que je régresse vers les sociétés primitives, j'abolis la chasse et la pêche aussi.

La nature... Allons, ne croyez pas que je n'aie pas compris que cette question de la nature est encore une belle imposture : à bas la nature ! Il suffit qu'il nous reste sous les pieds une croûte suffisamment solide, et le vide de tous les autres côtés.

Je continue ma promenade sur la Perspective qui ne se distingue plus maintenant de l'immense plaine déserte et glacée. Il n'y a plus de murs, à perte de vue, pas même de montagnes ou de collines ; pas un fleuve, un lac ou une mer :

rien qu'une étendue plate et grise de glace compacte comme le basalte. Renoncer aux choses est moins difficile qu'on ne croit : le tout est de commencer. Une fois qu'on est arrivé à faire abstraction de quelque chose qu'on croyait essentiel, on s'aperçoit qu'on peut se passer aussi d'autre chose, et puis encore de beaucoup d'autres. Me voici donc en train de parcourir cette surface vide qu'est le monde. Un vent soufflant à ras de terre emporte dans des rafales de neige fondue les derniers restes du monde disparu : une grappe de raisin mûr dont il paraît qu'elle vient juste d'être cueillie, le chausson de laine d'un nouveau-né, un joint de cardan bien huilé, une page qu'on dirait arrachée à un roman en espagnol avec un nom de femme : Amaranta. Est-ce il y a quelques secondes, ou il y a des siècles, que tout a cessé d'exister ? J'ai déjà perdu le sens du temps.

Là-bas, tout au fond de cette bande de néant que je continue d'appeler la Perspective, je vois s'avancer une silhouette fine dans une veste de fourrure claire : c'est Franziska ! Je reconnais son pas élancé et ses hautes bottes, sa façon de garder les mains enfouies dans son manchon, sa longue écharpe à rayures qui s'envole. L'air glacé et le terrain dégagé assurent une excellente visibilité, mais je fais en vain de grands gestes d'appel : elle ne peut pas me reconnaître, nous sommes encore loin, j'avance à grands pas, du moins je crois avancer, mais les points de repère me manquent. Et soudain, sur cette ligne qui va de Franziska à moi, des ombres se profilent : des hommes, des hommes en pardessus et chapeau. Ils sont là à m'attendre. Mais qui peuvent-ils bien être ?

Quand je me suis rapproché d'eux, je les reconnais : la Section D. Comment diable se sont-ils conservés ? Que font-ils là ? Je croyais les avoir abolis quand j'ai effacé tout le personnel de bureau. Pourquoi se mettent-ils entre Franziska et moi ? « Allons, je les efface ! » pensé-je en me concentrant. Mais rien à faire : ils sont toujours là.

— Te voilà ? Tu es donc toi aussi des nôtres ? Bravo ! Tu

nous as donné un coup de main, comme il convenait ; tout est parfaitement propre, à présent.

Moi, je m'étonne :

— Comment ? Vous aussi, vous effaciez ?

Je m'explique maintenant cette sensation que j'avais d'être allé plus loin que les autres fois, dans la pratique de l'effacement du monde autour de moi.

« Mais, dites-moi, ce n'est pas vous qui parliez toujours de développement, de croissance, de rendement ?

— Et alors ? Il n'y a aucune contradiction... Tout rentre dans la logique de nos prévisions. La courbe de développement repart à zéro. Toi aussi, tu t'es rendu compte que la situation en était arrivée à un point mort, qu'elle se détériorait. Il n'y avait plus qu'à accélérer ce processus... Tendanciellement, ce qui peut figurer comme un passif sur une durée limitée peut se transformer en relance sur le long temps.

— Attention, moi, je ne l'entendais pas comme vous. Mon projet était différent. J'efface d'une autre manière...

Tu protestes et tu penses : « S'ils croient me faire entrer dans leurs plans, ils se trompent ! »

J'ai hâte de faire marche arrière, de faire revenir à l'existence les choses du monde, une par une ou toutes ensemble, d'opposer comme un mur compact leur substance tangible et variée à un dessein général d'abolition. Je ferme les yeux et je les rouvre, sûr de me retrouver sur la Perspective grouillante de trafic, avec ses réverbères vraisemblablement allumés à cette heure et les dernières éditions à l'étalage des marchands de journaux. Mais non, rien : autour, c'est le vide toujours plus vide, la silhouette de Franziska à l'horizon avance aussi lentement que si elle s'échinait à remonter la courbe du globe terrestre. Serions-nous les seuls survivants ? Avec une terreur croissante, je commence à comprendre la vérité : le monde que je croyais effacé par décision de mon esprit, une décision que je pouvais à tout moment révoquer, ce monde a cessé d'exister pour de bon.

— Sachons nous montrer réalistes, expliquent les fonctionnaires de la section D. Il suffit de regarder autour de nous.

C'est tout l'univers qui se... disons : qui est entré dans une phase de transformation...

Et ils me montrent le ciel, avec ses constellations méconnaissables, ici rassemblées, là-bas éparses, une carte céleste bouleversée par les étoiles qui explosent l'une après l'autre, ou bien qui jettent leurs derniers feux avant de s'éteindre.

« L'important est que les nouveaux, quand ils arriveront, trouvent la section D en parfait état de marche, avec le personnel de ses cadres au complet et des structures fonctionnelles opératoires...

— Mais qui sont-ils, ces « nouveaux » ? Que font-ils ? Et qu'est-ce qu'ils veulent ?

Tandis que je questionne, je vois, sur la surface gelée qui me sépare de Franziska, s'étendre une fêlure fine, comme une mystérieuse menace.

— C'est trop tôt pour le dire. Pour le dire dans notre vocabulaire à nous. Pour l'instant, nous n'avons même pas réussi à les voir. Qu'ils existent, c'est sûr, et du reste nous étions informés depuis longtemps de leur prochaine arrivée. Au demeurant, nous aussi sommes là, et ils ne peuvent pas ne pas le savoir : nous qui représentons la seule continuité possible avec ce qui a existé jusqu'à présent... Ils ont besoin de nous, ils ne peuvent éviter de recourir à nous, de nous confier la direction pratique de ce qui reste. Le monde recommencera tel que nous le voulons...

Mais moi, je pense : Attention, le monde que je voudrais voir recommencer autour de Franziska et de moi ne peut pas être le vôtre ; je voudrais me concentrer en pensée sur un lieu avec tous ses détails, un endroit où j'aimerais me trouver en ce moment avec Franziska, par exemple un café tapissé de miroirs où se reflètent des lustres de cristal, tandis qu'un orchestre joue des valses, et que les accords des violons passent par-dessus les tables de marbre, les tasses fumantes et les gâteaux à la crème. Dehors, par-delà les vitres embuées, un monde plein de gens et de choses ferait sentir sa présence : la présence d'un monde amical ou hostile, de choses qui sont source de joie ou de conflit... J'y pense de toutes mes forces,

267

mais je sais désormais qu'elles ne suffisent pas à le faire
exister : le néant est plus fort, c'est lui qui a occupé toute la
terre.

« Entrer en rapport avec eux ne sera pas chose facile,
continuent les fonctionnaires de la Section D. Il faudra faire
attention à ne pas commettre d'erreur, ne pas se laisser mettre
hors-jeu. Nous avons pensé à toi pour gagner la confiance des
nouveaux. Tu as montré que tu savais t'y prendre durant la
phase de liquidation, et tu es de nous tous le moins compromis
avec l'ancienne administration. C'est toi qui iras les voir, leur
expliquer ce qu'est la Section, et comment ils peuvent
l'utiliser pour des tâches indispensables, qui n'attendent pas...
Tu verras bien comment présenter les choses sous le meilleur
jour...

— C'est bon, j'y vais, je pars à leur rencontre.

Je dis et je me hâte car je comprends que si je ne m'échappe
pas maintenant, si je ne rejoins pas Franziska tout de suite
pour la mettre à l'abri, dans une minute il sera trop tard, le
piège va se refermer. Je me mets à courir avant que la
Section D ne me retienne pour me poser des questions et me
donner des instructions ; j'avance vers Franziska sur la croûte
gelée. Le monde s'est réduit à une feuille de papier où ne
parviennent à s'écrire que des mots abstraits, comme si tous
les noms concrets avaient disparu : il suffirait de pouvoir
écrire le mot « casserole », pour qu'il soit possible ensuite
d'écrire « cafetière », « sauce béarnaise » ou « tuyau de
poêle » : mais l'équilibre stylistique du texte l'interdit.

Sur le sol, entre Franziska et moi, je vois s'ouvrir des
fentes, des sillons, des crevasses ; à chaque instant, mon pied
manque s'enfoncer dans une trappe : les interstices s'élargis-
sent, bientôt s'ouvrira entre Franziska et moi un ravin, un
abîme. Je saute d'un bord à l'autre, et je ne vois pas de fond,
sous moi : seulement le rien à l'infini qui continue ; je marche
sur des fragments de monde éparpillés dans le vide ; le monde
est en train de s'effriter... Toute la Section D m'appelle, ils
me font des gestes désespérés pour que je revienne en arrière,

268

que je n'avance pas davantage... Franziska ! Voici, encore un bond, le dernier, et je suis à toi !

Elle est là, en face de moi, souriante, avec cet éclat doré dans ses yeux ; son petit visage est un peu rougi par le froid.

— Oh, mais c'est toi ! Chaque fois que je traverse la Perspective, je te rencontre ! Tu ne me diras pas que tu passes tes journées à te promener ! Écoute, je connais un café tout près, au coin, avec des miroirs, et un orchestre qui joue des valses ; tu m'invites ?

XI

Lecteur, il est temps que cette navigation agitée trouve enfin un point où aborder. Est-il un port mieux fait pour t'accueillir qu'une grande bibliothèque ? Il y en a certainement une dans la ville d'où tu es parti et où te voici revenu après ce tour du monde d'un livre à l'autre. Il te reste encore un espoir : et si dans cette bibliothèque se trouvaient les dix romans qui se sont volatilisés entre tes mains peu après que tu en as entrepris la lecture ?

Finalement, tu as devant toi une journée calme et tranquille ; tu vas à la bibliothèque, tu consultes le catalogue ; tu te retiens difficilement de pousser un cri de joie, mieux : dix cris de joie ; tous les auteurs et tous les titres que tu cherches figurent dans le catalogue, où ils sont enregistrés avec soin.

Tu remplis une première fiche et la remets ; on te signale qu'il doit y avoir une erreur de numérotation dans le catalogue, car on ne trouve pas le livre ; au reste, on fera des recherches. Tu en demandes aussitôt un autre : on te répond qu'il est en lecture, mais on ne peut pas retrouver qui l'a demandé ni quand. Le troisième que tu demandes est à la reliure ; il en reviendra dans un mois. Le quatrième est conservé dans une aile de la bibliothèque présentement fermée pour travaux. Tu continues à remplir des fiches ; pour une raison ou pour une autre, aucun des livres que tu demandes ne peut être mis à ta disposition.

Tandis que le personnel continue ses recherches, tu attends patiemment, assis à une table avec d'autres lecteurs plus chanceux, plongés dans divers volumes. Tu tends le cou à gauche et à droite, pour lorgner les livres des autres : si jamais l'un d'entre eux était en train de lire l'un de ceux que tu cherches ?

Le regard du lecteur qui te fait face, au lieu de se poser sur le livre ouvert entre ses mains, vagabonde dans les airs. Ses yeux pourtant ne sont pas distraits : une fixité intense accompagne chaque mouvement de ses iris bleus. De temps en temps, vos regards se rencontrent. Vient un moment où il t'adresse la parole, ou plutôt parle dans le vide, mais en s'adressant certainement à toi :

— Ne vous étonnez pas si vous me voyez souvent errer du regard. C'est en effet ma façon de lire, ce n'est qu'ainsi que la lecture me porte profit. Quand un livre m'intéresse vraiment, je n'arrive pas à le suivre pendant plus de quelques lignes sans que mon esprit, pour avoir capté une idée que le texte lui propose, ou un sentiment, ou une interrogation, ou une image, prenne la tangente et rebondisse de pensée en pensée, d'image en image, selon un itinéraire de raisonnements et de rêveries que j'éprouve le besoin de parcourir jusqu'au bout, m'éloignant ainsi du livre jusqu'à le perdre de vue. Le stimulus de la lecture m'est indispensable : celui d'une lecture substantielle, même si je n'arrive à lire que peu de pages dans chaque livre. Ces quelques pages renferment pour moi des univers entiers, que je n'arrive pas à épuiser.

— Je vous comprends, intervient un deuxième lecteur, levant par-dessus les pages de son volume un visage cireux et des yeux rougis. La lecture est une opération discontinue, fragmentaire. Ou mieux : l'objet de la lecture est une matière punctiforme et pulvérisée. Dans l'espace étale de l'écriture, l'attention du lecteur distingue des segments minimaux, des rapprochements de mots, des métaphores, des noyaux syntaxiques, des transitions logiques, des particularités lexicales, qui se révèlent porteurs d'un sens extrêmement concentré. Ce sont comme les particules élémentaires qui composent le noyau de l'œuvre, autour de quoi tourne tout le reste. Ou bien comme le vide au fond d'un gouffre, qui aspire et engloutit les courants. C'est dans ces brèches que se manifeste, en des éclairs à peine perceptibles, la vérité que le livre peut comporter, sa substance ultime. Mythes et mystères sont faits de grains impalpables, comme le pollen qui demeure collé aux pattes des papillons ; celui seul qui a compris cela peut espérer surprises et illuminations. C'est bien pourquoi mon attention, au contraire de la vôtre, monsieur, ne peut, fût-ce un instant, se détacher des lignes écrites. Je ne dois pas être distrait si je ne veux pas laisser passer un indice précieux. Chaque fois que je tombe sur un de ces petits grumeaux de sens, je dois creuser autour, pour voir si la pépite ne s'étend pas en un filon. Ma lecture n'a pour cette raison pas de fin : je relis et je relis, cherchant chaque fois entre les plis des phrases la preuve d'une découverte nouvelle.

— J'éprouve moi aussi le besoin de relire les livres que j'ai déjà lus, remarque un troisième lecteur, mais à chaque relecture il me semble lire pour la première fois un livre nouveau. Est-ce moi qui continue à changer et qui vois des choses nouvelles dont je ne m'étais d'abord pas aperçu ? Ou bien la lecture est-elle une construction qui prend forme en rassemblant un grand nombre de variables, et ne peut se répéter deux fois selon le même dessin ? Chaque fois que je cherche à revivre l'émotion d'une lecture précédente, j'éprouve des impressions nouvelles et inattendues, et je ne retrouve pas celles d'avant. Il me semble à certains moments que, d'une lecture à l'autre, il y a un progrès : en ce sens, par exemple, que je pénètre mieux l'esprit du texte, ou que je gagne en distance critique. A d'autres moments, il me semble en revanche devoir conserver le souvenir des lectures d'un même livre l'une à côté de l'autre, enthousiastes, froides ou hostiles, dispersées dans le temps sans perspective d'ensemble, sans fil conducteur pour les relier. La conclusion à laquelle je suis arrivé, c'est que la lecture constitue une opération sans objet ; ou qui n'a pas d'autre véritable objet qu'elle-même. Le livre en est un support accessoire, ou même un prétexte.

Un quatrième lecteur intervient :

— Si vous voulez insister sur la subjectivité de la lecture, je peux être d'accord avec vous, mais non dans le sens centrifuge que vous attribuez à la chose. Chaque nouveau livre que je lis vient s'insérer dans le livre complexe, unitaire, qui forme la somme de mes lectures. Cela ne se produit pas sans effort : pour composer ce livre général, chaque livre particulier doit se transformer, entrer en rapport avec les livres lus précédemment, en devenir le corollaire, le développement, la réfutation, la glose ou le texte de référence. Depuis des années, je fréquente cette bibliothèque et je l'explore volume après volume, rayon après rayon, et pourtant je pourrais vous démontrer que je n'ai rien fait d'autre que d'avancer dans la lecture d'un livre unique.

— Pour moi aussi, tous les livres aboutissent à un unique livre, expose un cinquième lecteur, sorti de derrière une pile de volumes reliés ; mais il s'agit d'un livre situé loin dans le passé, et qui émerge à peine de mes souvenirs. C'est pour moi une histoire d'avant toutes les autres histoires, et dont toutes les histoires que je lis me semblent offrir un écho aussitôt perdu. Dans mes lectures, je ne fais que rechercher ce livre lu dans mon enfance, mais ce dont je me souviens est trop peu pour que je puisse le retrouver.

Un sixième lecteur, qui était resté debout et passait en revue les rayons, le nez en l'air, s'approche :

— Le moment le plus important, à mes yeux, c'est celui qui précède la lecture. Parfois le titre suffit pour allumer en moi le désir d'un livre qui peut-être n'existe pas. Parfois, c'est l'*incipit* du livre, ses premières phrases... En somme : s'il vous suffit de peu pour mettre en route votre imagination, moi, il m en faut encore moins : rien que la promesse d'une lecture.

— Pour moi, au contraire, c'est la fin qui compte, constate un septième ; mais la fin véritable, ultime, cachée dans l'obscurité, le point d'arrivée où le livre veut vous conduire. Moi aussi je cherche une brèche quand je lis (ce disant, il a fait un signe vers l'homme aux yeux rouges), mais si mon regard creuse entre les mots, c'est pour chercher ce qui se profile au loin, dans les espaces qui s'étendent au-delà du mot « fin ».

Le moment est venu de dire à ton tour ton sentiment :

— Messieurs, je dois tout d'abord déclarer que, dans les livres, j'aime lire ce qui est écrit et rien d'autre ; assembler les détails avec le tout ; considérer certaines lectures comme définitives ; ne pas mêler un livre avec un autre, compte tenu de ce que chacun a de propre et de nouveau ; mais ce que j'aime par-dessus tout, c'est lire un livre de bout en bout. Or, depuis quelque temps, rien ne va plus : j'ai l'impression qu'il n'existe plus dans le monde que des histoires qui restent en suspens, et se perdent en route.

Le cinquième lecteur te répond :

— Cette histoire dont je vous parlais, je me rappelle bien le début, mais j'ai oublié tout le reste. Ce doit être un récit des *Mille et Une Nuits.* J'ai confronté les différentes éditions, les traductions dans toutes les langues. Il y a beaucoup d'histoires semblables à celle que je cherche, avec de nombreuses variantes, mais aucune n'est la bonne. Est-ce que je l'aurais rêvée ? Et pourtant, je sais que je n'aurai pas de paix tant que je ne l'aurai pas retrouvée, et ne saurai pas comment elle finit.

« Le calife Haroun Al-Rachid (ainsi commence l'histoire, qu'il consent à raconter quand il voit ta curiosité), une nuit qu'il est en proie à l'insomnie, se déguise en marchand et sort par les rues de Bagdad. Une barque le transporte sur le Tigre jusqu'à la grille d'un jardin. Au bord d'un bassin, une femme belle comme un astre chante en s'accompagnant sur un luth. Une esclave aide Haroun à entrer dans le palais et lui fait revêtir un manteau couleur safran. La femme qui chantait dans le jardin est maintenant assise dans un fauteuil d'argent. Sur des coussins, autour d'elle, sept hommes sont assis, enveloppés dans des manteaux couleur safran. " Il ne manquait plus que toi, dit la dame, tu es en retard " ; et elle l'invite à s'asseoir à côté d'elle sur un coussin. " Nobles seigneurs, vous avez juré de m'obéir aveuglément ; le moment est venu de vous mettre à l'épreuve " ; la femme ôte un collier de perles de son cou. " Ce collier a sept perles blanches et une noire. Je vais en rompre le fil et je laisserai les perles tomber dans une coupe d'onyx. Celui qui tirera au sort la perle noire devra tuer le calife Haroun Al-Rachid et m'apporter sa tête.

Sa récompense, ce sera moi-même. Mais s'il refuse de tuer le calife, il sera tué par les sept autres, qui recommenceront le tirage au sort. " Avec un frisson, Haroun Al-Rachid ouvre la main, y voit la perle noire et, s'adressant à la dame, promet : " J'obéirai aux ordres du sort et aux tiens. A condition toutefois que tu me racontes quelle offense du calife a pu déchaîner ainsi ta haine ", demande-t-il, anxieux d'entendre le récit.

Ce reste d'une lecture d'enfance devrait figurer dans la liste de tes lectures interrompues. Mais quel en est le titre ?

« S'il avait un titre, j'ai oublié lequel. Trouvez-en un vous-même.

Les mots sur lesquels la narration s'est interrompue te semblent bien exprimer l'esprit des *Mille et Une Nuits*. Tu écris donc *Demande-t-il anxieux d'entendre le récit* sur la liste des titres que tu as en vain demandés à la bibliothèque.

— Vous pouvez me faire voir ? demande le sixième lecteur, qui te prend la liste des titres, ôte des lunettes de myope, les met dans un étui, ouvre un second étui, chausse des lunettes de presbyte, et lit à haute voix :

Si par une nuit d'hiver un voyageur, s'éloignant de Malbork, penché au bord de la côte escarpée, sans craindre le vertige et le vent, regarde en bas dans l'épaisseur des ombres, dans un réseau de lignes entrelacées, dans un réseau de lignes entrecroisées sur le tapis de feuilles éclairées par la lune autour d'une fosse vide — Quelle histoire attend là-bas sa fin ? demande-t-il, anxieux d'entendre le récit.

Il remonte les lunettes sur son front :

« Ma foi, un roman qui commence comme cela, je jurerais bien que je l'ai lu... Vous n'avez que le début et vous voudriez trouver la suite, n'est-ce pas ? Le malheur, c'est qu'autrefois les romans commençaient tous comme cela. Quelqu'un, qui passait dans une rue solitaire et déserte, y voyait quelque chose qui retenait son attention, quelque chose qui semblait cacher un mystère ou envelopper une prémonition : il demandait alors une explication, et, là-dessus, on lui racontait une longue histoire...

Tu essaies d'intervenir :

— Attention, écoutez, il y a un malentendu. Cela n'est pas un texte : seulement une liste de titres... Le *Voyageur*...

— Oh, le voyageur n'apparaissait qu'aux premières pages, et puis on ne parlait plus de lui, sa fonction était terminée... Le roman, ce n'était pas son histoire...

— Mais ce n'est pas de cette histoire-là que je voudrais savoir la fin...

Le septième lecteur t'interrompt :

— Vous croyez que chaque lecture doit avoir un début et une fin ? Autrefois, le récit n'avait que deux façons de finir : une fois leurs épreuves passées, le héros et l'héroïne se mariaient ; ou ils mouraient. Le sens ultime à quoi renvoient tous les récits comporte deux faces : ce qu'il y a de continuité dans la vie, ce qu'a d'inévitable la mort.

Là, tu t'arrêtes un moment pour réfléchir. Puis, avec la soudaineté de l'éclair, tu te décides : tu épouseras Ludmilla.

XII.

Lecteur et Lectrice, vous êtes à présent mari et femme. Un grand lit conjugal accueille vos lectures parallèles.

Ludmilla ferme son livre, éteint sa lampe, abandonne sa tête sur l'oreiller, et dit :

— Eteins toi aussi. Tu n'es pas fatigué de lire ?

Et toi :

— Encore un moment. Je suis juste en train de finir *Si par une nuit d'hiver un voyageur*, d'Italo Calvino.

Table

Du même auteur

AUX ÉDITIONS DU SEUIL

Le Baron perché, 1960
coll. Points Roman, n° 10

Le Chevalier inexistant, 1962
coll. Points Roman, n° 131

Aventures, 1964
nouvelles

La Journée d'un scrutateur, 1966
coll. Points Roman, n° 417

Cosmicomics, 1968
coll. Points Roman, n° 320

Temps zéro, 1970
coll. Points Roman, n° 429

Les Villes invisibles, 1974
coll. Points Roman, n° 162

Le Château des destins croisés, 1976
coll. Points Roman, n° 183

Si par une nuit d'hiver un voyageur, 1981

La Machine littérature, 1984
essais

Palomar, 1985
coll. Points Roman, n° 253

Collection de sable, 1986
coll. Points Roman, n° 418

Sous le soleil jaguar, 1990

La Spéculation immobilière, 1990

CHEZ BOURGOIS

Le Sentier des nids d'araignées
coll. 10/18, 1981

Marcovaldo
coll. 10/18, 1981

Le corbeau vient le dernier
nouvelles
coll. 10/18, 1981

CHEZ GALLIMARD

Leçons américaines, 1989

AU LIVRE DE POCHE

Le Vicomte pourfendu, 1982

IMPRIMERIE BUSSIÈRE À SAINT-AMAND (10-90)
DÉPÔT LÉGAL SEPTEMBRE 1982. N° 6239-6 (3061)

Collection Points

SÉRIE ROMAN